새로운 100년

오연호가 묻고 법륜 스님이 답하다

새로운 100년

가슴을 뛰게 하는 통일 이야기

오마이북

:: 법륜 스님의 이야기

새로운 출발, 준비되셨나요?

참 시원합니다. 이제야 지난 20여 년간 끌어안고만 있던 큰 짐을 풀어놓고 한숨 돌리는 심정입니다. 그동안 이런저런 책을 내놓으면서 세상 사람들과 많은 이야기를 나누었지만 한편으로는 늘 마음속에 걸리는 것이 있었습니다. 오래전부터 정말 펴내고 싶었던 책이 하나 있었지만 제대로 손도 못 대봤기 때문입니다. 그것이 바로 이 책《새로운 100년》입니다.

재미있는 일을 찾습니까? 일할 맛 나는 그 무엇을 찾습니까? 인생을 한번 바쳐볼 만한 일을 찾습니까? 그렇다면 저와 함께 새로운 100년을 만들어보는 것은 어떨까요?

자기 인생의 주인이 되어 새로운 길을 개척하고 싶습니까? 가만히 앉아서 주변에 휩쓸리기만 하다가 화를 당할지도 모르는 처지에서 벗어나고 싶습니까? 시대의 흐름을 정확히 읽고 싶습니까? 일상에만 파묻혀 사는 지금의 나도 '역사'와 '민족'을 위해 어떤 역할을 할 수 있을지 확인하고 싶지는 않습니까? 그렇다면 이 법륜이 이야기해주는 새로운 100년을 들어보지 않겠습니까?

제가 고등학교 1학년일 때 스승님이 이런 말씀을 해주셨습니다. "너는 100년 앞을 내다보고 살아라." 그때부터 저는 새로운 100년을 깊이 고민하면서 그 속에서 나온 생각을 실천하려 했습니다. 정토회와 평화재단을 만든 것도, 굶주리는 북한 동포 돕기 운동을 20여 년간 해온 것도, 인도 등 제3세계의 어린이들을 도와온 것도 그런 여정이었습니다.

새로운 100년을 만드는 일은 미래에 대한 투자로서 그 가치를 가늠하기도 어려울 만큼 무척 가슴이 벅차오는 일입니다. 지난 100년을 되돌아보십시오. 우리 민족은 일제에 나라를 빼앗기고 분단과 전쟁을 경험했습니다. 그 후 한국 사회는 산업화와 민주화를 이뤄냈으나, 아직도 분단의 질곡에서 벗어나지 못했으며 양극화의 덫에 갇혀 있습니다. 경제성장은 이제 한계에 봉착했고, 행복지수는 OECD 국가 중 최하위입니다. 세계 최저 출산율 1.14명은 무엇을 말해줍니까? 우리가 다음 세대에게 이 땅은 정말 살 만한 곳이라고 자신 있게 권할 수 없는 형편임을 보여줍니다.

그래서 저는 여러분에게 함께 새로운 100년을 만들자고 권합니다. 그중에서도 가장 중대하고도 핵심적인 일은 우리 민족의 가슴 한복판을 떡하니 짓누르고 있는 분단이라는 바윗덩이를 들어내고 통일을 이루는 것입니다. 분단이야말로 한 단계 더 도약하려는 우리 민족을 가로막는 치명적인 방해물입니다. 분단을 극복하지 못하면 양극화 같은 남한 사회의 핵심 문제도 근본적으로 풀 수 없으며 우리 민족의 역량을 세계만방에 제대로 펼칠 수도 없습니다. 그렇다면 통일을 위해 우리는 무엇을 어떻게 해야 할까요? 우선 공부를 해야 합니다. 시대와 역사를 읽는 공부를 해야 합니다. 그러면 이 시대를 사는 내가 무엇을 해야 할지를 깨닫고서 역사적 책임의식을 지니게 됩니다. 반복되는 일상에 묻혀 살던 내가 화들짝 깨어날 것입니다.

우리 민족의 뿌리는 어디에서 시작되었을까? 우리 민족은 왜 고구려와 발해의 옛 땅을 잃어버렸는가? 삼국통일의 의미는 교과서에서 가르쳐준 것만이 전부일까? 계백과 김유신은 당대에는 철천지원수였는데, 우리는 왜 지금 두 장군 모두를 민족의 위인으로 평가할까? 만약 전태일이 지금의 북한에서 산다면 어떤 인권운동을 할까? 조선 말기에는 민란이 빈발했던 북한 땅의 인민들은 왜 굶주리는데도 김일성 왕조에 순응하고 있는가? 북한의 3대 권력세습을 어떻게 봐야 할까? 남북 이산가족이 만나는 장면을 TV에서 볼 때는 눈물을 흘리면서도 왜 그런 감정이 통일운동으로 번지지 못하는 것일까? 남한 사회의 양극화 해소와 남북통일이 대체 무슨 관계가 있다는 말일까? 통일을 누가 어떻게 이뤄낼 수 있을까? 통일이 반드시 필요하고 또 가능하다면 오늘 당장 내가 할 수 있는 작은 실천은 무엇인가…….

시대와 역사를 제대로 읽으려면 눈을 크게 떠야 합니다. 남한만 보지 말고 한반도 전체를 봐야 합니다. 한반도에 머무르지 않고 미국과 중국을, 나아가 세계를 봐야 합니다. 오늘에만 급급하지 말고 과거와 미래를 함께 봐야 합니다. 역사는 우리에게 세계정세의 흐름을 정확히 간파하지 못하면 화를 당한다는 것을 가르쳐줍니다. 특히 주변 강대국의 세력교체기에는 더욱 그렇습니다. 세계정세에 어두워서 당했던 화가 임진왜란이요, 병자호란과 삼전도의 굴욕이요, 일제의 침탈이요, 남북분단과 6·25전쟁입니다. 그래서 여러분과 새로운 100년을 함께 만들자는 말은 세계 속에서 우리 자신을 보는 눈을 키우자는 뜻이기도 합니다. 글로벌 리더를 목표로 하되 민족의식과 역사의식을 갖춘 리더가 되자는 제안입니다.

독일과 프랑스는 철천지원수였는데 어떻게 유럽 연합의 탄생을 함께 주도할 수 있었을까? 남한과 북한도 그럴 수 있는가? 역사상 우리 민족이 동북아시아를 주도한 적은 없었는가? 통일한국이 탄생한다면 동북아 지역공동체를 주도할 수 있을까? 주한미군 문제와 북한 핵문제는 어떻게 풀어야 할 것인가? 중국과 미국 사이의 세력교체기를 우리는 어떻게 대비할 것인가? 중국도 미국도 동의할 수밖에 없는 통일의 방법은 무엇이고 통일의 적기는 언제일까…….

이 책은 새로운 100년을 만들기 위해 이런 질문들을 정면으로 다룹니다. 내용이 어렵지 않냐고요? 걱정하지 않으셔도 됩니다. 오연호 〈오마이뉴스〉 대표가 저와 3개월간 나눈 대담을 쉽게 풀어 정리했기에 쏙쏙 들어올 겁니다.

서초동 평화재단에서 일주일에 한 번꼴로 진행된 대담의 마지막 주제는 "누가 언제 새로운 100년을 만들어낼 것인가"였습니다. 모든 일엔 첫 단추를 바르게 끼우는 것이 중요합니다. 2012년 대통령 선거에서 새로운 100년을 제대로 설계하고 실천할 수 있는 정권이 들어서야 합니다. 산업화의 리더십, 민주화의 리더십에 이어 남한 사회 전체를 포용하고 나아가 남북통일을 이뤄낼 수 있는 통합의 리더십이 필요합니다.

그래서 여러분의 선택이 중요합니다. 여러분이 새로운 100년을 만들어가는 리더와 의병이 되어주십시오. 2012년을 새로운 100년의 첫해로 만들고자 하는 정치인과 유권자 모두에게 이 책을 권합니다. 큰 꿈을 키워가고 있는 학생과, 한때 큰 꿈을 꾸었으나 지금은 자기 생활에 바쁜 학부모가 함께 읽어도 좋겠습니다.

자, 그럼 지금부터 새로운 100년을 만들어갈 준비를 해볼까요? 이 질문과 함께 시작하죠.

"요즘 참 바쁘시죠? 그런데 무엇을 위해서, 왜 그렇게 바쁘게 삽니까?"

이 책의 첫 장을 읽으면, 왜 제가 새로운 100년을 만들자면서 이 이야기부터 하는지 이해할 수 있을 겁니다. 2012년은 새로운 100년을 위한 출발의 해입니다. 새봄, 새로운 출발, 준비되셨나요?

2012년 봄

법륜

:: 차례

3장 | 1000년의 시간

4장 | 분단의 뿌리

5장 | 몰락한 양반, 북한

6장 | 나눔과 포용

7장 | 미안하다, 통일

8장 | 틈새에 피는 꽃

9장 | 미래의 100년

:: 시작하며

가슴이 다시 뛰는 이야기

오연호 제가 보기에 대한민국에서 가장 바쁜 분 중 하나가 법륜 스님이 아닌가 싶습니다. 평화재단과 정토회 일도 하셔야 하고, 연속 100회 강연도 하셔야 하고, 게다가 안철수 교수의 멘토까지 하시느라 몸이 열 개라도 모자라겠습니다. (웃음) 여러 가지 일을 동시에 하시면서 바쁜 가운데 저와 대담을 나누게 되었네요.

법륜 네, 먼저 오연호 대표님과 대담을 하게 되어 기쁩니다. 지나온 100년을 되돌아보고 새로운 100년을 설계하는 심정으로 통일 이야기를 나눠보죠.

오연호 일주일에 한 번씩 대담을 진행해도 석 달쯤은 걸릴 것 같습니다. 그 사이에 스님의 100회 연속 대중강의가 잡혀 있다니 좀 걱정이 됩니다. 이런 바쁜 일정 속에서 이번 대담이 가능할까요?

법륜 가능하게 만들어야죠. 제가 오래전부터 이 문제를 한번 정리하려고 했어요. 왜 통일을 해야 하는가, 왜 통일이 우리 민족의 비전이 될 수 있는가에 대해서요. 그런데 제 머릿속에는 정리가 돼 있는데 아직 책으로는 펴내지 못했어요. 통일운동을 20년 이상 했는데도 통일에 대한 제 생각을 종합하여 한 권의 책에 정리하지 못한 거죠. 시간을 내서 글로 써야 하는데 지금 제 일정상 현실적으로 불가능합니다. 그래서 우리 단체의 실무자에게 제가 구술해서 써보려고 했는데 바쁜 일이 생기면 계속 연기하게 되더군요. 그런데 오연호 대표님과 이렇게 대담 약속을 해놓으면, 제가 죽으나 사나 안

할 수가 없잖아요. (웃음) 그리고 이렇게 언론인과 대담을 하게 되면 제가 주관적으로 쓰는 것보다는 한 번 더 걸러지고, 더 체계를 갖춰 종합적으로 정리되지 않을까 하는 기대도 있죠.

오연호 이번 대담의 주제는 '통일'입니다. 이 책을 접하는 몇몇 독자는 '그래, 꼭 필요한 것을 짚어주는구나' 하고 기대를 할 수도 있겠지만, 반대로 몇몇은 좀 따분할 것 같다고 지레짐작할 수도 있겠습니다. 물론 스님의 인생사 자체가 재미있어서 그것을 대담에 적절히 활용할 예정이기 때문에 읽는 재미는 쏠쏠할 것입니다만, '통일' 하면 왠지 무겁게 느끼는 독자들이 적지 않을 겁니다.

법륜 지금 우리 사회는 통일이라는 용어에 무척 식상해 있어요. 아주 진부한 용어로 들리죠. 더 이상 통일이 가슴을 뜨끈뜨끈하게 하는 그런 용어가 아닙니다. 통일 이야기를 하면 바로, "무슨 새삼스럽게 또 통일 이야기냐, 아이고 이젠 진절머리 난다" 이러거든요. 그 사람들 입장에서는 지난 60년간 그렇게 통일 이야기를 했는데 아직도 통일이 되지 않았으니 그럴 만도 하죠. 통일운동 하는 사람들이 열심히 한다고는 했지만 대중과 유리된 채 해왔던 겁니다.

사실 통일은 우리 가슴에 뜨거운 것으로 다가와야 하거든요. 제대로만 통일 이야기를 한다면 충분히 대중성 있는 문제입니다. 제가 대중 앞에서 통일에 대해 한 시간을 이야기해도 사람들이 지루해하지 않아요. 처음부터 선입견을 갖고 아예 듣지 않으려고 작정한 사람들이 아닌 이상, 보수세력들도 고개를 끄덕거려요.

오연호 통일에 대한 이 대담이 우리의 가슴을 다시 뛰게 했으면 좋겠습니다. 기대됩니다.

법륜 한번 해봅시다. 이 대담을 다 읽고도 대중이 별로 시답잖게 생각한다면 할 수 없죠. 만일 그렇다면 통일문제의 대중화는 우리 사회에서 아직 시기상조라고 봐야겠죠. 제 입으로 이렇게 말하기가 부끄럽습니다만, 제가 20여 년간 고민하고 실천한 것을 토대로 정리한 생각으로도 대중을 설득하지 못한다면, 이 문제로 설득력을 지닌 사람은 찾기 어렵지 않을까 싶습니다. 그러니 일단 한번 시도를 해보죠.

오연호 이 대담이 독자들에게 전달되는 때가 2012년 선거의 해입니다.

법륜 저는 통일문제가 투표에 영향을 줘야 한다고 봅니다. 유권자가 어떤 후보에게 투표할지를 판단할 때 이 후보가 통일문제에 대해 어떤 생각을 갖고 있는가를 한번 따져볼 정도가 돼야죠. 대한민국이 앞으로 잘되려면 크게 두 가지 문제가 해결돼야 한다고 생각합니다. 양극화 해소와 분단 극복. 국민들은 우선 양극화 문제에 더 관심을 두겠지만 그것을 제대로 해소하기 위해서도 통일이 꼭 필요하다는 것을 알아야 합니다.

오연호 그렇다면 이 대담은 유권자들도 읽어야겠지만, 우리나라의 미래를 앞장서서 개척하겠다는 정치인들이 반드시 읽어야겠군요.

법륜 그러길 바랍니다. 지금 이 시대에는 남한 사회 내부의 문제를 풀기 위해서나 한반도 전체의 문제를 풀기 위해서나 통합의 리더십이 필요합니다. 그런 의미에서 정치인이 되고자 하는 사람은 양극화 해소와 통일이라는 두 과제를 해결하는 데 필요한 이 통합의 리더십을 꼭 공부할 필요가 있습니다.

오연호 그나저나 스님, 대담자로 왜 저를 선택하셨습니까? (웃음) 물론 제가 먼저 대담을 제안하긴 했지만요.

법륜 평화재단 사람들 중에 오연호 대표는 너무 진보적이지 않은가, 오히려 약간 보수적인 사람과 대담을 해서 보수층을 설득하는 쪽이 더 나을 것 같다고 이야기한 사람도 있었습니다. 그런데 제가 볼 때는 오 대표님과 하는 것이 제일 낫겠더군요. (웃음) 먼저 나온 조국 교수와의 대담집 《진보집권플랜》을 읽어봤는데, 내용도 좋고 영향력도 있었던 것 같고요.

오연호 저야 질문하고 정리하는 역할을 할 뿐이죠. 법륜 스님은 진보에서든 보수에서든, 심지어는 청와대와 한나라당에서까지 강연 요청을 할 정도로 전체를 아우르고 있기 때문에 걱정하지 않으셔도 될 듯합니다. (웃음)

1장
왜 바쁘냐

"너 이제 어디 갈 거니?" "도서관에 가야 됩니다." "도서관에 갔다가는?" "집에 가야 됩니다." 이렇게 문답이 계속되다가 결국 "죽죠, 뭐" 여기까지 왔어요. 그러자 다시 "죽고 난 뒤에는?" 하고 물으셨는데, 제가 "모르겠습니다" 그랬더니 스승님이 벽력같이 고함을 치면서 이렇게 말씀하셨습니다. "어디에서 와서 어디로 가는지도 모르는 놈이 바쁘기는 왜 바빠!" 그 애기를 듣고 나니 제 머리가 띵해졌어요. '진짜 왜 바쁘지? 바쁘기는 확실히 바쁜데…….'

오연호 법륜 스님, 고향은 어디이고, 언제 출가하셨나요?

법륜 저는 울산 울주군 두서면 복안리에서 태어났습니다. 고등학교 1학년 말인 1969년 12월에 절에 들어갔죠. 당시 경주 분황사 주지셨던 불심도문 스님을 스승으로 모시고 수행과 활동을 시작하게 되었습니다.

오연호 고1 때 출가라……. 초등학교, 중학교 때는 어떤 아이였다고 기억하십니까?

법륜 어릴 때는 뭐든 궁금해서 많이 물어본 것 같아요. 호기심이 많았는데 예를 들면 무당이 점치고 굿하는 것이 굉장히 신기해서 자꾸 물었죠. 무당 할머니가 점괘를 맞히면 내내 옆에 붙어서 "할머니는 그걸 어떻게 아는데? 어떻게 아는데?"라고 끈질기게 물어보는 통에 어른들한테 야단도 많이 맞았습니다. 경상도 말로 '다사시럽다'고 하죠.

오연호 시골이니까 동네가 그리 크진 않았겠네요.

법륜 네, 한 30호 됐죠. 이씨가 20여 가구, 최씨가 댓 가구, 그리고 우리 고모네인 권씨와 한씨 등 나머지 몇 가구, 그게 다였어요. 초등학교는 우리 동네에서 한 2킬로미터 떨어져 있는 두북초등학교를 다녔습니다. 그때는 국민학교라고 했죠. 그 뒤 시골에 학생들이 없어져서 폐교가 되었는데, 제가 7, 8년 전에 인수해 지금은 정토회 수련장으로 쓰고 있어요. 수련 외에도 그 공간에서 동네 노인들 돌봐주는 노인 복지 활동도 합니다. 반찬도 해주고, 청소도 해주고, 봄가을로 노인들 모시고 사찰을 순례하면서 법문도 하고요.

오연호 그 어린 초등학교 시절, 스님의 존재감은 어땠습니까? 반장도 맡고 그랬습니까?

법륜 학생 수가 적으니까 6년간 반장을 했죠. (웃음) 우리 학년이 모두 36명이었어요. 1학년 입학 때부터 6학년 졸업 때까지 모두 같은 반에서 공부했으니 형제보다 더 친했죠. 다른 학년은 보통 50, 60명 정도였는데 우리 학년만 적었어요. 그래서 교실을 반으로 나눠 한쪽은 교무실로 쓰기도 했습니다.

오연호 작은 동네였으니 중학교는 도회지로 나갔겠군요.

법륜 우리 동네에서 18킬로쯤 떨어진 경주의 경주중학교를 다녔어요. 1학년 때부터 형하고 자취를 했죠. 형은 그때 고등학교 2학년이었는데, 형이 졸업할 때까지 제가 2년간 밥을 열심히 지어줬어요.

오연호 중학교 1학년이 가장 노릇을 했군요.

법륜 초등학교 들어가기 전부터 호미 들고 밭 매고 했어요. 초등학교 때부터는 소 먹일 풀도 베고, 지게 지고 산에 가서 나무도 하고요. 시골에선 어린아이도 늘 일을 해야 했습니다. 그래야 식구가 먹고사니까요.

아인슈타인을 꿈꾸다

오연호 경주중학교에서는 성적이 어땠습니까?

법륜 뭐 그냥……. (웃음)

오연호 부끄러워하지 말고 말씀하세요. 제가 경주중학교에 가서 성적표 떼어보면 다 나오니까요. (웃음)

법륜 반에서 1~2등 했죠.

오연호 중학교 때는 어떤 과목을 좋아했나요?

법륜 과학을 제일 좋아했고 수학도 좋아했죠. 단순한 건 잘 못했습니다. 단어 외우고 하는 거요. 전화번호, 이름, 사람 얼굴 등은 잘 외우거나 기억하지 못했어요. 그쪽으로는 거의 백치 수준이었고, (웃음) 역사나 지리처럼 이야기가 있는 것을 좋아했어요. 그리고 어떤 원리나 이치가 있는 물리나 수학을 좋아했죠.

오연호 저는 수학을 어려워해서 그런지 수학 잘하는 사람을 보면 예나 지금이나 부럽습니다.

법륜 수학이 꽤 재미있잖아요. 비약이 없고 어떤 원리가 있으니까요.

오연호 수학이 재미있다고 말하는 사람을 만나면, 잘 못하는 사람 입장에서는 솔직히 이해가 잘 안 됩니다.

법륜 저는 이해가 잘 안 됐던 게 악보 보고 노래를 부르는 사람이었어요. 저 사람은 저걸 보고 어떻게 노래를 부르나 그랬죠. 음악, 미술, 체육은 제가 못했어요. 거의 낙제 점수였죠. 지금 생각해 보면 제가 예체능을 원래 싫어했던 것이 아니라 시골에서 자라 그런 것을 접할 기회가 없어서 못했던 것 같아요. 못하니까 또 싫어하게 되고요.

오연호 중학교 때까지도 반에서 1~2등을 했으니, 부모님께서는 계속 공부하기를 바라셨겠네요.

법륜 웬걸요. 우리 집에서는 늘 공부하지 말란 소리만 했지, 저는 공부하라는 소리를 들어본 적이 없었어요. 어릴 때 숙제한다고

방에 앉아 있으면 아버님이 작대기로 기둥을 치면서 "공부한다고 돈이 생기나, 밥이 생기나" 하시며 소 먹일 풀이나 베러 가라고 했고, 밤에도 책을 보고 있으면 호롱불 기름 많이 닳는다고 불 끄라고 하셨죠. (웃음)

오연호 아마 요즘 학생들에게는 다른 세상 이야기로 들릴 겁니다. 그때만 해도 그런 시절이었죠. 중학교 때 과학과 수학을 좋아했다고 하셨는데, 그럼 장래희망은 무엇이었습니까?

법륜 아인슈타인 같은 과학자가 되고 싶었어요. 특히 중학교 때 천문학을 아주 좋아했죠. 우주가 엄청 신비로웠어요. 저는 지금도 우주 관련 책이 새로 나오면 다 찾아서 읽는 편입니다.

오연호 과학자를 꿈꾸던 학생이 결국은 스님이 됐군요. 가문이 대대로 불교 집안이었나요?

법륜 시골 집안에 뭐 불교 유교가 따로 있습니까? 어머니 아버지 모두 무학이셨고 딱히 종교도 없었어요. 그래도 어머니는 정월 초하루, 4월 초파일, 이렇게 1년에 두 번은 꼭 절에 가셨죠. 아버지는 혼자서 한문을 익히신 뒤 늘 《명심보감》을 읽으셨고요.

제가 중학교 3학년 때 처음으로 불교학생회에 나가봤어요. 그때는 그냥 친구 따라 한번 가본 거였어요. 고등학교 1학년 때는 활동을 조금 열심히 해서 경주불교 중고등학생회 부회장을 맡았죠. 그

무렵 우리 학교 옆 분황사에 훌륭한 스님이 계시다고 해서 그 절에서 법회를 했습니다. 그러면서 그곳에서 스승님을 만나게 됐죠. 저를 이 길로 인도한 불심도문 스님을요.

오연호 운명적 만남이었네요.

법륜 스승님께서 그때 많은 얘기를 해주셨습니다. 어느 날, "네 성이 뭐니?" 하고 물으셔서 최씨라고 하니까, "너는 최씨니까 최제우 선생을 잘 알아야 한다"며 동학 이야기를 해주셨죠. "최제우 선생은 그때 100년 앞을 내다보고 동학을 만들었는데, 너는 1000년 앞을 내다보고 살아야 한다"고 말씀하셨어요. 그리고 이차돈의 순교 정신, 원효대사님의 통불교사상에 대한 말씀도 해주셨고요. 또 창씨개명을 거부했던 일화 등 일제강점기 때의 비타협적인 독립운동에 대한 얘기도 참 많이 해주셨죠. 나중에 알고 봤더니 스승님의 아버님 철생 임철호 선생도 독립운동가셨더군요. 제가 원래 역사를 좋아하긴 했지만, 스승님의 그런 말씀을 들으면서 민족의식이 많이 생긴 것 같아요.

오연호 그래서 그 스님을 따라 아예 절로 들어간 거네요, 고1 학생이.

법륜 오랜 실랑이가 있었죠. 스승님이 너는 절에 들어와야 한다, 빨리 들어와라, 이렇게 몇 번 얘기했어요. 하지만 저는 과학자가 되는 게 꿈이었기 때문에 불교학생회 정도만 그냥 다니는 것에 만족했지 출가할 생각은 없다고 했죠. 그래서 스승님과의 실랑이가 거의 1년간 계속됐는데 결국은 못 버티고 1학년 말에 절로 들어갔죠. 스님과 나눈 그 문답 때문에…….

운명적 만남…… "1000년 앞을 내다보고 살아라"

오연호 어떤 문답이었나요? 어떤 질문을 받았기에 고1 학생이 학교 대신 절을 선택했을까요?

법륜 결정적인 계기가 된 것은…… 제가 고등학교 1학년 겨울방학을 앞두고 시험을 치를 때쯤이니까 12월 중순경일 겁니다. 절이 바로 학교 옆에 있어서 저녁에 예불을 보러 갔거든요. 시험을 조금 잘 쳤으면 하는 마음으로 법당에서 기도하고 나오는데 스님께서 부르셨어요. 그런데 우리 스님은 한번 만나 말씀을 시작하시면 끝이 없어요. 세 시간이고 다섯 시간이고 말씀하시거든요. 저녁 먹고서 시작을 했다면 새벽 두 시가 되어서야 끝나고 그래요. 그러니 우리 학생들이 다 질려 있던 참이었죠. 스님한테 한번 잡혔다 하면 다른 일을 못하니까요. (웃음)

그래서 스님이 부르실 때 내일이 시험이니 큰일 났다 싶어서 바로, "스님, 오늘 저 바쁩니다" 그랬어요. 저를 잡지 말고 보내달라는 뜻이었죠. 그랬더니 "그래?" 하시더니, "너 어디에서 왔어?" 이렇게 물으세요. 제가 "도서관에서 왔습니다" 이랬죠. 그러자 "도서관에서 오기 전에는?" 이런 식으로 자꾸 물으니 온갖 쓸데없는 것을 다 묻는다는 생각까지 들 정도였어요. 그러다 결국 제가 "어머니 뱃속에서 나왔죠" 그러니까, "어머니 뱃속에서 나오기 전에는?" 이렇게 다시 물으세요. 그래서 제가 답했죠. "그걸 제가 어떻게 압니까……"

그랬더니 다시 물으세요. "그러면 너 이제 어디 갈 거니?" "지금 도서관에 가야 됩니다." "도서관에 갔다가는?" "집에 가야 됩니다." "집에 갔다가는?" "학교에 가야죠." 이렇게 문답이 계속되다가 결국 "죽죠, 뭐" 여기까지 왔어요. 그러자 다시 "죽고 난 뒤에는?" 하고 물으셨는데, 제가 "모르겠습니다……" 그랬더니 스승님이 벽력같이 고함을 치면서 이렇게 말씀하셨습니다. "야 이놈아, 어디에서 와서 어디로 가는지도 모르는 놈이 바쁘기는 왜 바빠!" 그 얘기를 듣고 나니 제 머리가 띵해졌어요. 귀먹고 눈먼 것 같았죠. '진짜 왜 바쁘지? 바쁘기는 확실히 바쁜데…….' (웃음)

그래서 스님께 여쭀죠. "그것을 아는 사람이 있습니까?" 그랬더니, "있지" 하셨어요. 다시 "어떻게 해야 아는데요?" 그랬더니, "절에 들어와야 알아" 하셨어요. 그래서 학기말시험 마치고 절로 들어갔죠.

오연호 그랬군요. 저도 지금 바쁘기는 확실히 바쁜데, 제가 어디에서 와서 어디로 가는지는 저 역시 답하기 어렵네요. 그렇게 학교에 다니는 도중 출가를 했는데 수업은 중간 중간 들으셨나요?

법륜 네, 기본적으로 학교에는 다녔죠. 그러나 학교 공부에는 더 이상 집중하지 못했습니다. 중간고사, 기말고사 이런 것만 대충 보고, 학교 공부는 2학년 때부터 거의 안 했어요. 불교학생회 회장을 맡아 주로 그 활동을 많이 했죠.

오연호 학교 공부는 안 했지만 그때부터 불교 공부를 하셨겠죠? 제가 스님의 스승 불심도문 스님께서 쓰신 《연기법의 생활》이라는 책을 봤습니다. 거기에 법륜 스님의 청소년 시절 이야기가 한 토막 적혀 있더군요. 고등학교 1학년 때 출가해 절에 있으면서 동국대에서 만든 불교학과 4년 치 교재를 다 독학했다고 말이죠.

법륜 그랬죠. 그 교재를 가지고 불심도문 스님이 가르쳐주시면 제가 또 나름대로 공부하고 그랬어요.

오연호 그런데 불교학과 교재를 다 떼고 나서, 불심도문 스님께서 법륜 스님에게 동국대에 가라고 권했다면서요.

법륜 우리 스님이 그때 제 인생을 이렇게 설계해주셨죠. "너는 동국대 불교학과에 가서 공부하면 1등 할 거다. 그런 다음 교수가 되고 총장이 된 뒤 문교부 장관을 해라. 그러고 나서 국민을 위해서 무언가를 해봐라." 그래서 제가 말씀드렸죠. "굳이 대학 가서 공부할 필요가 없다고 생각합니다. 스님한테 배웠으면 됐지 또 어딜 가서 뭘 배웁니까."

오연호 다소 의아하네요. 공부 잘하던 고등학교 1학년짜리를 절에 데리고 갔던 분이 나중에는 대학에 가라고 하다니. 그만큼 불심도 문 스님이 볼 때 절에서 스님 하기에는 아까울 정도로 법륜 스님이 너무 머리가 좋다고 생각하셨나 봅니다.

법륜 그런 건 아니고요. (웃음) 사실 저는 과학을 더 깊이 공부한다면 모를까 다른 것을 더 배우려고 학교에 갈 생각은 없었어요. 아무튼 제가 절에 들어가니까 어머니가 나중에 절로 찾아오셨습니다. 자취하다가 갑자기 절로 가버렸으니까요. (웃음)

오연호 아니, 부모님께 말씀도 안 드리고 그냥 절로 가버렸습니까?

법륜 우리 어릴 때는 그랬어요. 중학교 1학년 때부터 집에서 나와 자취를 했기 때문에 어떤 결정을 할 때 일일이 허락을 받은 적이 없었어요. 그때부터 혼자 결정하면서 살았지 누가 이래라저래라 하지 않았죠. 중학교 입학 때도 형님을 따라 그냥 경주로 갔죠. 요즘처럼 부모가 학교에 찾아오는 일도 없었고요.

오연호 그래도 절에 찾아오신 어머님이 황당해했을 것 같습니다.

법륜 당연히 어머니가 울면서 절로 달려오셨어요. 어머니가 스님께 "고등학교라도 졸업하면 데려가지 그러셨어요"라고 하니, 우리 스님이 "이 아이가 앞으로 어떻게 될지 어머님이 아시겠습니까?" 하고 물으셨죠. 우리 어머니가 모른다고 하니까 스님이 "나는 압니다. 그러니 아는 사람이 지도해야 되겠습니까, 모르는 사람이 지도해야 되겠습니까?" 이랬어요. 그러니 어머니가 "아이고, 아는 사람이 지도해야죠. 그런데 우리 아이가 어떻게 되는데요?" 이렇게 되물었죠. 스님이 한마디로 "이 아이는 밖에 있으면 단명합니다……" 그러니까 어머니가 "아이고, 그럼 스님이 우리 아들 가지세요" 이렇게 말하고는 가버리셨죠.

왜 바쁘냐? 어디로 가는지도 모르면서

오연호 스님의 출가 과정을 죽 들으면서 많은 생각을 하게 됩니다. 결국 출가라는 선택이 스님 인생에서 가장 큰 전환점이 된 셈인데, 돌이켜 생각해보면 고1 어린 나이에 한 그 선택에 자기 의지가 어느 정도나 작용한 것 같습니까?

법륜 제가 늘 농담으로 이렇게 이야기합니다. 반은 강제와 꾐 때문이었고 (웃음) 나머지 반은 자발적이었다고요. 사실 따지고 보면 그 어떤 것도 자발적인 게 없잖아요. 스님께서 '인생이 어디에서 와서 어디로 가는가'라는 어린 제가 생각지도 못했던 문제를 가지고 사춘기의 호기심을 끊임없이 자극하는 말씀을 해주니까 뭔가 다른 생각을 하기 시작한 거죠. 또 절에 들어오지 않으면 단명할 거라는 약간의 협박까지 더해진 셈이죠. (웃음) 결국은 스스로 결심했지만 이런저런 외부적 조건들이 계속 쌓여서 그렇게 된 겁니다.

오연호 형제자매는 어떻게 되시나요?

법륜 4남 2녀인데, 제가 남자 중에는 막내죠.

오연호 어머님께서 돌아가시기 전에 스님이 그동안 살아온 것에 대해 혹시 뭐라고 말씀하지는 않으셨나요?

법륜 돌아가시기 직전에 이런 말씀을 하셨어요. "그래, 그것도 뭐 괜찮다. 내 제사도 네가 지내라."

오연호 그렇게 머리를 깎고 절에 들어가 고등학교 시절을 보내고, 그 이후에는 다시 절에서 나와 머리를 기르고 법사 생활을 시작한 것으로 압니다. 왜 그러셨나요?

법륜 고1 때 분황사에 들어갔는데 그로부터 2년 후에 스승님이 저를 부르더니 이렇게 말씀하셨어요. "너는 지혜는 있는데 복덕이 부족하다. 복덕이 부족하면 되는 일이 없으니 밖에 나가서 복을 지어라." 그래서 재가법사(在家法師) 활동을 했죠. 처음에는 중·고등 학생을 가르치다가 나중에는 대학생을 지도하는 법사가 됐습니다. 그러다가 정토회를 창립하고, 불교사회연구소와 불교사회교육원을 만들었죠. 불교를 새롭게 하고 불교의 사회적인 역할을 제대로 정립하는 활동에 주력했습니다. 그렇게 재가법사 생활을 20년 하다가 스승님의 권유로 1991년에 다시 머리를 깎았죠.

오연호 그럼 청년 때는 머리를 깎지 않고 기르고 계셨으니 따라다니는 여자들도 있었겠네요?

법륜 그런 것까지 다 캐서 뭐하려고요. 한번 조사해보시죠. (웃음)

오연호 《스님의 주례사》를 읽어도 그렇고, 강연을 들어봐도 그렇고, 스님은 부부 사이나 연인 사이의 갈등에 대한 조언을 많이 해주십니다. 결혼도 안 하셨는데 어떻게 그리 잘 아십니까? 혹시 연애를 많이 해보셨기 때문인가요? (웃음)

법륜 자꾸 그렇게들 물어봐서 저도 이렇게 답변을 하죠. "결혼 안 한 나도 이 정도쯤은 아는데, 왜 결혼한 사람들이 그 정도도 모릅니까." (웃음)

오연호 스님의 경력 가운데 참 흥미로운 것을 발견했습니다. 이거 특종감인데요. (웃음) 한때 수학 강사로 이름을 날렸다던데, 맞나요?

법륜 아니, 그것까지 조사를 했습니까? 비밀인데…… (웃음) 분황사에서 나와 중·고등학생들에게 불교를 가르치다가 도중에 서울로 올라와서는 대학생들을 지도했는데, 활동할 경비가 필요하잖아요. 그래서 입시생에게 수학을 가르쳤죠. (웃음)

오연호 네? 고등학교 1학년 때까지만 학교를 다녔는데 입시 수학을 가르쳤다고요?

법륜 열심히 연구해서 가르쳤죠.

오연호 스님께서는 1988년에 정토포교원을 만드셨죠. 스님이 그 포교원을 만들기 위해 필요한 자금을 수학 강사를 해서 충당했다는데 이것도 사실인가요? 스님의 스승인 불심도문 스님은 그 소식을 듣고 "어안이 벙벙했다"고 기록했던데요.

법륜 맞아요. 수학 강사를 해서 돈 좀 벌었어요. (웃음) 부모들 중에는 자기 아이를 좋은 대학에 보내줘서 고맙다고 특별 시주를 한 분까지 있었죠. 요즘에도 어디 가면 선생님이라고 부르는 사람을 가끔 만납니다. 그때 가르친 학생들이죠.

오연호 그때 강의를 참 잘하신다, 용하다는 소문이 났나 봅니다. 학생들이 몰린 걸 보면요.

법륜 우선 학생들의 심정을 제가 좀 이해하는 편이었죠. 제가 잘 모르니까 남한테 물어서라도 가르쳐야 했단 말예요. 그러다 보니 학생들이 모르는 점이 뭔지 제가 누구보다 더 잘 알고 있었죠. 실력이 좋은 선생님들은 보통 자기가 잘 아니까 그냥 막힘없이 죽 설명하지만 학생들은 들어도 잘 모르잖아요.

특히 효율적으로 공부하는 법을 가르쳤죠. 제가 뒤늦게 혼자서 수학을 연구하려니 아무래도 효율적으로 해야 하잖아요. 그래서 뭐든지 요령껏 공부하는 법을 찾게 됐죠. 그건 특별한 기술이라기보다는 어떤 원리를 탁 꿰뚫어서 쉽게 하는 것이죠. 그런 식으로 가르치니까 학생들이 쉽다고 좋아했어요. 제가 예전부터 뭐든지 쉽게 가르치는 재주가 좀 있었어요. 아는 게 별로 없으니 쉽게 가르쳐요. (웃음)

오연호 제 아들이 수학을 힘들어하는데 스님이 바쁘지만 않다면 과외를 맡겨보고 싶어지네요. (웃음)

법륜 제가 과외 경력은 좀 되죠. (웃음) 중학교 때도 우리 과학실 주임 선생님 아들을 가르쳐주고 생활비를 벌었으니까요.

오연호 중학교 때부터요?

법륜 초등학교 때는 우리 반 아이들을 가르쳤어요. 우리 반에 담임선생님이 없을 때도 있었거든요.

오연호 담임이 없었다고요?

법륜 학교가 작으니까 담임선생님 배정이 잘 안 돼요. 교장이나 교감이 담임을 겸임하는데 그분들은 다른 업무 때문에 수업을 조금밖에 못하잖아요. 그러면 반장인 제가 앞에 나가서 설명하고, 반대말, 비슷한 말, 구구단 외우게 하고 그랬죠. 그러니 가르치는 일은 초등학교 때부터 시작한 셈이네요. (웃음)

오연호 청중을 몰입하게 만드는 스님의 강연 실력, 즉문즉설을 100강씩이나 연속으로 할 수 있는 비결은 이런 역사 속에서 축적된 거군요. (웃음)

법륜 제가 스님 노릇 안 하면 무엇을 잘할 수 있을까 생각해보니, 첫 번째가 여행 가이드예요. 그다음이 수학 선생이고요. 아마 지금도 조금만 다시 공부하면 수학 선생 해도 될 겁니다. 조금 아쉬운 것은 수학 강사 할 때 제 관점에서 수학 교재를 한 권 썼으면 상당히 돈을 많이 벌지 않았을까 싶다는 거예요. 그러면 다른 선생님들로부터 비전문가가 썼다고 욕 좀 얻어먹었겠죠. (웃음) 하기야 《스님의 주례사》나 《엄마 수업》도 다 그 분야의 비전문가로서 쓴 책이네요. (웃음)

오연호 스님은 사회참여를 왕성하게 하고 계신 편인데, 물론 고1 무렵 분황사에 들어갈 때부터 그런 생각을 품은 것은 아니었겠죠. 스님께서 사회운동에 본격적으로 나선 때는 언제입니까?

광주항쟁 겪으며 사회에 눈을 뜨다

법륜 1980년 광주항쟁을 겪으면서입니다. 그때부터 사회운동을 더 적극적으로 해야겠다고 생각했죠. 그래서 1983년부터 대학생들을 지도하는 지도법사가 되었어요.

그 전해인 1982년에 해인사에서 한국대학생불교연합회(대불련)의 '1600년 대회'가 열렸는데 거기에서 제가 〈붓다의 시대적 조명〉이라는 주제로 강연을 했습니다. 부처님의 삶을 통해 사회를 인식하는 내용이었죠. 그때 대불련 학생들은 말만 불교 신자였지 사회인식은 다 사회과학서로 했거든요. 그런데 저는 전혀 다른 방향에서 접근했죠. 사회과학적 인식이 아닌 불교적 인식을 통해 세상을 보는 눈을 제기한 겁니다. 그 시절 학생들이 개인 신앙과 사회운동 사이에서 많은 갈등을 겪었는데, 제 강의가 그런 것을 조금 통일시켜줬나 봐요. 그때의 강의를 기초로 만든 책이 《인간 붓다》입니다.

그 당시 저는 경주에서 영남불교교육원을 열어 중·고등학생을 지도하고 있었는데, 서울에 있는 대학생들이 서울에서도 그런 교육을 해줬으면 좋겠다고 간청을 했어요. 그래서 서울에 있는 절을 하나 빌려 청년불교교육원을 연 뒤 '불교란 무엇인가?', '부처님의 일생', '불교의 근본 가르침', '불교의 역사' 이런 것들을 가르쳤죠. 그 다음에는 서울대 앞에 있는 소림선원으로 옮겨가 활동을 계속했는데 그때 이른바 운동권 학생들을 만나서 지도하게 됐죠.

오연호 스님께서 요즘 청년 세대들하고 아주 쉽게 소통하고 계신 배경에는 그런 역사가 있군요.

법륜 분황사에서 나온 뒤 거의 20년 동안은 주로 청소년 교화에 집중했어요. 처음 10년은 중·고등학생, 그 뒤 10년은 대학생을 포함한 청년들을 주로 가르쳤죠.

오연호 당시에 학생운동 하는 사람들과 어울렸으면 감옥에도 갔겠네요.

법륜 1979년에 잡혀가서 심한 고문을 당한 적이 있었어요. 그리고 1983년에 다시 두어 달 감옥에 있었죠. 당시에 제가 대학생들을 지도하고 있었는데, 학생들이 매주 조계사에 모여 전두환 독재정권에 맞서는 데모를 했습니다. 이른바 10·27법난에 항의하는 집회였죠. 10·27법난은 1980년 전두환 세력이 불법적으로 정권을 잡고 이에 저항하는 종교계에 경종을 울리려고 국가권력을 불법적으로 사용해서 불교계를 수사했던 사건이에요. 이 사건을 규탄하는 법회를 열었다가 집시법 위반으로 잡혀갔죠.

오연호 대학생들과 어울리면서 사실상 민주화운동을 지도한 셈이군요. 대학도 안 나왔는데 어떻게 그들의 '선배' 역할을 할 수 있었나요? 사회의식을 어떻게 기른 겁니까?

법륜 저는 우리 사회의 여러 문제들에 사회과학보다는 민족주의

새로운 통일운동의 구심점인 통일주도세력을 만드는 것이 지금 필요합니다. 물론 새로운 통일방안도 만들어야겠죠. 새로운 통일운동은 과거의 통일운동과 용어는 같지만 통일의 방식, 방향, 이유, 주도세력 자체가 아예 달라져야 한다는 것입니다.

적으로 접근한 편입니다. 우리 사회의 모순이 일제 청산이 제대로 이루어지지 않은 분단 상태에서 비롯됐다는 시각을 가지고 있었죠. 그래서 근현대사에 대한 관심이 많았어요. 우리 문제를 이야기하면서 자꾸 서양의 예를 드는 것보다는 우리 역사 속에서 현재의 모순을 제대로 보는 게 더 중요하다는 관점을 갖고 있었죠.

그리고 위의 형님이 크리스찬아카데미에서 활동하셨기 때문에, 제가 불교 활동을 하면서도 크리스찬아카데미에 가서 사회문제에 대한 교육을 받을 기회가 있었죠. 또 큰 형님도 가톨릭농민회 회원이었고요.

오연호 스님은 요즘 말로 통섭(通涉)을 하고 계십니다. 역사에 정통하죠, 국제정세에 밝죠, 정치에도 관심이 많습니다. 게다가 수학 강사를 할 만큼 수학도 잘하고, 아인슈타인을 꿈꿀 정도로 과학에도 조예가 깊습니다. 정토회와 평화재단 등을 이끄는 걸 보면 또 탁월한 조직가입니다. 특히 즉문즉설로 강의하시는 걸 듣다 보면 소통의 달인이 여기 있구나 하는 생각이 절로 듭니다. 그렇게 분야를 넘나들면서 사고하고 실천할 수 있는 힘은 어떤 바탕에서 나오는 건가요?

법륜 여러 가지 고민이 결국은 통일된 게 아닌가 싶어요. 제가 이것저것 여러 문제를 놓고 갈등하며 망설였는데, 인생을 살아보니 제각기 다른 문제가 아니더군요. 결국 연결된 문제이다 보니 하나로 통합되는 것 같아요. 어떤 작은 변화라도 그것이 쌓이고 쌓이면 이후 어떻게 될지 예측 가능하죠. 한 나무의 나이테를 보면 방향을 알 수 있고 또 나무가 얼마나 자랐는지 알 수 있는 것처럼 한순간을 보면 전체를 조망할 수 있다는 겁니다. 사실 수학의 미분, 적분이 그런 것이거든요. 저는 수학을 공부하면서 그런 생각을 많이 했어요. 그래서 아이들에게 수학을 가르칠 때도 사회와 인생에 대해서 이야기를 많이 했죠. 어떤 사람의 행동이나 언행을 보면, 그 사람의 이후를 예측할 수 있거든요.

학문도 서로 연계되어 있죠. 우리가 지구과학을 공부하면 그 속에 물리학도 있고 화학도 있고 생물학도 있잖아요. 그런 것들을 연결해서 공부하면 굉장히 쉽죠. 제가 수학의 집합이나 함수관계를 가르치면서 불교의 연기법을 이야기하기도 했습니다. 과학과 종교도 연계돼 있다고 볼 수 있죠. 저는 불교 공부를 하면서도 과학적인 것을 많이 생각했어요. 처음에는 과학과 종교가 정반대라고 생각했는데, 종교를 과학적으로 보니까 종교 안의 허황된 게 많이 없어졌어요. 그래서 종교의 본질이 과학과 상충되지 않는다는 것을 알게 되었죠. 오히려 과학적 시각이 있었기 때문에 종교의 본질을 꿰뚫어 볼 수 있게 된 거죠. 그래서 부처님이나 예수님이 주신 가르침의 핵심에 더 가까이 접근할 수 있었는지도 모릅니다.

오연호 저는 기독교인입니다만, 스님의 강의를 들어보면 불교에 대한 것뿐 아니라 기독교에 대한 말씀, 예수님에 대한 말씀도 긍정적으로 많이 하시는 것이 인상적이었습니다.

법륜 이제 더 이상 종교냐 과학이냐, 불교냐 기독교냐로 나누지 말고, 진실이냐 거짓이냐, 상식적이냐 비상식적이냐, 합리적이냐 비합리적이냐로 문제를 봐야 합니다. 저는 종교를 가진 사람뿐만 아니라 종교를 갖지 않은 사람도 종교인이라고 생각해요. 그 사람은 '어떤 종교도 믿지 않는다는 믿음'을 갖고 있잖아요. 그것을 똑같이 믿음의 한 종류로 취급해줘야지 종교가 없는 사람을 나쁜 사람처럼 취급하면 안 됩니다. 다 각자의 믿음이 있는 것이죠. 종교에도 신을 믿는 종교가 있고 신을 믿지 않는 종교가 있으며, 신을 믿는 종교 중에도 유일신을 믿는 종교가 있고 다신을 믿는 종교가 있는 등 다양한데 그중 하나를 가지고 다른 것을 쳐내고 단죄하면 안 되죠.

오연호 우주에 대한 호기심도 있고, 책도 읽어야 하고, 평화재단과 정토회도 운영해야 하고, 인도에 구제사업도 하러 가야 하고, 한번 강의를 시작하면 한두 달 연속 100강을 하고……. 스님, 그렇게 열심히 사시면 잠은 언제 주무시나요?

법륜 보통 새벽 두 시부터 다섯 시까지 자요. 밤잠이 좀 모자라니 낮에 일 보다가 차로 이동하면서 보충하죠. 차를 타고 부산에 갈 일이 있으면 전날엔 일부러 잠을 적게 잡니다. 서울에 있을 때가 제일 문제죠. 차 타고 다니면서 잘 수 있는 시간이 짧으니까요. (웃음)

오연호 우리가 어떤 일을 끝없이 하다 보면 에너지가 방출되어 피곤함을 느끼면서 그다음 동작이 잘 안 나오잖아요. 그런데 스님은 그런 모습을 여간해선 안 보여주십니다. 그 많은 일들을 하는 에너지가 어디에서 계속 공급되는 겁니까?

법륜 저 역시 육체적으로 피곤할 때가 있어요. 어떤 때는 골골대다가 병원에 가기도 하고, 약 먹고 자고 나면 괜찮을 때도 있고, 그렇게 피곤이 쌓이다가 나중에는 한꺼번에 터져서 병원에 며칠 다니면서 주사도 맞고 그래요. 1년에 한두 번은 목소리도 안 나오고 몸살도 납니다. 그러다 더 이상 약을 먹어도 치료가 안 되고, 병원에서 주사를 맞아도 해결이 안 될 정도로 피로가 쌓이면 단식하면서 명상을 하죠. 단식으로 살도 좀 빼고 명상하면서 피로도 풀고 에너지를 충전해서 다시 또 일을 시작하고…….

오연호 스님도 아프시군요. 좀 쉬엄쉬엄하셔야 할 텐데…….

법륜 할 일이 있으니 별수 없죠. 우선 매일 북한에서 들어오는 소식을 들으면 어디에서 누가 굶어 죽었다, 또 어디에서 난민이 발생하고, 누가 체포되고, 송환되고……. 이러다 보니 북한돕기사업을 게을리할 수 있나요? 또 우리 사회의 이곳저곳 현장에 가서 대중들을 만나보면 다 고달픈 이야기들이에요. 그걸 매일 듣고 있으니 시간 나는 대로 그 사람들 도와줘야죠. (웃음)

오연호 그런 사명감이 늘 스님을 깨어 있게 만드는 거군요.

법륜 네, 잠을 못 자더라도 해야 할 일은 해야죠. 제일 시급한 일은 북한 주민들이 굶어 죽는 것을 어떻게든 막는 거예요. 두 번째는 한반도에 다시는 전쟁이 일어나지 않게 하는 것인데, 결국 근본적으로는 통일을 이뤄야 합니다. 우리 사회의 이런저런 모순과 갈등도 대부분 분단 때문에 생긴 문제예요. 우리 안의 열등의식도 마찬가지고요. 만일 우리 힘으로 통일을 해낸다면 일본에 대한 열등의식도 많이 청산될 겁니다. 지금은 어쨌든 통일문제를 해결해야겠다는 의지가 제일 강한 편이에요. 그게 저를 바쁘게 만들고 있죠.

오연호 고등학교 1학년 때 출가한 계기는 불심도문 스님으로부터 받은 이런 질문에서 비롯되었습니다. "어디에서 와서 어디로 가는지도 모르면서 왜 그렇게 바쁘냐?" 그때는 제대로 답을 하지 못했는데, 지금 법륜 스님은 바쁜 이유가 분명히 있군요.

2장
시대와 역사의식

100년 앞을 내다보고 마련한 네 가지 과제 중 제일 어려운 게 통일이었어요. 그래서 무엇이 통일의 원동력이 될지를 고민하다가 발견한 것이 '역사의식'입니다. 6000년에 달하는 장구한 우리나라 역사 속에서 지금의 분단 현실을 보면 찰나일 뿐이죠. 그런 면에서 우리가 역사의식을 갖게 되면 통일의식도 갖게 되리라 생각했죠.

오연호 스승인 불심도문 스님은 요즘도 가끔 찾아뵙나요?

법륜 그럼요.

오연호 한 번쯤 그때 왜 스님을 선택하셨냐고 여쭤볼 법도 한데요.

법륜 뭘 그런 걸 다 물어봐요. 스승님한테 잡힌 것이긴 해도 어쨌든 제가 선택해서 여기까지 온 건데. 지금 생각해보면 그때부터 아마 당신이 해오시던 일을 저에게 맡기려고 하신 게 아닌가 하는 생각도 들어요.

오연호 불심도문 스님께서 다음 세대에 계승시켜 맡기려는 일이 어떤 것이었기에 스님을 선택했을까요?

법륜 스승님께서는 근대 한국 불교의 중흥조이시고 또 독립운동가이신 백용성 조사(祖師, 한 종파를 세워서 그 종파의 뜻을 펼친 사람을 높여 이르는 말)의 유업을 계승해오고 계시는데 그것을 계속 이어갈 제자를 찾고 있었죠.

오연호 고등학교 1학년 무렵 출가를 권유했을 때도 불심도문 스님이 백용성 스님에 대한 말씀을 해주셨던가요?

법륜 그때는 제가 아직 어리니까 그렇게 직접적으로는 말씀하지 않으셨어요. 대신 동학운동과 독립운동에 대한 이야기를 많이 해주셨습니다. "네가 최씨이니 동학을 일으킨 최제우 선생을 잘 알아야 한다. 너는 그 후손이니 그분을 본받아야 한다. 최제우 선생은 그때 이미 100년 앞을 내다봤다. 우리 사회에서 앞으로 서학이 판칠 것에 대비해 그분은 동학을 창시했다. 그러니 너도 100년 앞을 내다보고 살아라. 아니 너는 더 멀리 1000년 앞을 내다보고 가야 한다"는 이야기를 해주셨죠. 그리고 윤봉길 의사 같은 일제강점기 때의 독립운동가들 이야기도 많이 들려주셨죠. 나중에 생각해보니 그게 모두 백용성 스님이 남긴 유업을 우리가 이어가야 한다는 뜻을 담은 거였어요.

오연호 백용성 스님이 어떤 분인지 궁금합니다.

법륜 백용성 스님은 전라북도 남원 출신인데, 지금 행정구역으로 치면 장수군 번암면 죽림리에서 태어나셨어요. 어릴 적 꿈에서 부처님을 보고 절에 찾아갔는데, 그 절의 불상이 꿈에서 본 부처님하고 같았대요. 그 절에 계신 스님은 동학의 최제우 선생을 숨겨줬다가 승적을 말소당한 분이었어요. 백용성 스님은 그분의 지도를 받고 수행해서 불교의 고승이 됐죠. 스승이 최제우 선생과 큰 인연이 있었으니 당연히 백용성 스님도 처음부터 동학의 영향을 받았겠죠. 제가 불심도문 스님으로부터 "최제우 선생은 100년 앞을 내다보고 살았다. 너는 그보다 더 멀리 보고 살아라"라는 말씀을 들었던 것도 그 영향인 거죠.

오연호 백용성 스님이 한국 불교계에서 차지하는 위상은 어느 정도였나요?

법륜 백용성 스님은 근대 한국 불교를 중흥시킨 분이세요. 불교의 혁신을 위해 여러 가지 일을 하셨습니다. 우선 불교 내적으로는 불교의 지성화를 추구했어요. 조선왕조 500년간 불교가 많은 탄압을 받아 겨우 명맥을 유지하고 있을 때라 불교의 위상이 매우 낮았는데, 그때 불교가 단순히 복이나 비는 기복종교가 아니라 사상적으로 매우 깊은 가르침이라는 점을 설파했죠. 두 번째로 불교의 대중화를 이뤄냈어요. 불교 경전이 한문으로 돼 있어 사람들이 잘 모르니까 경전을 대중이 쉽게 받아들일 수 있도록 한글로 번역하는 작업을 했죠. 세 번째로는 불교의 생활화를 이끌었습니다. 불교가 산속에만 있으니 대중의 일상생활과 유리되어 세속을 떠난 것처럼 보이잖아요. 그래서 백용성 스님은 불교가 일상생활과 밀접히 관계된 가르침이라는 것을 강조하셨죠.

불교의 지성화, 대중화, 생활화, 이 세 가지가 그분이 내건 불교 혁신의 모토였어요. 농사도 짓고 과수원도 경영하고 경전도 번역하고 책도 쓰면서 선농일치(禪農一致)를 실천하셨죠. 이분 문하의 승려들이 조계종 승려들 중에서 제일 많습니다. 조계종의 종정도 이 계열에서 많이 나왔죠. 또 해인사, 범어사, 화엄사, 신흥사가 이 계열이에요.

오연호 불심도문 스님이 법륜 스님에게 독립운동 이야기를 많이 한 것도 백용성 스님의 영향 때문이라고 했는데요. 불교의 중흥을 위해 애쓰시면서 동시에 독립운동도 열심히 하셨나 봅니다.

동학운동과 독립운동을 배우다

법륜 그렇습니다. 조선왕조가 몰락하고 결국 일제 치하에 들어서게 되자, 이분은 나라의 독립을 위해 전국을 뛰어다니셨어요. 그래도 조선왕조 때 정승, 판서나 참판을 했거나 관찰사 같은 지방의 수령, 방백을 해서 국가의 녹을 먹고 산 사람들을 찾아다니면서 나라의 독립을 위해 뭔가를 해야 하지 않겠느냐고 설득하며 뛰어다녔죠. 하지만 동조하는 사람이 없었답니다. 나라의 녹을 먹고 이익을 누리며 살아온 사람들인데도 잃어버린 나라를 되찾겠다는 사람이 없었다는 거예요. 그것은 기득권세력이 늘 나라의 덕을 보고 살면서도 정작 나라가 어려워지면 나라를 위해 나서는 경우가 드물다는 것을 말해주죠.

그래서 종교인들을 규합하기 시작했답니다. 아까 백용성 스님의 스승이 동학 최제우 선생을 숨겨줬다가 승적을 박탈당했다고 했죠? 그런 인연으로 백용성 스님이 천도교의 손병희 선생을 찾아가 설득했다고 합니다. 그렇게 시작해 기독교 등 더 많은 종교인들을 규합해 벌인 일이 3·1독립선언입니다. 백용성 스님이 민족 대표 33인 중 불교계 대표이신데, 사실 그 거사 자체를 기획한 분이라고 할 수 있죠. 그 일로 당신도 1년 6개월간 옥살이를 했어요. 그 감옥에서 기독교인들이 우리말로 된 성경을 읽는 것을 보고, 감옥에서 나오자마자 불경을 번역해 한글화했죠.

오연호 3·1독립운동의 핵심 중 핵심 인물이었군요.

법륜 출소 후에는 일제의 감시가 심해 독립운동을 직접 하지 못하니 방법을 바꿉니다. 중국에서 활동하는 독립군들에게 군자금을 모아주는 역할을 하셨죠. 일제가 돈의 출처를 감시하니까 농장도 경영하고 금광도 경영하면서 계속 독립군을 지원했어요. 이렇게 훌륭한 일을 하는 스님이셨지만 워낙 일제의 탄압이 심하니 승려 사회에서도 스님과 연계되는 것을 겁냈어요. 나중엔 제자들마저도 겁을 냈죠. 왜냐하면 그 당시에 본사 주지 정도 하려면 조선총독부의 임명을 받아야 했거든요. 백용성 스님은 외로운 삶을 사신 거죠. 하지만 동료들이 배신하고, 제자들이 배신해도 끝까지 스님을 모신 제자가 있었는데 그분이 동헌완규 스님이에요. 그리고 그분의 제자가 제 스승인 불심도문 스님이세요.

오연호 그러니까 법륜 스님은 3·1 독립선언 민족대표 33인 가운데 한 사람이자 그 거사를 기획한 백용성 스님의 3대째 제자로군요.

법륜 그렇습니다. 우리 문중이 독립운동과 아주 인연이 깊어요. 백용성 스님 쪽도 그렇지만 제 스승인 불심도문 스님의 아버지도 독립운동가였습니다. 백용성 스님과 불심도문 스님은 집안끼리도 독립운동으로 인연이 막역해요. 불심도문 스님의 증조할아버지가 백용성 스님의 절대적 후원자였거든요. 그러다 보니 저는 자연히 독립운동 이야기를 많이 들을 수밖에 없었습니다.

오연호 역사가 죽 그려지네요. 지금 법륜 스님은 그것을 이어받아 통일운동을 하고 계시는군요.

법륜 진정한 독립은 통일이 되어야 완성된다고 봅니다. 분단 독립은 완전한 독립이 아니에요. 통일된 국가를 만들어야 진정한 자주독립이 되는 겁니다.

백용성 스님은 일제강점기 때 스님 신분이었지만, 한 나라의 백성으로서 나라의 독립을 위해 거의 전 생애를 바치셨어요. 그런데 그 과정에서 사람들의 여러 모습을 본 거예요. 모든 조선 백성이 다 나라의 독립을 위해 일한 게 아니었잖아요. 일제에 아부하는 친일 세력도 있었고 밀정도 있었는데 안타깝게도 대부분 일본 사람이 아니라 한국 사람이었죠. 그것을 보시면서 예언처럼 이런 말씀을 하셨어요. "우리 민족이 독립을 하려면 반민족행위를 한 사람들의 죄를 씻을 큰 복을 지어야 한다." 친일 행위는 개인이 지은 죄지만, 결국 우리 민족이 지은 셈이잖아요. 그러니 그것에 대한 참회를 하지 않고 복을 짓지 않으면 앞으로 새로운 독립국가를 만들기 어렵다고 보신 거예요. 그래서 참회하고 복을 짓는 방법으로 유훈 열 가지를 남기셨습니다. 그러니 그 유훈을 실현해서 통일을 할 수 있는 복을 지어야죠. 지금 우리 시대의 과제는 통일이니까요.

오연호 백용성 스님이 독립운동을 할 때 가까이 계신 분들이 배신을 하고 제자들도 부담스러워해서 무척 외로웠다고 하셨죠. 스님도 통일운동 하면서 그런 외로움을 느끼나요?

법륜 초기에는 많이 느꼈죠. 제가 주장하는 통일론이 딱히 어느 편이라고 보기 힘들거든요. 그런데 세상은 항상 자기편이 되어주길 바라잖아요. 그런 편 가르는 문화에서 저 같은 사람은 왕따를 당하기 쉽죠. 불교 믿으면서 불교 편 돼주지 않고, 남한에 살면서 남한 편 돼주지 않고, 진보 쪽에 있으면서 진보 편 돼주지 않을 때가 있으니 당연히 욕먹죠.

저는 한쪽으로 너무 치우쳐 있으면 문제를 제대로 해결할 수 없다고 봅니다. 대부분의 사람들은 여자하고 상담할 때는 여자 편을 들고, 남자하고 상담할 때는 남자 편을 들어주죠. 그런데 저는 여자와 상담할 때는 남자 입장을, 남자와 상담할 때는 여자 입장을 말해주고, 엄마하고 대화할 때는 아이 이야기를, 아이하고 대화할 때는 엄마 이야기를 해줍니다. 그러니 본인이 깨닫기 전에는 제 이야기가 다 섭섭하게 들리죠.

오연호 초기에는 외로웠다고 말씀하셨는데, 스님이 그동안 스님 방식대로 해온 통일운동의 동반자로 우선 평화재단을 꼽을 수 있겠죠. 그곳에 동참하는 사람들이 점점 늘어나는 걸 느끼십니까?

우리 시대에 통일의병이 필요한 이유

법륜 그렇습니다. 1998년부터 준비하기 시작해 2004년에 공식적으로 평화재단을 출범시켰는데, 이 단체에서 하려는 일이 바로 '통일의병' 모으기입니다. 관군은 국가에서 지위, 돈, 무기를 주고 훈련도 시켜서 나라를 위해 싸우라고 만든 겁니다. 그런데 의병은 지위나 돈도 없고 훈련도 받지 않았고 전문가도 아니지만, 나라가 위기에 처했을 때 관군이 도망가버린 뒤 대신 일어나 적을 막는 사람들이죠.

그런데 역사 속에서 보면 전쟁이 끝난 뒤 의병의 운명이 어떻게 됩니까? 대부분 관군한테 모함을 당하거나, 오히려 반역했다는 죄를 뒤집어쓰고 죽죠. 그래서 제가 통일일꾼 모을 때 아예 이렇게 말합니다. "의병은 돈도 자기가 내야 하고, 위험부담도 자기가 져야 하고, 전문가도 아닌데 전문기술을 익혀야 하고, 역사의 주인공이 되는 것이 아니라 항상 보조적인 역할을 해야 하고, 논공행상(論功行賞)할 때는 뒤로 빠지고, 게다가 모함까지 받을 수 있다. 이게 의병의 조건이다. 그래도 나라를 위한 일이라면 뭐든지 하겠다. 이렇게 할 사람만 여기 붙어라." (웃음) 그리고 이 점을 특히 강조합니다. "나중에 자기가 한자리 차지하겠다는 사람은 다 빠져라. 우리가 죽어라고 일을 해놔도, 그 일이 성사되어 자리를 차지할 때가 되면 오히려 밖에서 하고 싶은 사람들이 들어와 설치게 되어 있다. 그러면 우리는 그들에게 자리를 다 내줘야 한다."

오연호 내가 지금 비록 옳은 마음으로 그 일을 위해 희생한다 하더라도 맨 마지막 성과는 다른 사람이 가지고 갈 수 있다, 나는 모함을 받거나 비참하게 최후를 맞이할 수도 있다…… 그런 것들까지 각오하고서 하는군요.

법륜 의병이니까요. 역사를 보면 의병은 늘 그래요. 그래서 제가 의병이란 용어를 쓰죠.

오연호 통일의병요?

법륜 네, 통일에 의병처럼 기여하자는 거죠. 사실 통일운동뿐 아니라 그 어떤 사회활동에도 의병의 역할이 필요해요. 그런데 그런 역할을 하려면 먼저 수행이 되어 있어야 합니다. 자기 욕심을 버려야 해요. 그래서 평화재단과 정토회에서 신입회원을 모을 때 딱 두 가지만 이야기합니다. "첫째, 내가 뭔가 한자리 하겠다고 왔다면 집에 가라. 둘째, 대중이 하라는데 안 하겠다면 역시 집에 가라." (웃음) 내가 뭔가 한자리 하겠다는 것은 욕심이고, 대중이 하라는데 안 하겠다는 것은 무책임이기 때문이죠.

새로운 정치세력을 구축할 때도 그래야 성공할 수 있어요. 우선 나중에 한자리 차지하겠다는 생각을 버린 사람들이 모여 있어야 국민적 지지가 생기고, 또 세력을 어느 정도 구축한 뒤에는 새로운 사람들을 많이 영입할 수 있겠죠. 그런데 먼저 앉은 사람이 자리를 차지하고 있으면 다른 사람들은 못 들어오잖아요. 그리고 조직이나 대중이 하라는데 자기는 못한다고 뒤로 빠지면 책임을 지지 않겠다는 거잖아요. 의병이 그러면 안 되죠. 책임은 끝까지 지고, 명예와 이익은 다른 사람이 가져가도 좋다는 자세가 필요합니다. 그러면 그 어떤 것도 성취할 수 있을 겁니다. 그러니까 우리는 때를 닦아내는 '걸레'가 되자는 겁니다. 까마귀 노는 곳에 백로야 가지 마라는 식은 소극적이죠. 거기로 직접 가서 검은 것은 내가 덮어쓰고, 흰 것은 네가 가져가라고 해야 합니다.

오연호 의병처럼 이름 없이 빛도 못 보고 희생한 사람들이 있었기에 우리 민족이 이렇게나마 올 수 있었겠죠?

법륜 그렇습니다. 그런데 통일을 하려면 의병만 있어서는 안 됩니다. 의병만 가지고는 역사를 못 바꾸잖아요. 관군과 힘을 합해야 역사를 바꿀 수 있어요. 그 사람들은 이익을 얻을 수 있을 때만 힘을 보태줍니다. 순수한 사람만 모아서 무언가를 하면 순수할지언정 큰 세력이 이루어지지 않아요. 그래서 새로운 판을 짜려면 의병도 필요하지만 관군도 필요합니다. 일종의 역할 분담이죠.

오연호 어떤 역할이든 기존의 판을 바꿔보려는 도전정신이 필요하겠군요.

법륜 제가 청년들한테 이렇게 이야기해요. "너희가 이 역사를 바꾸려면, 지금 당장 고시에 합격할 수 있거나 삼성이나 현대 들어갈 재능이 있는 사람은 졸업하자마자 중소기업으로 가라. 그렇게 월급 80만 원짜리 하청기업에 들어가서 2년만 근무해라. 그러면 세 가지 길이 생긴다. 첫째, 2년 근무 후에 그곳에서 나와 다시 재벌기업에 취직하면 하청기업을 대하는 재벌기업의 문제점을 찾아내 개선할 수 있다. 둘째, 그곳에서 나와 정치를 하든가 공무원을 하면 국가가 중소기업 문제를 어떻게 풀 것인지 정책을 만들어낼 수 있다. 셋째, 그곳에서 계속 일하면서 좋은 아이디어를 내어 그 기업을 살려라. 이렇게 해야 세상이 바뀌지, 너도 나도 일은 조금 하고 월급은 많이 받는 대기업에만 취직하려고 하면 세상이 어떻게 바뀌겠나." 기존 정치인들이 문제라고 지적만 할 게 아니라 이렇게 우리 스스로 창의적인 도전을 해야죠. 아무튼 새로운 국가를 만들어보겠다는 세력은 적어도 자기희생의 각오와 도전정신이 있어야 합니다.

오연호 법륜 스님은 평화재단을 세우기 전인 1988년부터 정토회를 만들어 이끌어오셨는데, '맑은 마음, 좋은 벗, 깨끗한 땅'이 정토회가 추구하는 3대 가치입니다. 이것도 일종의 새로운 판을 만든 것이 아닌가 싶습니다. 불교계의 의병 같기도 하고요. 불교 전체에서 정토회라는 단체의 위상과 가치를 어떻게 이해해야 될까요?

법륜 정토회는 일과 수행이 하나 되는 삶을 추구합니다. 사회변화와 개인 수행이 서로 연결되어 하나로 통일되어야 한다고 보는 거죠. 정토회는 재단법인이지 사찰은 아니에요. 하지만 정토회 안에 정토법당이라는 게 있어서 여기에서 수행 중심의 종교활동을 하는데, 그것은 조계종 포교원에 등록돼 있어요.

오연호 스님은 조계종 소속이고요?

법륜 저는 승적이 없어요. 제 스승인 불심도문 스님은 조계종 원로회 의원이시고 제자인 유수 스님은 조계종 소속이에요. 대한민국에 살고 있는데 주민등록증이 없다고 해서 대한민국 국민이 아닌 것은 아니잖아요? (웃음) 다만 권리 행사를 못하겠죠.

오연호 왜 그런 선택을 하셨나요?

법륜 선택한 게 아니라 그냥 그렇게 된 거죠. (웃음) 다른 특별한 이유가 있어서는 아닙니다. 머리 기르고 20년을 재가법사로 지낸 뒤 다시 머리를 깎다 보니 그렇게 되었어요. 스승님이 "네가 중간에 머리를 기르고 살았다 하더라도 장가를 간 것도 아니고 계율을 어긴 것도 아닌데……"라고 말씀하셔서 그냥 놔둔 뒤로 지금까지 온 겁니다. 그래서 어느 신문에는 '돌중'이라고 나오더군요. (웃음)

저는 법문 중에도 누가 학벌 때문에 불이익을 당했다는 이야기를 하면 이렇게 말해줘요. 아이고, 너무 걱정하지 마세요. 저는 승려증 없이도 승려 생활 잘하는데 무슨 학벌을 따지고 그럽니까. (웃음)

오연호 확실히 스님은 불교계의 의병이라고 볼 수 있군요. (웃음) 스님은 지금 한국 불교계의 어떤 분보다도 왕성한 활동을 하고 계십니다. 정토회와 평화재단 외에도 국제구호활동을 하는 'JTS(Join Together Society)', 생태환경운동을 하는 '에코붓다', 평화·인권·난민지원 활동을 하는 '좋은벗들'을 설립했습니다. 스님은 이 모든 법인들의 이사장을 맡고 계시고요. 이런 활동들은 1988년 정토회를 만든 이후부터 본격화된 것으로 보입니다. 통일운동을 본격화한 시기도 그때부터이고요. 그즈음 개인적으로 어떤 계기가 있었기에 그쪽으로 방향을 잡으신 겁니까?

100년 앞을 내다보는 시대적 과제

법륜 사람은 자기가 해온 일을 계속하다 보면 관성에 젖게 되잖아요. 저도 그런 걸 느꼈어요. 1987년에 직선제 개헌이 이루어지고 민주화의 물꼬가 터졌죠. 그러면서 많은 고민을 했어요. 이제 뭔가를 새롭게 해봐야겠는데 그것이 무엇일까? 솔직히 말해서 노동운동이나 민주화운동은 상대와 싸워야 하잖아요. 그런데 싸워 이겨야 하는 이런 운동은 부처님의 가르침하고 조금 맞지 않았어요. 내가 하고 있긴 하지만, 안과 밖이 아귀가 탁 맞아떨어지는 것은 아니었어요.

그래서 근본부터 다시 생각해봤죠. 내가 서 있어야 할 자리는 어디인가? 지금까지 해오던 것 말고 우리가 앞으로 정말 100년을 보고 해야 할 것이 무엇인가? 당시에 도반(道伴)들과 그 질문을 붙잡고 숙고하는 시간을 많이 가졌어요. 1987년, 88년, 89년 이 3년을 그렇게 보냈죠. 자체 세미나도 하고, 우리들과 생각이 다른 사람들을 초빙해서 들어보기도 하고요. 그때 우리가 답을 찾고자 하는 핵심 질문은 '이후 100년 동안 무엇이 우리가 사는 세상의 중심 문제가 될 것인가'였어요.

오연호 스님이 고1 때 스승 불심도문 스님으로부터 들었다는 "최제우 선생은 100년을 내다보고 동학을 만들었다. 너는 1000년을 내다보고 살아라"라는 말이 되새겨지는군요.

법륜 1000년은 못 내다보더라도 100년은 내다봐야겠다는 생각으로 3년간 길 찾기를 한 거죠.

오연호 '이후 100년'이란 화두를 가지고 3년을 고심했다고 하셨는데, 누구라도 발전의 전기를 마련하려면 조금 멈춰 서서 깊이 생각하고 공부하는 시간이 필요하겠네요.

법륜 네, 멈춰 서기가 필요하죠. 나는 지금 왜 바쁜가, 나는 지금 무엇을 하고 있는가 되돌아보는 시간이 필요합니다. 그때 저는 3년 동안 길 찾기를 하다가 막판에는 아예 3개월 동안 모든 활동을 멈추고 문경에 있는 봉암사에 가서 머슴살이를 했습니다. 절에서 나무하고 불 때는 일을 하는 부목(負木) 생활을 3개월 했어요. 습관적으로 일하는 것에서 한발 물러서서 자신을 되돌아본 거죠.

오연호 저도 12년 동안 〈오마이뉴스〉를 습관적으로 운영해온 것은 아닌지 돌아보게 됩니다. (웃음) 그 뒤로 3년간의 고심이 어떤 식으로 진전됐나요? '이후 100년'에 대한 답을 찾으셨나요?

법륜 맨 먼저 나온 얘기는 환경문제였어요. 크게 100년을 내다보고 지구 전체를 생각해보면 제일 큰 이슈는 환경문제라고 본 거죠. 제가 감옥에 잠깐 있을 때 제러미 리프킨의 《엔트로피》라는 책을 읽었는데, 그때 환경문제가 가장 중요하다고 생각했거든요.

현대 문명은 소비주의 문명이잖아요. 많이 소비하는 것이 잘사는 거라는 가치관인데, 대량소비는 대량생산을 유발하고 대량생산은 필연적으로 자원고갈 문제를 일으킬 수밖에 없죠. 그러면 자원이 고갈됨에 따라 그 가격이 앙등할 테고, 결국 서로 자원을 쟁탈하느라 세계가 분쟁에 휩싸이게 됩니다. 또 한편으로는 대량소비를 하면 대량으로 쓰레기와 폐기물이 나오게 되는데, 이것이 우리의 생존을 위협할 수밖에 없죠.

따라서 이런 현대 문명, 즉 소비주의 문명은 환경오염과 자원고갈이라는 문제를 안고 있기에 명백한 한계가 있고, 과소비 가치관이 시정되지 않으면 결국엔 인류문명의 종말을 고할 수밖에 없어요. 그러니 우리가 적게 쓰고 근검절약하는 새로운 문명을 대안문명으로 만들어야 해요. 이런 측면에서 우리가 환경운동을 중요시해야 한다는 결론을 내렸죠.

사실 소비주의 문명이라는 측면에서 보면 사회주의든 자본주의든 똑같은 문명입니다. 어떻게 해야 더 많이 생산하고 더 많이 쓰느냐 하는 문제에 집착하므로 결국은 동일선상에 있는 문명이고, 그 때문에 우리가 자본주의와 사회주의를 넘어서는 새로운 문명을 내다봐야 한다는 문제의식을 가졌습니다.

오연호 그래서 새로운 환경운동을 어떻게 시작하셨나요?

법륜 우선, 그동안의 환경운동이 주로 개발정책에 저항하는 운동이었다면 우리는 먼저 나부터 의식혁명을 하자고 했죠. 환경운동 한다면서 개인의 삶에서는 소비주의의 병폐를 답습하고 있다면 모순이잖아요. 그래서 의식의 혁명, 나부터의 실천을 중시했죠. 우리가 그때 불교사회교육원을 운영하고 있었는데 그것을 불교환경교육원으로 바꿔서 환경교육과 환경실천을 추진해나가는 쪽으로 방향을 잡았죠.

두 번째로, 그동안 우리가 늘 우리나라 문제만 가지고 죽고 살고 했던 데서 벗어나 국제사회에서의 책임에 눈을 떠보기로 했습니다. 그때까지 우리는 우리가 가난하다고 생각해 남으로부터 도움을 받으려고 했는데, 국민소득 1만 달러가 넘는다는 것은 이미 지구상에서 기득권층에 들어갔다는 뜻이었죠. 그래서 기아 · 질병 · 문맹이라는 국제사회의 절대빈곤을 퇴치하는 일에 세계시민으로서 책임의식을 갖고 행동하기로 했죠.

오연호 JTS가 그렇게 시작됐군요.

법륜 우리보다 못사는 나라 사람들을 찾아가서 도와준 거죠. 우선 인도의 불가촉천민들을 위해서 구호활동을 벌였는데, 그것이 오늘날 JTS 구호활동의 시초입니다. 지금은 인도, 필리핀, 인도네시아, 스리랑카, 캄보디아, 북한 등 가난한 나라의 어린이를 돕기 위해 학교를 세우고 학용품을 지원하고 병원을 짓고 마을개발을 돕습니다. 구호활동에 임하는 우리의 원칙은 제도적인 개혁만 외칠 것이 아니라 그 이전에 내가 할 수 있는 일부터 먼저 시작하자는 것이었어요.

세 번째로, 민주화가 진척된다면 그다음에 남는 문제는 무엇일까를 생각했죠. 우리나라의 문제, 우리 민족의 문제로서 통일이 시대적 과제가 되리라 내다봤죠. 그래서 새로운 통일운동을 시작한 겁니다.

그리고 마지막으로 찾은 과제가 행복이었어요. 우리가 아무리 세상을 아름답고 좋게 만들어도 인간 개인으로 돌아갔을 때 행복하지 않으면 헛되다는 거죠. 그때 우리가 던진 질문이 왜 스웨덴이나 노르웨이의 자살률이 높은가였어요.

오연호 저도 수년 전 노르웨이에 갔을 때 자살률이 우리와 거의 비슷한 것을 보고 왜 그럴까라는 의문을 품었어요.

법륜 경제도 발전하고, 사회도 평화롭고, 자연환경도 좋은데 왜 그 사람들이 스스로 목숨을 끊을까요? 결국 이것은 환경의 개선만으로는 인간의 행복이 보장되지 않는다는 뜻입니다. 자아상실, 자기정체성 상실에서 오는 문제일 텐데 그러면 무엇으로 그것을 해결할 수 있을까……. 가장 중요한 것은 결국 수행이라는 결론에 도달했어요. 수행이라면 불교에 노하우가 많잖아요. 그래서 종교가 아닌 인간의 심성을 아름답게 가꾸는 수행의 측면에서 불교가 어떤 역할을 해야 한다고 생각하고, 수행을 새로운 대중운동의 중요한 요소로 받아들였죠.

수행이란 머리 깎은 스님들만 하는 것이 아니라 자기 행복을 위해 세상 사람들이 모두 해야 한다고 봤어요. 그러다 보니 대중적인 수행 이론이나 실천의 개발이 중요한 숙제로 떠올랐습니다. 그래서 정토회를 만든 거죠. 그리고 '깨달음의 장'이라는 수련 프로그램을 개발했어요. 그다음에 '나눔의 장', '명상수련' 같은 수행 프로그램도 나왔고, 매일 집에서 아침 다섯 시에 일어나 한 시간씩 자기 행복을 위해 수행하도록 하는 100일 정진, 1000일 정진도 나왔고요. 이런 수행 프로그램에 지금까지 수만 명이 참여했습니다.

역사의식은 자긍심에서 나온다

오연호 놀랍습니다. 그런 고민을 하기 시작한 1987년으로부터 25년여가 지난 지금 보면 상당히 정확하게 미래를 꿰뚫어 보셨군요. 앞에 제시한 네 가지 모두가 지금 우리 시대의 중심 화두죠. 100년을 내다보고 고심한 흔적이 엿보입니다.

법륜 그런데 100년 앞을 내다보고 마련한 네 가지 과제 중 제일 어려운 게 통일이었어요. 통일이 좀 수월해지려면 남북의 체제나 종교에 공통점이 있든가, 국부가 같은 인물이든가 해야 하잖아요. 그런데 남북 간에 체제나 국부도 서로 다르고, 종교도 이렇다 할 공통점이 없어요. 그래서 무엇이 통일의 원동력이 될지를 고민하다가 발견한 것이 '역사의식'입니다. 6000년에 달하는 장구한 우리나라 역사 속에서 지금의 분단 현실을 보면 찰나일 뿐이죠. 그런 면에서 우리가 역사의식을 갖게 되면 통일의식도 갖게 되리라 생각했죠. 예를 들어 우리 선조들이 독립운동 할 때 분단은 상상도 안 했을 것 아닙니까? 만약 독립운동 하던 선조들이 북한의 굶어 죽는 아이들을 보았다면, 그냥 외면하자는 얘기는 도저히 용인할 수 없었겠죠.

오연호 우리나라 6000년의 역사에서 지금의 분단은 정말 찰나일 뿐이죠. 그런데 많은 사람들은 분단이 영원할 것처럼 생각하고 있습니다. 스님 말씀처럼 역사의식이 있다면 그러지 않을 텐데요.

법륜 역사의식을 가지려면 자기 역사에 대한 자긍심이 있어야 합니다. 그게 지나쳐 너무 폐쇄적으로 가면 국수주의가 되겠지만, 남의 것을 배타하자는 게 아니라 자기 역사에 대해 분명한 입장 정리가 필요하다는 측면에서 역사에 대한 자긍심이 중요한 거죠.

그래서 저는 18년째 고구려 · 발해 역사기행을 대중들과 함께 해오고 있습니다. 현대사나 근대사 부분은 아직 진행형이다 보니 객관적으로 검증하기가 무척 어렵기 때문에 고구려 · 발해사를 택한 거예요. 우선 고대사 부분, 우리 민족의 뿌리에 해당하는 부분부터 역사를 제대로 보자고 한 거죠.

그런데 고구려 · 발해 역사기행을 하는 과정에서 북한 동포들이 어떻게 고통받고 있는지에 대한 이야기를 듣게 되었어요. 그래서 북한 동포들을 인도적으로 지원하고 인권문제를 개선하는 일을 15년 넘게 해오고 있는 겁니다. 하지만 그런 일을 해오면서 한계를 느꼈죠. 남북한이 분단된 채로 체제 경쟁을 하고 북한의 안보문제가 해결되지 않는 한, 근원적인 해결이 어렵다고 본 거예요. 그래서 평화문제에 눈을 돌리게 됐고, 평화재단을 설립해서 평화정책을 연구하기 시작했습니다. 그러나 항구적 평화는 결국 통일에서 오는 것이죠. 분단 상태에서의 평화체제는 임시적인 것일 뿐 결국 통일을 해야만 평화가 완전히 이루어진다는 것을 그동안의 경험을 통해 확신하게 됐습니다.

오연호 그래서 앞으로 스님과 통일에 대한 대담을 본격적으로 해보려고 합니다. 그런데 문제는 일반인들에게 통일이 참 멀게 느껴진다는 점입니다. 대학생과 청년들은 시험공부 하랴 취직 준비 하랴 바쁘고, 30, 40대 직장인들은 출산율 1.14명이 보여주듯이 아이 둘을 낳아 기르는 것이 부담스러울 정도로 바동바동 살아가고 있죠. 그러니 통일에 관심을 갖고 살기가 참 어려운 게 현실입니다. 그래서 제가 그들을 대변해 스님께 여쭙고 싶습니다. 오늘 당장 취직 공부 하느라 바쁜데, 우리 청년들이 왜 통일에 관심을 가져야 합니까?

법륜 누구나 지금 당장 대처해야 할 현안이 있게 마련입니다. 그런데도 우리는 왜 미래를 생각해야 할까요? 미래가 곧 현재로 다가오기 때문이죠. 청년들이 계속 현재와 같은 상황 속에서 살아갈 것은 아니잖아요. 10년이나 20년 후면 청년들이 본격적으로 나서서 활동할 텐데, 그때를 위해 우리가 준비를 해나가야죠. 미래와 관련해서 누구나 동의할 수 있는 기본 목표는 두 가지입니다. 우리의 미래가 안전해야 하고, 지금보다는 더 나아져야 한다는 거죠. 그런데 통일이 안 되면 우리의 이런 기본 목표가 이루어지기 어렵습니다.

먼저, 미래의 안전문제부터 살펴보죠. 지금 우리를 둘러싼 주변 정세를 보면 심상치 않습니다. 가장 큰 변화는 중국의 급부상이죠. 지금까지는 미국 일변도 체제였는데 중국이 급부상하면서 미중이 점점 경쟁구도로 가는 양상입니다. 역사를 되돌아보면 지금 이것이 우리에게 어떤 의미가 있을까요? 원나라에서 명나라로 교체되는 시기, 명나라에서 청나라로 교체되는 시기, 청나라에서 일본으로 교체되는 시기가 있었죠? 이렇게 우리를 둘러싼 주변의 큰 세력판도가 바뀔 때는 우리에게 예외 없이 심각한 영향을 끼쳤습니다. 그것이 정권교체의 계기, 침략을 받는 계기, 나라를 뺏기는 계기가 되기도 했죠. 변화에 미리 대비하지 못하면 그렇게 당하는 거죠.

지금은 어떤가요? 그동안 우리는 미국의 패권에 기대서 안보도 탄탄히 구축해왔고, 경제도 비교적 안전하게 성장해왔습니다. 일부 문제는 있었지만 크게 보면 미국에게 기대어 많은 혜택을 입었다고 할 수 있죠. 그런데 중국이 급격하게 부상하면서 지금 상황이 바뀌고 있어요. 아직도 안보는 미국에게 의지하고 있는데, 경제는 중국의 비중이 훨씬 더 높아졌죠.

오연호 수출 규모로만 보면 2003년에 역전됐죠. 2011년 현재 우리나라의 대중국 수출은 전체 중 24퍼센트인데, 대미국 수출은 10퍼센트예요. 10년 전인 2001년에는 대중국 12퍼센트, 대미국 21퍼센트였으니 그사이에 엄청나게 변한 거죠.

법륜 이런 흐름은 앞으로도 계속되겠죠. 이런 상황에서 미중이 협력관계로 가면 우리로서는 더할 나위 없이 좋겠지만, 점점 갈등구도나 경쟁구도로 가게 되면 결국 우리는 선택을 강요받게 됩니다.

노무현 정부와 이명박 정부의 선택을 예로 들어볼까요? 노무현 정부는 그동안 우리가 의지했던 옛 친구인 미국으로부터 한발 물러나, 새롭게 떠오르는 세력인 중국과의 관계를 개선해나갔죠. 둘 사이에서 균형자적 역할을 해야 한다고 생각했던 겁니다. 이럴 때 기분이 나쁜 쪽은 미국입니다. 누구 때문에 지금까지 성장했는데 의리 없이 한눈파느냐고 생각할 수도 있었겠죠. 그래서 한미동맹에 금이 갔다고 우려하지 않았습니까?

반면 이명박 정부는 어떻습니까? 한미동맹을 강화한다며 미국에 착 달라붙기로 입장을 정했죠. 그러자 이번에는 중국이 섭섭해진 겁니다. 이럴 때 중국에서 남한을 압박하기 위해 선택할 수 있는 카드는 두 가지예요. 하나는 경제를 압박하는 것이고 또 하나는 북한이라는 카드를 쓰는 것인데, 현재 중국은 북한 카드를 쓰고 있습니다. 북한과 혈맹관계를 강화하는 것이죠.

사실 이명박 정부 이전에 중국은 북한과 동맹관계를 맺어왔지만, 중국의 이익을 위해 한중수교를 맺으면서 남북 사이에서 등거리외교를 했어요. 그래서 북중관계가 한때 나빠지기도 했죠. 그런데 이명박 정부가 미국에 붙을 뿐만 아니라, 미국의 중국봉쇄 전략의 맨 앞에 서는 역할을 하게 되니 중국은 북한과 손을 잡을 수밖에 없죠. 그런 가운데 북한은 어떤 처지일까요? 미국과 빅딜을 해서 체제를 유지하려고 지난 10년 가까이 노력을 했어요. 하지만 이게 잘 안되고 남북관계도 진전이 없으니까 중국에게 기대는 것이 유일한 체제 유지책이 되어버린 겁니다.

오연호 지금 흐름이 한미관계와 북중관계가 각각 동맹을 강화하는 쪽으로 움직이고 있는데, 이것이 우리에게는 별로 좋지 않은 전조라는 말씀이네요.

법륜 그렇습니다. 결국 미중 사이의 세력갈등이 격화되어 충돌이 일어나면 어떻게 될까요? 충돌은 미중이 직접 일으키는 게 아니라 그 앞에 있는 남북 사이에서 일어날 수밖에 없습니다. 결국 우리의 안전을 위협하는 거죠. 이것이 우리에게 다가올 첫 번째 위험입니다.

이는 전에 우리가 겪었던 북한의 도발과는 성격이 전혀 다릅니다. 예전의 도발은 전쟁이 일어나기 힘든 상황 속에서 벌어지는 국지전의 성격이 강했는데, 지금은 외부 강대세력의 충돌이라는 배경 속에서 진행되고 있기 때문에 상황이 악화되면 훨씬 더 안보적 부담이 가중될 소지가 있습니다. 결국 우리의 희생을 부를 수밖에 없는 상황이 올 수 있다는 거죠. 그리고 통일을 더 멀어지도록 만들 것이 확실합니다.

이것이 지금 우리를 둘러싼 여건입니다. 물론 취직 공부하고 있는 20대 청년이 이런 주변 정세까지 관심을 가질 수는 없겠죠. 하지만 이런 국제정세 속에서 우리의 상황을 어떻게 해결하느냐가 그 청년의 미래에 중대한 영향을 주리라는 것은 분명합니다. 이 세대가 군대에 가는 문제에서부터 취직해서 사회에 진출하는 데까지 심각한 영향을 준다고 봅니다. 그러니까 그들이 우리를 둘러싼 국제정세의 변화를 알아야 한다는 거죠.

시대를 읽지 못하면 화를 입는다

오연호 변화를 제대로 알지 못하면 주춤하는 사이에 크게 당할 수 있다는 거군요.

법륜 상황 변화를 제대로 읽지 못하면 화를 당합니다. 역사가 그걸 반복적으로 보여주죠. 기득권세력은 항상 현실에 안주하기 때문에 보통 변화된 상황을 잘 자각하지 못해요. 고려 말엽에도 기득권세력인 권문세가는 원나라에 의지하고 있었잖아요. 그래서 떠오르는 명나라의 성장을 제대로 보지 못했죠. 대신 젊은 사람들인 신진사대부들이 시대의 변화를 읽었죠. 그 때문에 권문세가 중심의 고려왕조가 망하고 신진사대부가 중심이 된 조선왕조가 등장했던 겁니다.

그런데 주변 패권이 명나라에서 청나라로 바뀔 때는 어땠나요? 위아래 아무도 주변 정세의 변화를 못 읽었습니다. 그래서 병자호란을 겪고, 인조가 청나라 태종에게 무릎을 꿇고 항복하는 '삼전도(三田渡)의 굴욕'을 당했죠. 또 주변 패권이 청나라에서 일본으로 바뀔 때도 우리는 그것을 제대로 읽어내지 못해서 오히려 일본에 나라까지 빼앗기지 않았습니까.

마찬가지로 지금도 주변 패권이 바뀌고 있어요. 그런데 기득권세력, 아니 일반인까지도 우리가 지금까지 미국에 의지해왔으니까 계속 이렇게 세계가 미국 중심으로 돌아갈 거라고 생각하거든요. 이런 생각이 위험한 겁니다. 우리 역사를 보면, 외부의 떠오르는 세력에 제대로 대응하지 못하면서 항상 화를 입었어요.

오연호 그럼 지금 상황에서 우리가 화를 당하지 않기 위해서는 무얼 어떻게 대비해야 할까요?

법륜 역사는 우리에게 무엇을 가르쳐주고 있을까요? 우리가 미국에 지나치게 안주할 때는 중국으로부터 화, 즉 중화(中禍)를 입을 가능성이 있습니다. 그래서 중국을 두려워하자는 말이 아니라 대비하자는 겁니다. 한편으로는 중국을 경계하고, 또 한편으로는 이 현실을 수용해야죠. 그런데 우리는 지금 중국의 부상을 경계도 하지 않고 수용도 하지 않는 분위기입니다. 아직도 미국 주도의 세계질서에만 안주해 있어요. 이러다가는 앞으로 언제 화를 자초할지 몰라요. 나라가 화를 당하면 지금 취직 공부에 바쁜 20대 청년의 인생에도 분명 영향을 줄 수밖에 없어요. 그래서 통일이 중요하고, 통일 이전에는 평화 정착이 중요한 겁니다. 그런 국제정세가 불러올 수 있는 위험한 상황을 근원적으로 극복해낼 수 있는 것이 통일이니까요. 통일이 내 인생의 안전과 미래에 연결되어 있는 거죠.

오연호 통일이 되면 먹고사는 문제가 나아질 것인지가 좀 확실해져야 청년들이나 직장인들이 통일을 해야겠다는 적극적인 자세를 가질 수 있을 텐데요.

법륜 통일이 밥 먹여주느냐는 말이 있는데, 앞으로 밥을 제대로 먹기 위해서는 통일을 해야 합니다. 지금까지 우리 남한만 보면 국민소득 1만 달러까지는 고속성장을 해왔습니다. 그리고 그다음 1만 달러에서 2만 달러까지는 어찌어찌해서 어렵게 이뤄왔지만 그 이상은 안 되잖아요. 이명박 대통령이 2만 달러에서 4만 달러로 만들겠다고 했지만 아직 2만 달러에 머물러 있어요. 우리나라가 GDP를 기준으로 한 세계 경제력 순위가 가장 높았을 때 11위였어요. 이명박 대통령이 '747공약' 내놓으면서 7위까지 올려놓겠다고 했는데 지금 14위로 떨어졌거든요. 이것은 이명박 대통령이나 그 누구의 잘못을 떠나 지금 우리나라가 정체 국면에 계속 머물고 있다는 것을 보여줍니다. 성장을 위한 어떤 특별한 변수가 없으니 현실이 정체 국면에 놓일 수밖에 없다고 봐야죠. 미국도 쭉 성장해온 뒤 지금 정체 국면에서 약간 후퇴 국면으로 가고 있고, 일본도 지금 장기 정체 국면에서 사실은 후퇴 국면으로 기울어가고 있는데, 우리 역시 그 두 나라의 뒤를 따라왔으니 지금 정체 국면에서 후퇴 국면으로 갈 수밖에 없는 여건입니다.

통일이 안 되면 잘 먹고사는 문제에서 더 이상 돌파구가 없습니다. 굶어 죽고 있는 북한은 말할 것도 없고, 남한도 세계 강대국들과의 경쟁에서 이긴다는 것은 애초부터 무리입니다. 인구나 영토의 기본 크기가 비교가 안 되니까요. 과거에는 우리가 노력하면 계속 성장할 거라는 믿음이 있었는데, 미래에는 그렇지 않다는 겁니다.

오연호 노력하면 된다는 믿음이 깨진 상태에서 뭔가 특단의 돌파구가 필요한 시점이군요.

법륜 제가 볼 때 이것을 극복해나가려면 두 단계가 필요합니다. 첫 단계가 남북통일이고, 다음 단계가 동북아 공동체 건설입니다. 통일을 하면 영토가 21만 제곱킬로미터, 인구가 한 7000만 명 정도 되죠. 그러면 국가 위상이 미국이나 중국 정도는 아니더라도 영국이나 이탈리아, 프랑스 정도는 됩니다. 그렇게 되면 우리나라가 경제력으로 세계 10위권 안에 들어가게 되는데 강대국은 아니더라도 자주권을 가지고 지역에서 어느 정도 영향력을 행사할 수 있는 중강국은 되는 거죠. 거기다 북한 개발이라는 특수는 남북통합 경제의 크고 작은 시너지 효과를 가져와 경제성장의 정체 국면을 벗어날 수 있습니다. 우리가 이 정도는 꿈꿔볼 만하지 않습니까? 그러면 고구려·발해 멸망 이후 1000여 년 만에 우리가 다시 동북아 지역의 중심국가로 일어설 수가 있죠.

오연호 고구려가 668년에, 발해가 926년에 멸망했으니, 발해 멸망을 기점으로 하면 거의 1100년 만에 우리가 다시 그런 꿈을 꿔볼 수 있다는 거군요.

법륜 1000년 만의 기회입니다. 그런 꿈이 있어야 우리의 마음이 뜨거워질 수 있죠. 지금 그것 말고 우리의 마음을 뜨겁게 할 수 있는 게 무엇입니까? 독립운동, 민주화운동 할 때 가슴이 뜨거웠던 것처럼 지금은 무엇으로 우리의 마음이 뜨거워질 수 있을까요? 국민소득 2만 달러를 4만 달러로 만드는 것? 그건 욕심일 뿐이지, 그런 것으로는 가슴이 뜨거워지지 않죠. 복지사회? 그건 삶의 최소조건을 만들자는 얘기죠.

저는 통일이야말로 우리 젊은이들의 가슴을 뜨겁게 해줄 수 있는 유일한 비전이라고 봅니다. 미국이 서부개척을 통해 한 번 더 업그레이드되었잖아요. 그것처럼 남북통일과 북한 건설은 우리에게 다시 한 번 도약할 수 있는 기회를 줄 겁니다. 지금 취직 공부하고 있는 남한의 청년들에게도 더 많고 더 좋은 일자리를 보장해줄 거라고 봅니다.

오연호 통일이 밥 먹여주는가라는 주제는 이후 대담에서 자세히 다룰 테니 이 정도로 하죠. 우리나라가 통일될 경우 국제사회에서의 발언력이 커질 것은 틀림없어요. 그러면 국제사회에서 일하는 우리 젊은이들에게도 이득이 되겠고요.

법륜 그렇습니다. 통일이 되면 우리 젊은이들이 세계 어디에 가서도 자신감을 가질 수 있죠. 우리가 근대화를 이루었기 때문에 동남아 여러 나라에 가서 새마을운동이나 근대화에 대해 이야기할 수 있습니다. 민주화를 달성했기 때문에 민주화에 대해 이야기할 수 있는 거고요. 그런데 남북 간에 매일 싸우는 이미지를 갖고 세계평화를 이야기하면 다른 나라 사람들이 너희 문제나 잘 해결하라며 웃겠죠. 다른 나라에 구호활동 나가면, 동포인 북한 주민들이 굶는 것은 외면하면서 왜 여기 와서 구호활동 하느냐는 소릴 들을 수 있겠죠. 그런 면에서 통일은 우리 젊은이들이 기를 펴게 해줄 겁니다. 세계무대에서의 발언권이 지금과는 비교할 수 없을 정도로 높아지는 거죠.

오연호 스님 말씀을 들어보면 통일이 참으로 필요하다는 생각이 듭니다. 하지만 대학생이나 직장생활 하는 젊은이들이 매일 통일을 생각하며 산다는 것은 무척 힘든 일입니다. 그토록 중차대한 민족의 일을 왜 우리는 쉽게 잊어버린 채 살아가고 있을까요? 남북 이산가족이 만나는 장면을 텔레비전으로 볼 때나 연평도사건이 일어날 때는 통일이 되어야 한다는 생각을 하면서도 또 금방 잊어버리고 살거든요. 그토록 중요한 사안이 왜 우리 사회에서 주요 어젠다로 지속되지 못하는 걸까요?

법륜 분단의 역사가 그렇게 만든 겁니다. 기성세대는 북한을 욕하면서도 통일에 대한 기대가 있습니다. 왜냐하면 하나의 나라에서 살다가 갈라졌기 때문에 분단이 굉장히 불편하거든요. 대표적인 것이 이산가족 문제죠. 그런데 젊은 세대는 처음부터 분단된 상태에서 태어나 자랐기 때문에 통일 이야기를 하긴 해도 이 문제로 자기가 사는 데에 별 지장을 받지는 않습니다.

이건 마치 미국 이민 1세대와 2세대의 차이와 같아요. 1세대는 이민 간 나라에서 성공하면 고향에 돌아오고 싶어 합니다. 하지만 이민 2세대는 부모의 말을 듣고 조국과 고향에 대해 어렴풋이 생각은 하지만 그냥 거기서 사는 게 더 낫다고 여깁니다. 이민 2세대가 진정으로 조국을 생각하게 하려면 조국에 대한 교육만 해서는 안 되죠. 한국에 와서 취직하는 것이 미국에서 취직하는 것보다 더 낫다든지, 한국말을 배워야 미국에 있는 삼성이나 현대에 취직할 때 더 유리하다든지 하는 식으로 이해관계와 어느 정도 결부돼야 합니다. 순전히 명분만 갖고는 안 되죠.

오연호 공감합니다. 요즘 미국 교포 자녀들이 한국말을 열심히 배우고 있는 것이 그런 흐름과 연관이 있죠.

법륜 그래서 저는 통일에 대한 우리의 기본 시각을 새로 정립해야 한다고 봐요. 과거 청산적 통일론이 아닌 미래 비전적 통일론이어야 합니다. 과거의 1세대 통일론은 분단이 됐으니 일단 분단을 청산하자는 거죠. 비용이 들고 손해를 보더라도 과거를 청산하자는 겁니다. 반면 미래 비전적 통일론은 우리가 앞으로 잘살려면 통일을 해야 하고, 통일을 해야만 희망이 생긴다는 거죠. 저는 이 둘 사이에 큰 차이가 있다고 생각합니다.

젊은이들은 미래 비전적 통일에 관심을 갖게 됩니다. 남북 이산가족 상봉이 이루어질 때 온 국민이 눈물을 흘리면서 통일 이야기가 반짝 나왔지만 바로 사그라져버렸죠? 과거 청산적 통일은 부담이 되거든요. 과거 청산적 통일이 늙은 부모를 어떻게 모시느냐의 문제라면, 미래 비전적 통일은 자식을 어떻게 키울 것이냐는 문제라고 보면 됩니다.

오연호 좋은 비유네요.

법륜 그렇게 보면 성격이 많이 달라지죠? 30, 40대 젊은이들이 지금 키우고 있는 자기 자식이 군대 갈 나이가 되어서도 전쟁의 위험 없이 안전하게 생활할 수 있는 사회, 일자리 찾기가 더 수월한 사회를 만드는데 왜 반대하겠어요? 그게 곧 통일이 추구하는 것과 같아요. 그러니 우리가 아무리 사는 데 바쁘더라도 통일에 관심을 가져야 합니다.

오연호 미래를 위한 투자라는 관점에 서자는 말씀이군요.

법륜 통일은 투자이지 부담이 아닙니다. 통일문제에 소극적인 사람들은 통일비용을 부담스러워해요. 북한은 우리나라 땅인데 왜

버려두려고 합니까? 일본은 독도 하나 가지려고 우리랑 저렇게 싸우잖아요. 또 센카쿠 열도라고, 암초로 구성된 그 섬들이 자기들 거라고 중국과 일본이 막 싸우잖아요. 그런데 북한은 12만 제곱킬로미터라는 어마어마한 땅에다 인구가 2000만 명이나 되고 자원이 엄청난데, 왜 그걸 그냥 버려두려고 합니까.

오연호 그러고 보니 정말 그렇군요.

미래를 위한 투자

법륜 그래서 제가 북한과 합칠 수 없다고 하는 사람들보고 바보 멍청이라고 하는 거죠. 어떤 나라는 남의 것을 빼앗아 합치기도 하는데 왜 우리는 제 것을 발로 차서 남에게 주려고 하는지……. 북한이 중국에 경도되어가는 것을 지켜보면서 저는 이렇게 말해요. 남한 사람들은 보살 중에서도 상보살이고, 예수님이나 부처님 수준이라고요. (웃음) 일본은 남의 것도 빼앗아 제 것 만들려고 설치는데 왜 한국은 제 것도 가지려 하지 않고 남 주려고 하는지 모르겠어요.

오연호 바보 멍청이 아니면 상보살이라! 스님 지적을 들으니 좀 뜨끔해집니다. 저도 그중 한 사람이라고 생각됩니다만, 언제부터인지 우리 주변에서 통일 이야기가 슬그머니 사라진 듯합니다. 우리 사회의 양극화 문제나 재벌 문제에 대해서는 아주 할 말이 많은 사람들도 통일문제에 대해서는 말이 줄어들거든요.

법륜 왜 기성세대가 통일에 대해 말하기를 멈칫거릴까요? 그것도 역사적 이유가 있습니다. 통일주도세력의 실종과 연관이 있죠.

오연호 통일주도세력의 실종요?

법륜 사실 1950, 60년대에는 북한이 통일을 주도했습니다. 요즘 젊은이들은 이런 말 들으면 의아해하겠지만, 그때는 객관적으로 북한이 남한보다 경제도 나았고 정치도 안정되었고 군사력도 강했습니다. 서로 체제 경쟁을 하는 입장에서는 약한 쪽이 위협을 느끼겠죠. 북한은 당연히 통일을 하자고 나왔고 남한은 통일에 소극적일 수밖에 없었어요. 남한의 기득권자들은 통일이 되면 북한에 흡수될지도 모른다고 생각했으니까 그럴 수밖에 없었던 거예요.

그러니 당시 남한의 지식인이나 이른바 애국자는 어떻게 생각했을까요? 꼭 북한을 지지해서가 아니라 북한의 주장이 합당한 것 같고 통일에 소극적인 남한 정부가 부당해 보이니까 남한 정부를 비판하게 되었죠. 결국 남한 정부는 그들을 북한에 동조하는 세력이라며 탄압했고요.

오연호 이른바 친북세력의 등장은, 그것을 지금 어떻게 규정하든, 역사적으로는 남한보다 더 잘살았던 북한이 통일에 적극적이었던 사실과 관련이 있군요.

법륜 그런데 1970, 80년대에 들어와 남북한 상황이 달라집니다. 한국이 어느 정도 경제개발에 성공하면서 경제력에서도 북한에 버금가거나 약간 우위에 올랐고, 자주국방으로 군사력도 보강했으며, 정치적인 안정도 어느 정도 찾게 되었어요. 그에 비해 북한은 경제가 정체되기 시작하더니 권력이 세습되면서 정치적으로도 흠집이 생겼죠. 게다가 군사력이나 경제력도 중국과 소련이 갈등을 일으키는 바람에 약해졌어요. 결국 남북한의 세력이 어느 정도 대등하게 된 것이죠. 그래서 나온 것이 7·4남북공동선언입니다. 그전에는 무조건 북쪽은 적화통일, 남쪽은 승공통일이었는데 이제는 한 발짝씩 물러서서 공존을 모색하는 공동선언이 나오게 된 겁니다. 서로의 체제를 인정하고 협력해서 점진적으로 통일로 가자는 것이었죠.

통일론에 있어서도 북한은 통일의 강도를 조금 높이자면서 고려연방제를 주장해왔고, 남한은 남북이 각자의 체제를 유지하면서 점진적 통일을 추구하는 남북연합의 민족공동체통일방안을 내놓았어요.

오연호 남과 북의 세력관계에 따라 통일 추진의 주도권과 통일정책이 바뀌어왔군요.

법륜 네, 그러다가 1990년대 이후 남한의 힘이 월등하게 커지고 북한이 열세에 몰리게 되면서 다시 한 번 변화가 옵니다. 북한 입장에서는 통일보다는 체제 유지가 더 급하게 된 거죠. 그런데 북한은 지금까지 계속 통일 이야기를 해왔기 때문에 갑자기 통일문제를 접을 수는 없잖아요. 그래서 북쪽에서 오히려 남쪽의 주장을 받아들인 것이 2000년 6 · 15공동선언이에요. 북한이 받아들인 낮은 단계의 연방제는 민족공동체통일방안의 남북연합과 유사점이 있어요. 통일의 결합 정도를 낮췄다는 거죠.

북한이 남한 좋으라고 그렇게 한 것이 아니라 자기들이 독자 체제를 유지할 필요가 생겼기 때문에 받아들인 겁니다. 지금 북한은 체제가 위기에 빠져 있고, 남한은 경제력이 전보다 훨씬 더 강해져 있죠. 이 상태에서 북한은 더 이상 통일하자고 할 동력이 없어요. 입으로는 계속 통일 이야기를 하고 있지만 지금은 자기 체제를 유지하기에 급급할 뿐이죠.

이제 그동안 통일을 주요하게 내세웠던 북한이 통일문제는 뒷전인 채 체제 유지에 급급해지자 덩달아 남한에 있던 통일세력도 같이 힘을 잃게 됩니다. 그래서 통일운동에서 평화운동으로 전환하게 되죠. 평화운동은 통일하자는 것이 아니라 서로의 체제를 인정하고 평화롭게 살아가자는 소극적 운동이거든요.

오연호 그렇게 역사적으로 설명해주시니 이해가 됩니다. 지금이야 이명박 정부가 남북관계 개선에 소극적이라 그렇다 치더라도, 김대중 정부 때는 햇볕정책도 펴고 남북정상회담도 열었지만 그 후 국민적인 통일 열망이 형성됐다고 보기 힘들죠. 게다가 왠지 방향성을 상실한 듯한 느낌이었거든요.

법륜 남한만 놓고 보면 역사적으로 볼 때 통일주도세력이 진보세력이었어요. 보수세력은 통일을 반대했잖아요. 그런데 북한이 그렇게 변해버리니 남한에서 통일을 외쳤던 진보세력이 소극적으로 변하면서 통일운동이 힘을 잃어버립니다. 통일보다는 평화를 이야기할 수밖에 없는 처지가 되니 자연히 통일은 뒷전으로 밀리는 겁니다.

반면 남한의 보수세력은 이제 통일을 이야기해야 할 상황이 왔는데도 그러지 못합니다. 지금껏 통일을 주장하지 않았던 사람들이니 갑자기 통일을 들고 나올 수도 없죠. 요컨대 북한의 통일세력은 체제 유지에 정신이 없고, 남한의 통일세력은 평화운동으로 돌아섰고, 남한의 보수세력은 원래 통일에 소극적이었으니, 우리 민족 전체에서 통일운동의 구심점이 완전히 사라져버린 거예요.

오연호 일부 진보진영에 통일운동을 해온 사람들이 있었지만, 그들의 목소리도 국민들을 설득하기엔 부족했다는 말씀이군요.

법륜 이른바 기존 1980년대의 사회운동권 용어로 살펴보자면, 독재타도를 우선적 과제로 삼았던 PD(민중민주 계열)는 노동자의 정치세력화에는 관심이 많았지만 상대적으로 통일에는 관심이 별로 없었습니다. 반미제국주의 투쟁을 우선시했던 NL(민족해방 계열)은 통일과 자주에는 관심이 많았지만, 북한의 한계를 제대로 보지 못했기 때문에 남한 국민들의 지지를 받기 어려웠습니다. 지금은 통일주도세력이 되려면 현실적으로 우선 남한 국민들의 지지를 받아야 합니다. 그런데 이들은 북한의 인권문제, 권력세습 문제 등에서 북한 현실을 제대로 보지 못하고 있기 때문에 남한 국민들의 지지를 받기가 어려운 겁니다.

오연호 저는 통일이라는 단어만 접하면 왠지 미안한 마음이 들었습니다. 스님의 말씀을 듣고 보니 그 미안함의 정체가 좀 잡히네요. 남북한 사회 전체에서 통일의 구심점, 통일주도세력이 흐물흐물 사라져가고 있는데, 저도 그 흐름에 동참하고 있는 것 같습니다.

1000년의 기다림, 지금이 기회다

법륜 그래서 새로운 통일운동의 구심점이 될 통일주도세력을 만드는 것이 지금 필요합니다. 물론 새로운 통일방안도 만들어야겠죠. 지금 제가 이야기하는 새로운 통일운동은 과거의 통일운동과 용어는 같지만 통일의 방식, 방향, 이유, 주도세력 자체가 아예 달라져야 한다는 것입니다.

오연호 어떻게 달라져야 합니까?

법륜 우선 통일주도세력이 달라져야 합니다. 남북한 중 어느 쪽이 중심이 되어 통일하는 게 좋을지를 묻는다면 저는 남한일 수밖에 없다고 봅니다. 제가 남한 출신이라서가 아니라 현실이 그렇다는 겁니다. 통일이 되었을 때 우리가 어떤 사회체제를 추구해야 할까요? 남한 것에도 물론 문제가 있겠지만, 그래도 남한 것을 기본으로 해서 약간 개선하는 게 낫지 않겠습니까? 남북한 것을 반반씩 섞는다? 이것은 현실적으로 실현 가능성이 없다고 봐야죠.

오연호 남한 주도의 통일을 말씀하셨는데, 보수가 주장하는 흡수통일과 거의 같은 겁니까?

법륜 그것과는 다릅니다. 남한이 중심이 된 통일에는 평화적으로 이루거나 아니면 힘으로 밀어붙이는 두 가지 길이 있죠. 베트남처럼 힘으로 흡수통일하려 하면 전쟁이 일어납니다. 하지만 전쟁은 손실이 너무 크죠. 전쟁을 해서라도 통일하자는 통일지상주의는 안 됩니다. 전쟁 노선은 확실히 폐기해야죠. 그렇다면 평화적으로 이루어야 하는데, 평화적 통일방안의 구체적 내용은 바로 북한 주민에게 선택권을 주자는 겁니다. 북한 주민 스스로가 '우리끼리 따로 살지 말고 남한과 합하는 게 좋겠다'는 선택을 하도록 만들어야 한다는 거예요. 그것만이 평화적 통일을 이루는 방법이에요. 그렇게 되려면 북한 주민의 입장에서는 독자적으로 사는 것보다 남한과 합했을 때 이익이 몇 배는 더 나아야겠죠. 다른 말로 우리가 그만큼 북한 주민에게 필요한 이익을 줄 수 있어야 한다는 겁니다. 그만큼 남한이 적극적인 대북 포용정책을 펴야 합니다.

또 북한 지도부 입장에서 보면, 북한이 중국과 협력관계를 맺어 체제를 유지한다면 자기 권력을 지킬 수 있겠지만, 남한과 통일을 하게 되면 신분도 불안정해지고 기득권도 다 없어진다고 생각하겠죠. 그러니 북한 지배세력의 우려를 불식시킬 수 있는 대안이 있어야 합니다. 그들의 신분도 보장해줘야 하고 더 나아가 체제도 당분간 보장해줘야 합니다. 이것을 남한의 보수세력이 수용해야만 통일이 가능해지겠죠. 이런 측면에서 획기적인 대북 포용정책이 필요합니다.

오연호 상당 기간 북한 체제를 보장해주고 북한 지배세력의 신분까지 보장해줘야 한다니, 남한의 보수세력이 주장해온 흡수통일과는 확연히 다르네요.

법륜 요컨대 새로운 통일은 남한 중심이되, 북한에 대해 지금보다 열 배 이상의 포용정책을 보여야 한다는 겁니다. 남한 중심이라는 점에서는 흡수통일이라고 북한이 반발할 수 있고, 포용정책이라는 점에서는 남한의 보수가 반발할 수 있겠죠. 그러나 이건 보수의 주장과 진보의 주장을 반반씩 섞은 것이 아니에요. 굳이 과거의 시각으로 본다면 보수 입장과 진보 입장이 이 안에 다 들어올 수 있다고 생각합니다.

오연호 스님의 이 통일방안이 남북한 사회를 동시에 설득할 수 있을까요?

법륜 가능하다고 생각해요. 남한이 중심이 되는데 남한의 보수가 반대할 이유가 없을 것이고, 북한을 과감하게 포용하자는데 남한의 진보가 반대할 이유가 없다고 봅니다. 또한 북한 주민에게 이익을 주고, 지배집단의 신분도 보장해주고, 일정 기간 체제까지도 보장해주겠다는데 북한이 반대할 이유가 있겠습니까?

다만 남은 문제는 중국과 미국인데, 중국은 한국 중심의 통일을 반대하겠죠. 하지만 북한이 자발적으로 선택해서 한국과 통합하겠다고 하면 중국은 아무리 싫어도 반대할 명분이 없을 겁니다. 남한이 전쟁으로 통일을 하려 한다면 북한과 중국 간 군사동맹 때문에 반대할 명분이 있겠지만, 북한 주민들이 자발적으로 나서서 통일하겠다고 하면 중국이 내정간섭을 할 수 없는 거죠.

그런데 이것은 북한에 친중 정권이 들어서기 전까지만 가능합니다. 또한 북한 주민 대다수가 남쪽과 통합하는 게 낫겠다고 민심을 확 바꾸었을 때만 가능합니다. 그 때문에 남한이 북한을 위부터 아래까지 포용해야 합니다. 아래의 민심을 잡기 위해서는 대규모 인도적 지원을 해야겠죠. 중간층을 잡기 위해서는 경제적 지원을 해야 합니다. 상층부를 잡기 위해서는 체제 보장과 신분 보장이 필요합니다. 중국이 홍콩이나 대만에게 하듯이 말이죠. 대만이 왜 독립하겠다고 하다가 요즘 조용할까요? 중국과의 관계에서 경제적 이익을 엄청나게 거두도록 해주니까 지금 독립하는 것보다 적당히 가는 게 낫다는 여론이 돈다는 거예요. 그런 정책은 우리가 배워야겠죠.

오연호 왜 지금보다 열 배 이상의 포용정책을 써야 하는지 이해가 되는군요.

법륜 여러모로 지금 통일의 기회가 찾아왔습니다. 역사적으로 이런 기회는 많지 않아요. 20년 후에는 다시 이런 기회가 오지 않을 겁니다. 왜냐하면 지금 동아시아의 세력 변화가 통일의 기회를 주고 있거든요. 미국은 지는 해라 간섭하는 힘이 약해지고 있고, 중국은 뜨는 해지만 아직 간섭할 만한 정도는 아닙니다. 이 세력변화기에 통일의 기회가 왔다는 것이죠. 즉 중국이 부상하고 있지만 아직 미국이 물러난 것도 아닌 지금, 중국의 패권이 크게 부상하기 전에 반드시 통일문제를 먼저 풀어야 합니다.

오연호 이런 일을 누가 해낼 수 있을까요? 아까 통일주도세력이 남과 북 양쪽 다 약해졌다고 진단하셨죠.

법륜 네, 그래서 남한에 국민 다수의 지지를 받는 통일추진 정권이 들어서야 합니다. 우리 정부가 대통령선거에서 51 대 49로 집권한 약체정부라면 외세의 영향에 쉽게 흔들릴 수 있어요. 국민의 압도적 지지를 받은 정권만이 외세에 휘둘리지 않고 국민통합을 해낼 수 있고 그 힘을 바탕으로 통일을 추진할 수 있습니다. 가까스로 정권을 잡은 정부는 통일을 추진해도 국론이 분열되고 무슨 일을 하든지 정파적 차원으로 받아들여집니다. 그러면 김대중 정부의 통일정책에서 이명박 정부의 통일정책으로 반동이 오듯, 그것이 반복될 수밖에 없어요.

제가 이런 이야기를 자꾸 하는 이유는 통일을 위한 환경이 무르익어 있는 때가 그리 많지 않기 때문이에요. 이런 기회가 20년, 30

년 후에 다시 오는 게 아니라는 거죠. 이명박 대통령 집권 시기에 이미 기회를 많이 놓쳤어요. 가장 좋은 시기였는데 허송세월했죠. 앞으로 5년 정도가 통일의 적기일 거예요.

오연호 유권자들이 2012년에 어떤 정권을 선택하는가가 그래서 중요하군요.

법륜 그렇습니다. 2012년에 통일을 늦추지 않고 본격적으로 추진할 수 있는 정치세력이 집권해야 합니다. 그 정치세력은 우선 남한 국민들의 압도적 지지를 받아야 합니다. 51 대 49로는 어렵죠. 압도적 지지를 받으려면 남한 사회의 핵심적인 시대적 과제인 양극화 해소를 이뤄낼 수 있는 개혁정책을 가져야 하고요. 그것은 결국 공정과 복지일 텐데, 이런 남한 주민의 현실적인 요구와 통일문제가 함께 제기되어야겠죠. 그러니까 통일문제와 복지문제가 동시에 가야 합니다. 물론 국민을 설득할 때는 복지문제가 더 전면에 나와야겠지만 사실은 통일이 훨씬 더 중요한 문제입니다.

제가 강연할 때 합리적으로 통일문제를 이야기하면 일반인들도 다 관심 있게 잘 듣습니다. 사실 그들은 진보도 보수도 아니지만, 가장 직접적으로는 자기 자식들이 겪게 될 문제니까 관심을 가질 수밖에 없어요.

오연호 얼마 전에 스님께서 100회 연속 특강을 하셨죠. 제가 한번 가보니 20대부터 70대까지 여러 연령층이 왔는데 스님의 통일 이야기에 우레와 같은 박수를 보내는 것을 봤습니다. 저는 그런 광경을 굉장히 오랜만에 체험했어요. 동네 아주머니, 아저씨들이 통일 이야기에 박수를 보내는 장면을 보면서 통일주도세력이 새롭게 형성될 수도 있겠구나 하는 생각을 해봤습니다.

2012년에 많은 사람들이 정권교체를 열망하고 있습니다. 그 열망을 이명박 정권의 꼼수가 싫다거나, 어느 당이 싫다는 수준이 아니라, 통일시대를 본격적으로 열어가는 정권을 만드는 것으로 승화할 필요가 있겠네요.

법륜 2012년에 어떤 당의 누가 대통령이 되느냐가 중요한 것이 아니라, 누가 양극화를 해소하고 통일문제를 추진할 정책을 가졌느냐가 더 중요하다는 거죠. 그런 안목과 의지가 있는 이들로 2012년에 새 정권이 만들어져야 나라의 운명이 트이게 됩니다. 2012년 선거에서 이루지 못하면 또 언제 기회가 올지 모르겠지만…… 어렵겠죠.

그것이 제가 사회문제에 대해 적극적으로 발언하게 된 중요한 동기입니다. 그냥 인생 이야기나 하고 아이들 문제나 부부 문제 좀 상담해주면 사람들이 호응하고 환영하는데 (웃음) 왜 정치문제를 이야기하느냐고요? 이것이 통일로 가는 길을 만드는 문제이기 때문이에요. 남한 사회가 건강해야 통일된 나라도 건강할 수 있어요. 통일의 주체가 현실적으로 남한일 수밖에 없으니 남한 사회가 우선 건강해야죠. 양극화 해소 등 남한 내 문제를 풀면서 남한 사회를 건강하게 만드는 것도 통일운동의 일부라고 볼 수 있습니다.

오연호 스님께서 통일운동을 하신 지 20여 년이 지났지만 아직 통일은 오지 않았습니다. 지금도 통일을 위해 열심히 일하시고 그동안 많은 사람들의 가슴을 움직여왔습니다만, 스님의 마음속에서는 정말 통일이 될 거라고 생각하십니까?

법륜 저는 개인적으로는 이미 통일된 국가에 살고 있어요. 전 남과 북을 함께 보고 있어요. 같은 차원에서 봐요. 통일을 하려면 북한 권력집단과도 대화를 해야 하는데 하물며 남한 사회의 보수세력과 대화하지 못할 이유가 없죠. 대한민국에는 재벌도 있고 친일 후손도 있기 때문에 그들을 적으로 돌리고 대화하지 않는 것은 통일하지 말자는 이야기와 같다고 생각합니다.

물론 그들이 통일을 반대할 수는 있습니다. 하지만 진정으로 통일을 하려면 반대하는 사람을 설득해야죠. 인센티브를 주든 무슨 수라도 써야 합니다. 우리는 통일하자는데 저 사람들은 왜 안 하려고 하냐고 욕만 하면 안 되죠.

예를 들어 한 남자가 어떤 여자를 좋아해서 결혼하자고 하는데 여자가 싫다고 해요. 그러면 유혹을 하든 이익을 주든 부지런히 쫓아다니든 노력을 해야죠. 나는 좋아하는데 저 여자는 나를 좋아하지 않으니 나쁜 사람이라고 욕하고 울기만 한다면 결혼에 아무런 도움도 안 돼요. 그런 것을 욕심이라고 하죠. 세상 모든 일이 공짜로 되기를 바라는 겁니다.

통일문제를 해결하려면 그만한 노력과 집중력, 그리고 통찰력이 있어야 합니다. 새로운 아이디어와 그것을 추진할 힘, 지속성, 주변국을 설득할 역량 등이 다 있어야 합니다. 제 생각에 이를 이뤄내기 위한 핵심 동력으로 남한 국민의 통합, 즉 통일문제에 대한 사회적 대타협이 필요합니다. 그러려면 그것을 추진할 정치적 리더십이 있어야겠죠. 그들이 국민 다수의 지지를 받아야 안팎의 방해를 막아낼 수 있어요. 그래서 저는 2012년에 누가 정권을 잡느냐가 중요한 게 아니라 이런 방향을 가진 사람과 그 집단이 집권을 해야 하고, 반드시 국민 다수의 지지를 받아야 한다는 겁니다. 제 관점에서는 정권교체만이 능사가 아니라 그렇게 만들어진 세력이 과연 통일정책을 제대로 추진할 수 있느냐가 중요합니다.

오연호 어쨌든 우리가 생각하는 통일을 오게 만들어야 할 텐데요.

법륜 오도록 해야죠. 지금 이대로 가만히 놓아두면 오던 통일도 한 30년 뒤로 밀립니다. 그대로 두면 북한이 중국으로 급속히 기울게 됩니다. 그다음은 장기분단, 영구분단으로 갑니다. 이것이 제가 10년 전부터 우려했던 건데 점점 현실화되고 있어요. 획기적인 전환이 없다면 그렇게 갈 확률이 높아요. 그래서 저는 획기적인 전환을 우리가 만들어야 한다고 생각해요. 불가능한 것이 아닙니다.

만약 우리가 지금의 기회를 놓치면 어떻게 될까요? 20, 30년 후에는 우리가 중국의 변방으로 남아 있게 됩니다. 지금 미국은 세력이 점점 약해지고 반대로 중국은 점점 커지고 있잖아요. 그동안 우리가 미국에 의지해 힘을 키워왔듯이 앞으로 20, 30년 동안 북한도 중국에 붙어서 힘을 키우고, 그때는 중국이 허용하는 범위 안에서 통일이 다시 시도될 수 있겠죠. 그랬을 때 우리 민족은 결국 강대국의 변방으로 전락합니다. 중국이 일으키는 거대한 소용돌이의 변방이 되고 마는 거죠. 그때 가서 통일은 될 수 있을지 몰라도 그건 우리의 비전이 아니잖아요. 그래서 바로 지금이 우리가 주도하는 통일을 만들 수 있는 적기라는 겁니다.

우리가 꿈꾸는 것이 자연발생적으로 오는 거라면 통일운동을 할 필요가 없어요. 운동이라는 것은 어느 정도 변경이 가능할 때 필요한 것이죠. 그런데 어떤 일을 할 때 변경 가능한 기회가 그렇게 많지 않아요. 통일은 지금이 기회입니다. 그렇기 때문에 이 문제에 우리가 힘을 결집해야 하는 거죠. 바로 그런 점에서 2012년에 어떤 정권이 들어서는가가 중요합니다.

오연호 중대한 갈림길에 우리가 서 있군요. 우리가 주도하는 통일의 길이냐, 외세가 주도하는 분단의 길이냐……. 스님과 계획한 대담의 10분의 1 정도만 진행했을 뿐인데, 여기까지만 들어도 제 가슴이 벅차오르는군요. 이후에 주제별로 더 자세히 대화를 나눌 테지만, 코스요리에서 첫 순서로 나온 애피타이저가 식욕을 확 돋우네요. 곧 나올 메인 요리는 또 얼마나 맛있을지 기대해보겠습니다.

3장
1000년의 시간

역사를 바로 이해하고 민족적 열등감을 털어내야 합니다. 하지만 현대사와 근대사는 아직 민감한 대목이 많아서 남북이 합의점을 찾기가 쉽지 않아요. 반면 고대사는 남북이 쉽게 공감대를 형성할 수 있을 겁니다. 그래서 고대사부터 우리가 어떤 민족이었는지 그 뿌리를 찾아 나서보기로 한 거죠.

오연호 만약 스님을 안 하신다면, 제일 잘할 수 있는 일이 여행 가이드라고 하셨죠?

법륜 네, 제가 역사기행 하는 것을 참 좋아합니다. 평화재단에서 리더십 아카데미를 열어오고 있는데 제 강의는 늘 수강생들과 함께 경주 같은 역사현장을 찾아가는 방식으로 하고 있어요.

오연호 지금은 중국 땅이지만 고구려 · 발해의 역사유적지를 찾아가는 기행도 매년 하고 있죠?

법륜 네, 벌써 18년째 하고 있어요. 지금은 수강생들을 모아서 함께 가지만 맨 처음엔 저 혼자 갔어요. 1992년 한중수교가 되자 이듬해 제가 직접 중국의 동북 3성을 방문해서 옛 고구려와 발해 지역을 답사했는데, 그때 깜짝 놀랐어요. 제가 생각했던 것보다 훨씬 많은 유적지가 있었습니다. 발해 유적지, 고구려 유적지, 독립운동 유적지가 여기저기 많았어요. 그래서 우리 국민들이 역사의식을 갖기 위해서는 책상에 앉아 이론적으로 공부하는 것보다는 역사현장을 방문해 직접 두 눈으로 보면서 배우는 것이 좋겠다는 생각을 했죠.

오연호 그래서 다음 해부터는 수강생들과 함께 가셨군요.

법륜 그렇습니다. 우선 중 · 고등학교 국사 선생님들을 모시고 가서 현장학습을 했죠. 선생님들의 역사관이 바로잡히면 학생들에게 큰 영향을 줄 것이고, 그것이 계속되면 통일의 새로운 동력이 될 수 있다는 생각을 한 거죠. 그런데 일반인들도 함께 가겠다고 해서 지금은 매년 여름, 일반 수강생들과 청년 · 대학생들이 각각 8일간의 일정으로 고구려 · 발해 유적지를 돌고 있습니다. 제가 모든 일정에 동행하면서 현장에서 역사 강의를 하고 있죠.

오연호 그런데 왜 고구려 · 발해 유적지를 그렇게 중요하게 여기시나요? 앞서 스님께서 우리의 긴 역사에서 보면 분단이라는 시기는 찰나에 불과하다고 하셨죠. 그래서 역사의식을 갖게 되면 통일에 대해 적극적으로 생각할 수 있다고 했는데, 그중에서 왜 고대사 부분에 대한 조명을 우선시하나요?

민족의 뿌리를 찾아서

법륜 우리 국민들은 역사의식이 부족합니다. 이유는 우리 역사를 제대로 이해하지 못하기 때문이죠. 그래서 민족적 열등감을 갖고 있습니다. 제가 볼 때 다음 세 가지 점에서 우리 역사에 대한 이해가 부족하거나 잘못되어 있습니다.

첫째, 고대사에 대한 이해가 부족합니다. 우리가 중국 문명의 아류, 중국의 변방 국가 정도라고 알고 있습니다. 그렇기 때문에 스스로 중국에 대해 열등의식을 갖고 있는 것이죠. 그렇다면 우리 역사와 문명이 정말로 중국 문명의 아류일까요? 그렇지 않아요. 바로 이 부분이 올바르게 정립돼야 합니다.

둘째, 근대사의 핵심인 독립운동사가 올바르게 정립돼야 합니다. 분단으로 이 부분이 제대로 정립되지 않았기 때문에 우리가 일본에 대해 열등의식을 갖고 있습니다. 남북 간 체제 대결에서 남한의 정통성을 확보하려다 보니까 사회주의(운동) 계열에서 진행한 독립운동을 부정하게 되었고, 그러다 보니 독립운동의 역사가 매우 빈약해져버린 거예요. 우리가 일본에게 나라를 빼앗겼다 하더라도 그것을 되찾기 위해서 지고한 투쟁을 했다면 일본에 대한 열등의식이 없겠죠. 그런데 별다른 독립운동이 없었던 것처럼 보이니 일본에 열등의식을 갖게 되었다는 겁니다. 그래서 이 부분도 바로잡아야 합니다.

셋째, 현대사가 제대로 정립돼야 합니다. 해방전후사에 대한 인식이 부족하다 보니 분단의 원인, 미·소의 군정, 단독정부 수립 배경, 전쟁, 독재정부의 실상 등을 둘러싼 논쟁점이 많이 남아 있습니다. 특히 미국에 지나치게 의지한 나머지 미국에 대한 열등의식이 심화되고 말았어요. 그동안 미국의 선진문명을 따라 배우기 바빴잖아요. 그래서 심지어는 인종적인 열등감까지 갖게 되었죠. 머리카락도 검은색보다 노란색이 더 좋은 것 같고, 코도 오뚝해야 더 잘난 것 같다는 식으로 서양인의 외모를 동경하기에 이른 거죠.

이 세 가지 점에서 역사를 바로 이해하고 민족적 열등감을 털어내야 합니다. 하지만 현대사와 근대사는 아직 민감한 대목이 많아서 남북이 합의점을 찾기가 쉽지 않아요. 반면 고대사는 남북이 쉽게 공감대를 형성할 수 있을 겁니다. 그래서 고대사부터 우리가 어떤 민족이었는지 그 뿌리를 찾아 나서보기로 한 거죠.

오연호 8일간의 역사기행 내내 스님이 동행하면서 직접 현장 강의도 하시니 동행자들이 많이 배울 수 있겠네요.

법륜 제 강의도 강의지만 일단은 고구려의 유적지를 눈으로 직접 보는 게 중요해요. 광개토대왕릉, 광개토대왕비, 장수왕릉인 장군총도 자기 눈으로 직접 보고, 고주몽이 처음 나라를 세웠다는 졸본성에도 한번 올라가봅니다. 이렇게 일단 현지에 가보면, 지금은 중국 땅이지만 우리 조상들이 이곳 만주 땅을 진짜로 누비고 다녔음을 실감하게 되죠.

오연호 저도 무척 가고 싶어지네요. 스님과 대화를 하다 보면 자꾸 하고 싶은 것들이 많아져서 큰일입니다. 고구려 · 발해 유적지도 가보고 싶고, 정토회의 '깨달음의 장'에도 가보고 싶고……. (웃음)

법륜 이번 여름에 함께 가면 좋겠네요.

오연호 이 대담을 접하는 독자들이 저처럼 고구려 · 발해 유적지에 무척 가보고 싶어 할 텐데, 그분들과 지금 현장에 함께 있다고 생각하면서 강의를 해주시죠. (웃음)

법륜 그러면 고구려 유적지 현장에 왔다고 가정하고…… (웃음) 고구려 문화의 특징이 무엇인가요? 이 성곽을 쌓은 양식을 보세요. 저 무덤의 모양도 보고 여기 벽화도 보세요. 이런 무덤은 중국에 없습니다. 이건 중국 문화와는 완전히 다른 문화입니다. 중국 문화의 아류가 아니라는 겁니다. 아류는 거기서 흘러나온 것인데 이건 아류가 아니라 독창적인 문화입니다.

그런데 이 독창적인 고구려 문명은 도대체 어디에서 왔을까요? 우선 역사적 근원을 찾아봅시다. 고구려 건국신화를 보면 고구려는 자신의 뿌리를 부여에 두고 있어요. 고주몽이 기원전 37년에 처음 나라를 세울 때 자기가 천제(天帝)의 아들인 해모수(解慕漱)의 아들이라고 말하죠. 해모수는 부여 사람이니 고구려는 명백하게 부여에 뿌리를 두고 있었던 겁니다. 그런데 부여는 자신의 뿌리를 단군조선에 두고 있습니다. 단군은 환웅(桓雄)의 아들이라고 되어 있죠. 그러니까 환웅의 배달나라에 분명하게 뿌리를 두고 있는 거죠. 그래서 우리를 배달의 자손이라고 하는 겁니다. 우리나라의 첫 이름이 '배달'인 거죠.

그런데 환웅은 또 자기가 환인(桓因)의 아들이라고 말합니다. 그러니까 우리 역사의 시원으로 돌아가면 환인이 있고, 그가 세운 나라가 한나라입니다. '한'이라는 것은 '크다'는 순 우리말입니다. 큰 나라라는 뜻이죠. 이 한나라는 위치가 하늘이라고 했기 때문에 지금 어디인지 알 수가 없어요. 분명 하늘은 아닐 테고 우리가 아직 찾지 못했을 뿐 그 어딘가에 있었겠죠.

여기까지 보면 우리나라의 뿌리는 환인의 한나라지만, 우리나라의 시작은 환웅의 배달나라라고 봐야 합니다. 한나라에서 3천 무리가 환웅을 앞세우고 이주해 현재 이 동북아 대륙에 와서 신시(神市)를 건국했다고 되어 있잖아요. 처음으로 이 땅에 새로운 나라를 세운 거죠. 신시는 신의 나라라고 할 수도 있고, 새 나라라고 할 수도 있는데, 여기서 이른바 배달나라가 시작된 거죠. 우리가 10월 3일 개천절을 말할 때 개천(開天)이란 환웅이 이 땅에 신시를 처음 연 것을 말하거든요. 그러니까 단기 몇 년이라고 하는 것보다 개천 몇 년이라고 하는 것이 더 맞죠. 그러니 단기 4345년보다는 개천 5910년이 더 정확하죠.

당시 토착세력은 곰이나 호랑이를 토템으로 삼았죠. 그런데 이 신시 혹은 배달나라의 건국세력들은 환인의 후예로서 하늘의 자손이라는 자부심이 있어서 그 징표로 천부인(天符印) 세 개를 가져왔어요. 그게 청동거울, 청동검, 청동방울이에요.

여기서 인류문화사적인 분석이 가능하죠. 이 배달나라를 건국한 세력이 청동기 문명을 소유한 선진문명이었다는 겁니다. 오늘날 고고학이 발달하면서 청동기 문명이 처음 시작된 시기가 거의 7000년 전으로 확인되었거든요. 중앙아시아 초원지대에서 형성된 스키타이 문명이나, 티그리스 강 또는 유프라테스 강 유역에서 발달한 메소포타미아 문명이 7000년 전에 출현했는데, 그런 수준의 선진문명이 동북아시아로 이주해온 것으로 볼 수 있습니다.

그렇다면 새로운 나라를 세울 때의 건국이념이 무엇이었을까요? 바로 홍익인간(弘益人間)이죠. 홍익인간은 단군의 얘기가 아니라 환웅의 얘기입니다. 그러면 널리 인간을 이롭게 한다는 것이 무슨 뜻일까요? 보통 신이 인간을 이롭게 한다는 뜻으로 받아들이지만 저는 이렇게 해석해요. 여기서 신은 선진문명을 가진 이주민이고, 인간이라고 지칭하는 것은 원래 이 지역에 살고 있던 토착세력이죠. 그런 시각으로 홍익인간을 해석하면, 선진문명을 가진 이주민들이 토착세력의 원시사회를 침략한 뒤 정벌한 것이 아니라, 토착민의 이익을 위해서 새로운 사회를 건설했다는 뜻이죠. 저는 이것이 굉장한 얘기라고 생각해요. 어떤 나라에서도 이런 건국이념은 보기 어려워요.

홍익인간과 함께 또 하나의 건국이념은 재세이화(在世理化)죠. 여기서 이(理)는 하늘의 이치예요. 하늘의 이치를 이 세상에 실현하겠다는 겁니다. 이것은 환웅이 원래 살았던 고향인 한나라의 선진문명을 새 나라를 건설한 이 지역에 그대로 실현하겠다는 뜻이죠. 기독교식으로 말하면 "뜻이 하늘에서 이루어진 것같이 땅에서도 이루어지이다"라는 구절하고 똑같은 겁니다. 이 두 가지 이념으로 봤을 때 저는 우리나라의 건국이념이 어떤 종교보다도 더 훌륭한 사상이라고 생각해요.

오연호 남북통일 문제로 스님에게 대담을 신청했을 때는 이렇게 고대사를 흥미진진하게 공부할 수 있을 거라고는 미처 생각지 못했습니다.

법륜 다행입니다. (웃음) 이야기를 조금 더 해보죠. 배달나라는 1565년간 지속되었어요. 여기서 바로잡아야 할 것은 환웅이 한 명의 이름이 아니라 당시 임금의 호칭이라는 겁니다. 《환단고기(桓檀古記)》에 따르면 환웅은 한 사람이 아니라 18명이거든요. 그 마지막 환웅이 단군의 아버지입니다.

그런데 재미있게도, 원래 단군은 환웅이 될 자격이 없었습니다. 당시엔 부모가 모두 천손(天孫)인 천왕족만 왕위를 계승할 수 있었거든요. 그런데 단군은 혼혈이었죠. 아버지 쪽은 천손이었지만 어머니 쪽은 토착세력이었어요. 곰을 숭상하는 토템 신앙을 갖고 있는 족장의 딸이었던 거죠. 그러니까 단군은 2등급 왕족이었죠. 신라로 따지면 성골이 아니라 진골이에요. 그런데 배달나라가 1500년을 내려오면서 왕실이 흔들리니까 결국 단군이 추대를 받아서 왕위에 오른 것입니다. 그분이 우리가 말하는 단군왕검이죠. 여기에서도 우리는 선진문명세력과 토착세력의 결합을 읽을 수 있습니다.

이 단군왕검이 왕위에 오르면서 신시를 새롭게 한다, 옛 법도를 새롭게 한다고 나라 이름도 배달에서 조선으로 바꿉니다. 단군조선의 시작이죠. 단군이 즉위하고 나서부터는 임금 이름이 전부 단군이 됩니다. 모두 47명의 단군이 있는데 1대 단군이 단군왕검이죠. 그래서 《환단고기》는 '환웅과 단군 시대의 옛날이야기'라는 뜻입니다. 그 환단 시대가 우리나라의 뿌리인데, 그 뒤를 이은 것이 부여이고 부여를 계승한 것이 고구려죠. 주몽은 그 역사를 안고 태어난 사람입니다. 그래서 고조선의 일부 땅이 중국 한나라의 지배를 받는 상태에서 조선의 옛 땅을 회복하려는 다물(多勿)사상을 건국이념으로 삼았죠. 역사의식이 있어야 고토회복 정신이 나옵니다. 그러니 고구려는 필연적으로 대제국을 세울 수밖에 없었어요. 그래서 고구려가 민족사의 정통성을 계승했다고 할 수 있습니다.

오연호 환단 시대를 이야기하면서 선진문명과 토착세력의 결합이란 측면에 의미를 부여하신 점이 흥미롭습니다.

선진문명과 토착세력의 결합

법륜 이번엔 남미를 예로 들어봅시다. 남미는 소수의 스페인 사람들이 선진문명을 들고 와서 토착세력인 인디언들을 지배했습니다. 처음에는 그 사람들을 노예처럼 부렸지만 시간이 흐르면서 혼혈이 자꾸 생겨 다수가 됩니다. 그러다 보니 200, 300년이 지나 혼혈이나 토착세력 출신이 대통령이 됩니다. 인류사를 쭉 보면 대체로 그렇게 연결됩니다. 물론 미국 같은 예외가 있긴 하죠. 미국의 경우는 이주민이 들어와서 토착세력을 철저하게 죽이고 자기 문명을 이식해버렸어요. 토착세력과 결합한 게 아니죠. 그런데 우리나라는 단군왕검의 등장 과정을 보면 이주민이 토착세력을 없앤 게 아니라 결혼동맹을 맺어서 평화롭게 지냈다는 것을 알 수 있어요.

오연호 우리가 국사교과서로 배울 때는 배달나라와 단군조선에 대해 가볍게 넘어가는 편이었는데, 선진문명과 토착세력의 통일이라는 측면에서 해석을 하니 의미가 자못 커지는군요.

법륜 특히 지금 남한과 북한이라는 이질세력이 어떻게 통일을 할 수 있을까를 고민하는 시점에서는 더욱 시사하는 바가 크죠. 여기서 배울 것은 어떻게 이질적인 세력을 포용할 것인가입니다. 그들에게 현실적인 이익을 줘야 합니다. 그게 홍익인간에서 말하는 인간을 이롭게 한다는, 곧 토착세력을 이롭게 한다는 것이죠.

이제 독일의 경우를 봅시다. 독일은 전범국가였지만 지금은 유럽연합의 중심이 되어 있습니다. 사실 과거사를 보면 세계대전을 일으킨 전범인 독일이 유럽의 중심이 될 수가 없죠. 그런데 독일은 우선 자기 잘못을 진솔하게 사과했고, 그다음에 주변국에게 경제적 이익을 줬어요. 그러니 자연적으로 유럽 통합에서 리더십을 가질 수 있었던 겁니다.

일본은 독일과 다르죠. 일본은 그동안 경제력이 커졌지만 자기 이익만 추구했잖아요. 그래서 재패니스 애니멀, 이코노믹 애니멀이란 말이 나왔죠. 만약 일본이 우리나라를 비롯한 주변국들에게 과거사를 진솔하게 사과하고, 우리에게 경제적으로 엄청난 이익을 주었다면 아무리 과거에 불미스런 일이 있었다고 하더라도 협력관계를 맺었겠죠. UN 안보리 상임이사국 진출에 왜 반대를 하겠어요. 과거사에 대한 사과도 하지 않고, 여러 가지 무역 불균형이 자꾸 생기니까 우리가 반대하는 것 아니겠어요.

남북관계도 마찬가지죠. 북한 주민들이 그냥 자기들끼리 사는 것보다 남한과 합하면 생활이 훨씬 나아지고 자유로워질 거라고 생각하면 합치려고 하겠죠. 동독 주민이 결국 통일을 선택한 것도 서독과 합하는 것이 자기들이 살기에 좋다고 해서 그런 거예요. 서독이 합하자고 강요한 적도 없고, 누가 합하라고 하지도 않았어요. 오히려 다 반대했는데도 자기들이 자발적으로 통일하겠다고 결정을 한 거죠. 서독이 그만큼 동독에게 이익을 줬다는 얘기예요. 미래에도 이익이 될 거라고 동독 주민이 판단했으니까 결정을 내린 거죠. 남북통일도 그래야 가능합니다. 남한이 북한에게 이익을 줘서 북한 사람들이 우선 덕을 봐야 하고, 앞으로 생활이 더 나아질 거라는 어떤 희망이 있어야 합하자고 하겠죠.

그런데 주민은 이익만 있으면 합하지만, 지배자들은 그렇지 않습니다. 그들은 신분이 보장돼야 합니다. 그러니까 그들의 신분을 어떻게 보장할 것인지까지 생각해야 통일문제를 해결할 수 있습니다. 이 점에서 우리는 중국과 대만의 관계를 잘 봐야 합니다. 대만이 중국과 통일을 하려면 대만 사람들 대부분이 통일하는 것이 그들에게 이익이라는 생각을 해야겠죠. 그래서 중국은 서두르지 않고 있어요. 대만의 집권세력에게도 불안하지 않게 해줍니다. 그렇게 통일의 울타리를 크게 쳐놓으니까 대만이 못 뛰쳐나가죠. 우리도 북한이 못 뛰쳐나가도록 크게 울타리를 치고 협력관계를 강화해나가야 합니다. 길게 보면 그것이 곧 우리에게 이익이 되거든요.

오연호 그런데 홍익인간과 재세이화라는 건국이념을 가졌던 배달나라와 단군조선은 어디에 위치해 있었던 것일까요?

법륜 그 점에 대해서 그동안은 이론(異論)이 많았어요. 북한은 평양이라고 이야기하지만, 현재까지 발견된 유물들을 보면 요하 상류지역과 대릉하 유역의 홍산(紅山)문명이라고 봅니다.

오연호 홍산문명이 뭐죠?

법륜 중국 요하(遼河)강 상류에 있는 홍산 지역에서 발견된 문명인데, 일제강점기부터 이곳에서 유물이 조금씩 나오기 시작했어요. 그러다 중화인민공화국이 1970년대 들어 이 지역에서 본격적으로 유물을 발굴하기 시작했는데, 황하문명보다 1000년이 앞선 문명이 발견됐죠. 지금부터 5000, 6000년 전, 더 거슬러 올라가 7000년 전 것까지 있어요. 중국에서는 지금까지 황하문명이 중국 문명의 시원이고, 만리장성 밖의 것은 오랑캐의 문명이라고 역사를 정리해왔잖아요. 그런데 이 만리장성 밖에서 황하문명보다도 1000년 이상 앞선 문명이 발견된 거예요.

오연호 참 대단합니다. 지금으로부터 7000년 전의 문명이라니요.

법륜 중국에서 이걸 어떻게 처리해야 할지 대혼란에 빠진 거예요. 그러다가 중국 학계에서는 황하문명과 홍산문명(요하문명), 이 두 개가 중국 문명의 시원이라고 정리를 하고 있어요. 그전에는 중국 고대 역사의 어떤 기록에도 홍산문명을 중국 문명으로 정리한 적이 없었어요. 뒤늦게 그렇게 정리한 거죠.

이 문명의 진짜 정체는 우리가 볼 때 명백하게 환웅의 배달나라와 단군의 조선나라 문명입니다. 우선 시기적으로 그 유물의 추정 연대와 두 나라의 형성기가 동일합니다. 그리고 유적의 가장 핵심이 성곽과 무덤인데 그것들이 고구려의 것과 거의 유사해요. 고구려의 무덤은 다른 동아시아에는 없는 완전히 독특한 무덤인데, 그 원형이 이 지역에서 발견된 거죠. 또한 고구려의 성 쌓기가 독특한데, 그 방식이 이 지역에서 발견된 성에 존재한다는 거예요.

우리나라에 불교가 들어온 지 오래되었어도 우리의 전통적인 매장문화는 잘 안 바뀌잖아요. 기독교가 들어와도 유교식으로 제사 지내는 문화가 잘 안 바뀌죠. 외래문명이 들어오면 다른 건 바뀌지만 무덤 같은 장례문화는 잘 안 바뀌거든요. 제가 답사를 해보니 이런 전통문화가 유물로 그대로 존재하고 있었어요. 홍산문명의 유물들은 지금 심양박물관에 진열돼 있죠. 이것들은 고구려보다 약 3000년 전의 것이에요. 그러니 고구려 문화는 하늘에서 떨어져서 스스로 창조한 것이 아니라 결국 이 문명의 계승자라는 겁니다.

우리가 북방의 중심이었다

오연호 그렇다면 중국의 황하문명과 우리 민족의 근원이라고 말씀하신 홍산문명은 서로 다른 것일까요?

법륜 우리가 세계 주요 문명의 발생을 말할 때, 보통 메소포타미아 문명과 이집트 문명을 연결해서 말하죠. 그러나 나일 강 유역의 이집트 문명과 유프라테스 강 유역의 메소포타미아 문명은 독립된 서로 다른 문명입니다. 마찬가지로 중국의 황하문명과 홍산문명도 전혀 다른 문명이죠. 인종적으로도 그래요. 유전학적으로 중국 한족은 남방계이고 우리는 북방계입니다. 그리고 문화적으로 중국 한족은 차이나·티벳 어족이고 우리 민족은 우랄·알타이 어족으로 완전히 달라요. 곁에 있을 뿐, 뿌리가 전혀 다른 문명이라는 거죠. 그래서 우리말이 중국말하고 어순도 다르잖아요.

그렇다면 우리와 함께 북방계열에 속하는 흉노족, 몽골족, 선비족, 여진족, 거란족, 일본족 등은 다 조선족과 같은 뿌리에 속합니다. 여기서의 맹주가 바로 우리 조선족이었다고 볼 수 있죠.

오연호 우리가 중심이었다! 그 한마디만으로 가슴이 뛰네요. 긴 역사 속에서 볼 때 우리가 정말 중심이었을까요? 스님께서 우리에게 희망을 주기 위해 너무 자의적으로 해석하신 건 아닌가요.

법륜 아닙니다. 뿌리에서부터 남방계열, 북방계열을 구분해보면 역사적으로 누가 중원대륙의 주인이었는가를 따져볼 때도 시각이 달라집니다. 문명사적 관점에서 남방계인 한족 문화와 북방계인 조선족 문화를 보면, 중원대륙을 차지한 역사도 서로 반반입니다. 북방 쪽 대표선수로 우리가 있었고, 남방 쪽 대표선수로 한족이 있었는데, 북방 쪽에서 남방으로 내려가서 처음으로 중원의 주인이 된 것이 은(殷)나라예요. 은나라는 고조선의 일파가 내려가서 세운 나라라고 볼 수 있죠. 지금은 중국 역사의 일부가 됐지만요.

그리고 주(周)나라가 세워지면서 그들의 일부가 다시 고조선으로 돌아왔죠. 그게 '기자동래(箕子東來)'예요. 기자는 은나라 사람으로, 은나라가 망하고 나서 고향인 단군조선으로 돌아왔다는 것이거든요. 그러다가 거꾸로 우리가 중국에게 밀린 것은 한나라가 들어서고 나서죠. 그래서 고조선의 옛 땅에 한사군(漢四郡)이 설치되었죠.

그렇지만 고구려가 또다시 밀어붙여서 지금의 북경을 중심으로 경계를 형성하고 있었는데, 당나라가 들어오면서 다시 고구려가 망하고 밀렸죠. 그러자 발해가 들어서면서 균형을 잡아줬는데, 여기에 거란이 들어서면서 다시 중국으로 밀고 내려갔죠. 그러다가 여진족인 금나라가 일어나서 더 밀고 내려갔잖아요. 그러고는 몽골족이 세운 원나라에 와서는 중원을 아예 제패해버렸죠. 이게 다 북방계열이거든요.

그러니까 여기에 대항해 한족인 명나라가 다시 원나라를 치고 올라갔죠. 그리고 다시 여진족의 후예인 만주족의 청나라가 밀고 내려갔고요. 그다음에 다시 손문의 중화민국이 올라왔지만, 이번에는 또 일본이 만주와 중원의 일부를 점령했잖아요.

오연호 듣고 보니 중원을 놓고 남방계열과 북방계열이 정말 치열한 다툼을 벌였군요. 우리는 그 긴 역사를 보지 않고 지금 당장만 보니까 그냥 거기가 중국 땅이라고 생각하고 있죠.

법륜 역사에서 동북방이 중국의 영토가 된 적은 딱 두 번밖에 없어요. 명나라 때하고 지금이죠. 이 두 번을 제외하고 북방을 차지한 나라는 우리와, 뿌리로 보면 우리와 사촌형제 격인 거란, 여진, 몽골, 일본이었죠. 그런데 우리는 지금 그 역사를 중국의 역사라고 말하죠. 중국은 남의 나라 역사도 제 나라 역사로 만드는데, 우리는 제 나라 역사도 자꾸 남의 나라 역사로 만드니 문제가 있는 겁니다. 역사의식이 없는 거죠.

우리나라가 지금 세력이 약하다 해서 과거부터 변방이었던 것은 아니라는 사실을 우리는 분명히 알아야 합니다. 이걸 우리가 분명히 하기 위해서라도 민족사를 정립할 때 민족의 시원에 대한 정확한 입장을 가져야 합니다.

오연호 스님의 역사 강연을 들으니 정신이 번쩍 듭니다.

법륜 역사의식을 가지고 길게 본다면, 우리 미래의 파트너를 생각할 때도 중국보다는 일본과의 결합에 더 우선순위를 두어야 한다고 봅니다. 지금 당장을 보면 우리와 일본이 사이가 좋지 않지만, 크게 역사적으로 보면 문화사적 · 문명사적으로 한국과 일본은 동일 문명을 가진 같은 갈래에 있다는 거죠. 일본은 인종적으로 보나 문화적으로 보나 우리의 문명이 전래돼서 이루어진 나라잖아요.

이런 측면에서 동아시아의 평화는, 첫째 남북한이 통일되고, 둘째 한일 간에 경제공동체가 형성되고, 마지막으로 그 힘을 가지고 중국과의 협력관계를 통해 동북아 경제공동체를 만들어가는 것이 순서겠죠.

오연호 그런데 고대사에 대한 남한과 북한의 강조점이 조금 다른 것 같습니다. 북한은 단군왕검을 무척 강조하는데, 남한은 국사 공부할 때 약간 배우는 정도로 끝납니다. 북은 북대로, 남은 남대로 왜 그렇다고 보십니까?

법륜 북은 주체를 강조하다 보니 제 뿌리를 찾아야 합니다. 우리가 중국의 아류가 아니라고 해야 하니 단군을 강조할 수밖에 없죠. 그러나 그것이 온전한 역사의식에서 나왔다고 보기는 힘들어요. 북한은 역사 전체 속에서 자기를 보지 않고, 자기에게 필요한 부분만 뽑아서 강조하기 때문에 한계가 있다고 봅니다.

그렇다면 남한은 왜 단군의 조선나라를 강조하지 않을까요? 우선 우리 사회지도층들 대부분이 미국 유학을 갔다 온 사람들이어서 민족의식에 한계가 있어요. 민주주의에 대한 의식은 상당히 있지만, 민족의식은 부족하거나 없죠. 저는 이것이 우리 사회지도층의 가장 큰 문제라고 봅니다. 두 번째는 사회지도층 인사들 가운데 친일파의 후손과 그 의식에 찌든 사람들이 꽤 있다는 겁니다. 이 점에서도 민족의식이 부족하다고 볼 수 있죠. 그런 측면에서 역사관 정립은 정말 중요한 문제라고 봅니다.

오연호 그동안 역사학계의 주류가 민족의식에 소홀했기 때문이라고도 할 수 있겠네요.

법륜 그렇습니다. 처음 서울대학교의 전신인 경성제국대학이 생기고 역사학이 들어올 때는 실증주의 입장이었거든요. 그때는 우리나라 학생이 경성제대에 가서 일본 교수한테 배웠잖아요. 그때 일본 교수가 우리 학생들에게 식민지 의식을 주입했다는 것이 아니라 그 당시의 세계 풍조가 실증주의 사학이었다는 거죠. 실증주의란 유물, 유적, 사료 등을 근거로 제시하고 그것을 중심으로 역사를 정립해보자는 얘기예요. 그 자체는 좋은 거죠.

그런데 고구려가 멸망하면서 고기(古記)가 다 소멸됐어요. 그다음 발해가 건국되면서 일부 복원을 했지만, 발해가 망하면서 다시 소멸이 됐죠. 또다시 고려가 건국되면서 문서는 없지만 옛날부터 전해 내려오는 얘기가 많으니까 그중 일부를 복원했어요. 그런데 조선시대에 들어와서는 자발적 사대를 했기 때문에 그게 제일 큰 문제였죠. 힘이 부쳐서 어쩔 수 없이 고개를 숙인 것은 나중에 회복할 수 있는데, 자발적인 사대를 하면 회복이 힘듭니다. 조선은 우리 역사가 중국 역사보다 앞선다거나 하는 사실을 스스로 아주 불온하다고 생각하면서 다 금서화했어요.

일제강점기에 들어와서는 그나마 남은 사료들이 다 유실됐어요. 결국 우리 역사를 우리의 입장에서 우리의 손으로 기록한 것이 거의 없고 아주 적게 남아 있다는 거죠. 특히 《삼국유사》, 《삼국사기》 이전에는 아무것도 없어요. 고기(古記)가 다 소멸됐으니까요. 이런 상태에서 우리가 역사를 복원하기 위해 사료를 찾자면, 결국 중국의 사료를 들여다볼 수밖에 없어요. 그런데 중국 사람은 자기 눈으로 자기 역사를 쓰니까 우리를 변방으로 보죠. 《삼국지》 〈위지동이전(魏志東夷傳)〉이란 것이 중국 쪽에서 봤을 때 동쪽에 있는 오랑캐들에 대한 기록이라고 하면서 써놓은 거예요. 실증주의 사관에서는 이런 사료를 뽑아서 우리 역사를 복원하게 되니 자동으로 우리 역사는 중국의 변방사가 되죠. 남은 사료가 그것밖에 없으니 그걸 가지고 역사를 복원하면 우리가 본 우리 역사가 아니라 중국 사람이 본 우리 역사가 되는 거예요. 이런 조건에서는 실증주의가 곧 사대주의 사관이 될 수밖에 없다는 거죠.

오연호 스님, 학생들과 함께 고구려 · 발해사의 현장에 가면, 그 땅이 고구려 · 발해의 것이었으니 언젠가는 우리가 다시 찾아야 하지 않느냐는 질문을 받으셨을 법한데요. 지금은 남과 북의 통일이 시급하긴 하지만요.

법륜 사실 지금의 만주 땅이 중국 땅이 된 지가 70년도 안 됐잖아요. 왜냐하면 그건 만주족의 청나라 땅이지 한족의 중국 땅이 아니었으니까요. 우리가 자꾸 청나라를 중국이라고 생각하는 것부터가 잘못이죠. 지금의 동북아시아 대륙은 만주족이 장악하고 있었던 땅이지, 한족이 장악한 땅이 아니었거든요. 중국이 청나라를 계승하다 보니까 옛 청나라 땅이 다 중국 땅이 돼버린 거예요. 우리 스스로도 다 중국 땅이라고 생각하죠.

그런 전제에서 역사를 보면, 땅이란 이 나라 것도 됐다가 저 나라 것도 됐다가 합니다. 자꾸 그 이전을 따지면 끝이 없죠. 중국에서도 지금 역사 기록을 왜곡하는 사람은, 한나라가 고조선을 점령하고 설치한 한사군이 어디부터 어디까지였으니 현재 북한까지 중국 땅이라는 식으로 말합니다. 그러면 우리는 옛날에 북경까지 다 우리 땅이었다고 하면서 자꾸 충돌할 수밖에 없어요.

저는 중국이 현재 현실적으로 점거하고 있는 땅을 우리 땅이라고 하면서 국경분쟁을 일으키는 것은 평화의 정신에 어긋난다고 봅니다. 이것은 현재를 인정하고 가는 수밖에 없어요. 중국으로부터 땅을 되찾겠다는 생각은 지금 놓아두고, 우선 내 땅이나 제대로 관리하자는 거죠. 지금 자칫하면 북한마저 중국의 관할권으로 넘겨줄 확률이 높은데, 우선 이것부터 막아내고 그다음 문제는 다음 단계에 이야기해야 합니다.

현재 중국이 갖고 있는 힘이나 성장 속도로 봐서는 우리가 고구려·발해의 옛 땅을 되찾을 기회는 앞으로도 상당 기간 없습니다. 우선 통일을 하고, 북한을 살기 좋은 곳으로 개발한 뒤, 통일한국이 중국의 동북 3성보다 훨씬 더 잘사는 모습을 보여주는 게 자연스럽죠. 그래서 동북 3성이 통일한국과 교역하면서 문화도 받아들이게 하고, 경제에서도 득을 보게 하는 겁니다. 역사는 영원한 것이 아니에요. 이렇게 시간이 흘러가면 언젠가는 중국에도 변화가 오겠죠. 그러면 수백 년 후에 또 새로운 기회가 자연스럽게 올 수도 있는 거고요.

여기서 주의할 것은 생각을 자꾸 옛날식으로 하면 안 된다는 겁니다. 지금 새로운 시대에는 특정 국가의 주도력이 꼭 영토의 크기에 비례하지 않거든요. 이제는 과거처럼 이웃나라를 점령하는 것이 아니라 상호협력으로 공동의 이익을 만들어내야 합니다. 일본을 점령해서 우리 땅으로 만들려고 하지 말고, 한일 간 협력관계를 강화해서 우리 땅이나 다름없게 만들어야죠. 통일한국이 만약 일본, 동북 3성, 연해주, 시베리아를 아우르는 동북아 지역의 공동체를 주도한다면, 그것이 곧 고구려의 옛 영광을 되찾는 것이나 다름없겠죠. 사고를 옛날식으로만 하면, 이웃나라와 자꾸 싸우게 됩니다. 이스라엘하고 팔레스타인을 보세요. 서로 조금도 양보할 수 없는 자기 땅이라고 하지만, 우리가 볼 때는 서로를 해치는 것으로만 보이잖아요.

신라의 삼국통일이 주는 교훈

오연호 지금부터는 삼국시대를 좀 다뤄볼까 합니다. 고구려, 백제, 신라 중에 왜 신라가 통일의 주역이 될 수 있었을까요? 신라는 당나라라는 외세를 활용해 통일을 했죠. 지금 우리도 한반도의 통일 문제를 이야기하면서 외세를 고려하지 않을 수 없는데, 삼국통일 과정으로부터 우리는 어떤 교훈을 얻어야 할까요?

법륜 신라가 원래는 동쪽에 치우친 작은 나라였는데 어떻게 역사의 주인공으로 등장했는지를 우선 살펴봐야 합니다. 사실 고구려나 백제는 신라에 비해 규모가 월등하게 큰 나라였죠. 그에 비하면 신라는 작은 나라였어요. 고구려가 한창 강성했던 광개토대왕 때 신라는 가야의 침공을 받아 나라의 운명이 풍전등화와 같았는데 결국 광개토대왕이 5만 군대를 보내 신라를 도와 겨우 이겼죠.

그런데 기원후 514년에 지증왕의 아들 법흥왕이 즉위하면서 신라는 점차 국력을 키워 이후 가야를 합병하게 되는데, 여기서 금관가야와 합병하는 과정이 굉장히 중요합니다. 가야를 군사적으로 점령한 것이 아니라 가야와 합의를 해서 신라로 통합하거든요. 대신에 신라는 가야의 왕족을 신라의 왕족으로, 가야의 귀족을 신라의 귀족으로 받아들입니다. 지배세력을 그대로 인정해준 거죠. 가야 마지막 왕의 4대손이 바로 김유신이거든요. 가야 출신이 신라가 삼국을 통일할 때 중심인물이 되어 혁혁한 공을 세웠던 것입니다.

우리 역사에서 통합의 시너지 효과가 가장 높았던 경우가 바로 가야와 신라의 통합입니다. 1 더하기 1이 2가 아니라 4나 5가 되는 상승효과를 가져왔죠. 통합 과정에서 양측이 어떤 피해나 손실도 보지 않았어요. 그리고 그때 폐쇄국가였던 신라가 가야와 통합하면서 불교를 받아들입니다. 불교는 가야가 가장 중요하게 여겼던 정신문화였는데 그것을 신라가 받아들인 겁니다. 물론 이차돈의 순교를 통해서였지만, 결국 신라가 불교를 받아들인 것은 당시로서는 엄청난 개혁개방이었죠.

그 통합을 딛고 다음 왕이 된 사람이 진흥왕이에요. 진흥왕 때 나머지 가야인 대가야까지 합병하고 백제와 함께 고구려를 쳐서 한강 유역을 차지한 뒤 지금의 함경남도 지역까지 영역을 넓히죠. 이렇게 법흥왕과 진흥왕을 거치면서 신라는 반도의 절반을 차지해버립니다. 그러면서 경제력이 확대되고 군사력도 커지죠. 특히 화랑제도를 만들어서 청년들이 의기투합할 수 있는 체제를 마련합니다.

그런데 그런 급속한 성장 때문에 오히려 신라에 위기가 찾아옵니다. 신라의 융성은 백제와 고구려를 자극하여 계속 협공을 받게 되죠. 이때 신라가 살아남기 위해 눈을 돌린 곳이 중국이에요. 중국의 수나라, 당나라와 연대를 맺으면서 국가 위기를 극복하려고 합니다. 신라의 입장에서만 볼 때는 현명한 선택이었죠. 국력의 부족을 외교를 통해서 해결했으니까요. 자존심을 버린 신라는 결국 당나라의 연호를 받아들이고 당나라에 조공의 예를 취하면서 나당동맹을 맺게 됩니다. 반대편에서는 고구려, 백제, 왜, 흉노가 동맹을 맺죠.

결국 신라는 시대의 변화를 잘 읽은 거죠. 당나라의 시대가 도래했음을 읽은 겁니다. 고구려가 과거에 강성했던 것만 믿고 시대변화를 제대로 못 읽어낸 것과는 대조적이죠. 그러니 당나라와 동맹을 맺은 신라가 결국 통일의 주인공으로 등장할 수밖에 없었던 거예요. 물론 신라 내부의 노력도 있었지만 정세의 변화를 잘 읽은 힘이 컸습니다.

오연호 결국 나당연합이 승리하면서 신라가 통일을 이뤄냈죠. 만약 당시에 삼국의 지배층들이 좀 더 현명했다면, 외세와의 연합이 아닌 내부의 협상과 통합으로 삼국통일을 이룰 수 있었을까요?

법륜 그건 불가능하죠. 서로 원수 같은 관계였으니까요. 당시엔 신라, 백제, 고구려의 연합은 고사하고, 고구려 안에서의 통합도 어려웠어요. 연개소문의 자식 셋이 서로 싸우고, 그것도 모자라서 맏아들은 당나라에 가서 당나라 사람이 되어 군대를 이끌고 고구려로 쳐들어왔잖아요. 지배집단의 의식 수준이 그 정도였으니 삼국이 연합해 당나라와 싸우자는 것은 상상도 할 수 없었죠. 지금도 중국이 급부상한다고 해서 남북한이 위기의식을 느껴 서로 머리를 맞대고 중국에 대응하지는 않잖아요. 21세기의 우리도 안 되는데 그때는 더욱 불가능했죠.

다만 신라가 외세에 어떻게 대응했는가를 보면, 아쉽기도 하지만 한편으로는 자랑스럽기도 합니다. 사실 신라는 통일을 목표로 내세우고 통일사업을 한 게 아니에요. 위기에 처하게 되자 이를 극복하기 위해 당나라에 구해달라고 부탁을 했는데, 그런 과정에서 통일을 하게 된 거죠.

그 과정에서 신라가 당나라에 도움을 요청할 때와 도움을 받은 후에 당나라와 어떻게 관계를 맺었는지 살펴볼 필요가 있습니다. 우선 백제가 신라를 자꾸 침략하니까 신라는 당나라에 편지를 보내서 제발 백제가 쳐들어오지 못하도록 해달라고 부탁을 했죠. 그런데 백제가 당나라 말을 듣지 않으니까 결국 당나라가 백제를 침공했고, 백제를 점령한 뒤에 직할통치하지 않고 백제 왕자에게 관리를 맡긴 것이 웅진도독부예요. 신라 입장에서는 백제로부터 위협이 사라졌지만, 백제를 차지할 수도 없었던 거죠.

고구려에 대해서도 마찬가지였어요. 나당연합군이 고구려를 점령하자 당나라가 그곳에 안동도호부를 설치한 뒤 통치를 합니다. 한마디로 신라는 전쟁에 실컷 동원만 되고, 얻은 것은 하나도 없었어요. 그래서 신라와 당나라 사이에 갈등이 생긴 거예요. 신라가 당나라 군대에게 전쟁이 끝났으니 돌아가라고 했지만 당군이 안 나갔습니다. 결국 김유신이 당나라 군영을 습격해서 쫓아내버렸죠. 그러자 당나라 황제가 화가 나서 오히려 계림도독부를 설치한 뒤 신라까지도 통치하려고 했던 거예요. 그래서 신라하고 당나라가 싸움이 붙은 거죠.

오연호 이걸 요즘 상황으로 설명하면 어떻게 되나요?

법륜 한미연합군이 북한을 점령한 뒤에 미국이 북한에 미군정을 하겠으니 한국은 개입하지 말라고 하는 것과 같죠. 그러니 한국군이 미군과 싸워 미군을 몰아내고 남북통일을 하는 것과 같은 것이고요. 과연 이런 상황이 되면 지금 우리나라 군인들이 미군과 싸워서라도 통일을 완성하려고 할까요? 제가 볼 때는 어려울 것 같아요. 그 때문에 신라의 통일 전쟁은 충분히 평가받을 만하죠.

백제와 고구려가 패망하자 신라는 이제 당나라와 본격적으로 통일전쟁을 치르죠. 신라가 먼저 선공을 하자 화가 난 당나라 황제가 신라를 침공하러 10만 군대를 배에 태워 보냅니다. 그러자 신라의 문무왕은 당나라의 침공을 사람의 힘으로는 도저히 막을 수 없으니 부처의 힘을 빌려야 한다며 명랑(明朗)법사한테 부탁해 가장 성스러운 땅인 신유림(神遊林)에 사천왕사라는 절을 짓고, 사천왕의 힘을 빌려 당나라 군대를 막자고 했어요. 사천왕사를 지은 뒤 그곳에서 12명의 밀사가 문두루비법(文豆婁秘法, 신라와 고려시대에 행했던 밀교의식으로 불단을 설치하고 다라니 등을 독송하면 국가의 재난을 물리칠 수 있다는 비법)을 행했더니, 서해에 풍랑이 일어나서 당나라 군대의 배들이 다 가라앉아버렸다는 거예요. 그때 태풍이 몰려와서 그랬는지는 모르겠지만 어쨌든 실패했죠. (웃음)

그러자 당나라가 2차 침공을 준비했는데, 그때도 똑같은 일이 일어나 배들이 바다에 가라앉아버렸어요. 신라는 물리적 힘이 부족하니까 신앙의 힘으로 국난을 극복했다고 할 수 있겠죠. 이렇게 되니 당나라가 다시 신라와 화친관계로 돌아섰어요. 당나라가 군대를 철수하고 신라와 화친을 맺은 676년을 우리가 삼국통일이 된 해라고 부르죠. 고구려가 멸망한 지 8년이 지나 당나라 군대가 이 땅에서 물러난 연대를 통일 연대라고 하거든요. 그렇게 해서 신라가 대동강 유역까지 차지했죠.

오연호 신라는 그것으로 만족을 했죠.

법륜 그때 신라는 백제 땅과 고구려 옛 땅 일부를 차지하는 것만으로도 전에 비해 상상도 못할 정도로 영토가 넓어졌기 때문에 옛 고구려 땅을 다 차지해야겠다는 생각을 못했어요. 한마디로 역사의식이 없었던 거죠. 신라는 현실감각은 굉장히 뛰어났지만 역사의식이 없었다는 겁니다. 다시 말하면 지금 남한의 모습과 비슷하죠. 남한이 경제력도 있고 문화수준도 높지만 역사의식이 없는 것과 마찬가지예요. 역사의식이 없다 보니 현실에 만족한 거죠.

오연호 역사의식이 없으면 당장 눈앞의 목표만 보일 뿐, 더 큰 시대의 과제를 제대로 인식하지 못한다는 거군요.

법륜 그렇습니다. 신라가 대동강 이남에 만족해버리니까 옛 고구려 땅의 상당 부분을 당나라가 차지하게 되었죠. 그런데 당나라는 먼 변방까지 통치할 능력이 없었어요. 그저 점령한 고구려가 당나라에 저항만 하지 않으면 되니까 고구려 유민들을 자기 영토의 변방인 영주에 유배시켰죠. 그러자 그들 중 대조영이 반란을 일으켜 결국 발해라는 대제국을 세웁니다. 그 대제국을 세울 때 신라와도 싸우고 당나라와도 싸웠는데, 발해가 한때는 지금의 산동(山東) 반도를 점령하기도 했죠. 그래서 동북아의 북쪽은 발해, 남쪽은 신라가 차지했습니다. 따라서 고구려, 백제, 신라의 삼국시대에서 신라에 의한 삼국통일이라고 하기보다는 발해, 신라의 이국시대, 즉 남북국시대라고 해야 합니다.

이제 정리를 해보죠. 우리가 신라에게서 배울 점이 과연 무엇일까요? 첫째, 가야와 시너지 효과가 있는 통합을 했다는 것이 우리가 남북통일을 이뤄야 하는 시점에서 가장 중요하게 배워야 할 점입니다. 둘째, 삼국통일을 하는 과정에서 외세를 끌어들이긴 했지만 나중에 당나라 군대를 쫓아내는 자주적인 입장에 있었다는 점은 본받아야 합니다. 그러나 안타까운 것은 역사의식이 없었기 때문에 고구려의 옛 땅을 차지할 포부가 없었다는 겁니다. 그것이 우리 영토를 반도 내로 축소시킨 중요한 이유인데, 신라만 보면 영토가 축소된 것 같지만 고구려를 계승한 발해가 건국됐기 때문에 우리 민족사에서 영토 축소가 일어났다고는 볼 수 없습니다. 하지만 그동안 우리가 발해를 우리 역사에서 중요하게 생각하지 않고 잊어버렸기 때문에 결국은 영토 축소라는 문제가 생겨나게 된 거죠.

삼국통일 과정에서 얻어야 할 또 하나의 교훈은, 무력으로 통일을 하면 통일한 나라가 약해질 경우 또 분열된다는 겁니다. 통일신라가 약해지니까 후백제가 나오고 후고구려가 나왔죠. 언젠가는 혼란스러운 분열이 다시 시작된다는 겁니다. 그런데 신라가 약해졌다고 가야가 후가야를 만들었다는 말은 없잖아요. 그래서 어떻게 통합하느냐가 매우 중요합니다. 무력에 의한 통합이 아니라 협상과 타협에 의한 통합이 진정한 통일이죠.

나중에 후삼국의 주역은 신라가 아니라 후고구려였습니다. 왕건이 고구려를 계승하기 위해 나라 이름도 고려라고 정한 것은 역사의식이 있었던 거죠. 만약에 고려 왕건이 고구려를 계승한다고 하지 않고, 신라를 계승한다고 했으면 우리 민족사는 2000년으로 끝났을 거예요. 고려가 고구려를 계승한다고 했기 때문에 고구려는 부여를 계승하고, 부여는 고조선을 계승하고, 고조선은 배달나라를 계승하면서 민족사가 6000년이 된 거죠.

지금 무엇을 할 것인가

오연호 고려와 고구려 사이에는 250년의 시간차가 있습니다. 왕건이 고려를 창건한 것이 918년이고, 고구려가 나당연합군에게 멸망한 것이 668년이니까요. 고구려를 체험한 적이 없는데도 왕건은 왜 고구려를 계승한다고 했을까요?

법륜 왕건이 고구려를 계승한다고 했다는 말은 당시 고려가 신라와 발해를 동시에 계승했다는 것으로 봐야 합니다. 고려는 현실적인 인구와 영토 측면에서 신라를 계승했고, 역사의식은 발해를 계승한 거죠.

그런데 왜 고구려를 계승한다고 했을까요? 우리가 지금 통일을 하면서 북한만 계승한다거나 남한만 계승한다고 할 수 없잖아요. 남북을 다 아우를 수 있도록 남북을 건너뛰어서 그전 나라를 계승한다고 할 수밖에 없겠죠. 그런 점에서 고려는 고구려를 계승한다고 했던 거예요.

오연호 왕건이 후삼국을 통일하는 과정이 지금 우리 시대에 주는 교훈은 무엇일까요?

법륜 왕건은 신라와 전쟁을 하지 않고 합병을 했습니다. 그러나 후백제 견훤과는 끝까지 싸웠습니다. 견훤이 자기한테 끝까지 저항을 하니까 차별을 받게 했는데, 그것이 지금까지 이어지는 전라도 차별의 먼 역사적 원인이 되고 있죠. 합의에 의한 평화로운 통일과 전쟁을 통해 이뤄지는 통일은 통일 과정이나 이후에도 이렇게 큰 차이가 납니다. 전쟁으로 통합을 하면 언젠가는 반드시 갈등이 재현됩니다.

오연호 후삼국통일 과정에서는 삼국통일 과정과 비교할 때 외세의 개입이 주요 변수가 되지 않았죠?

법륜 외세의 개입은 없었어요. 그 당시 중국이 분열돼 있었기 때문에 후삼국 가운데 누구도 외세와 협력을 해서 통일문제를 풀 수 있는 상황이 아니었죠. 자기 실력으로 서로 다퉜던 겁니다. 그때는 당나라가 멸망하고 송나라가 통일하기 전인 5대10국 시대였거든요. 중국 대륙이 완전히 분열돼 있었죠.

그래서 고려가 통일을 하고 대륙으로 진출하려고 했는데 그 사이에 북쪽에는 거란족의 요나라가, 중국에는 송나라가 대륙의 강자로 들어섰습니다. 고려는 대륙으로 진출하려는 의지는 있었지만 능력이 안 됐죠. 그래도 민족의식은 그대로 있었어요. 그러니까 998년에 거란이 고려에 침입해 와서 강동 6주의 반환을 요구할 때, 서희 같은 사람이 당당하게 담판을 해서 나라를 지켜내는 기상이 있었던 거죠. 그때 발해가 거란의 요나라에 멸망하자 고려는 압록강변의 강동 6주를 차지했어요. 그러자 거란의 소손녕이 30만 군대를 끌고 와 고려를 위협했잖아요. 우리가 발해를 멸망시켰기 때문에 발해의 옛 땅은 다 거란의 땅이니 강동 6주를 내놓으라는 거였죠. 그러자 서희가 "그렇게 말한다면 고려는 고구려를 계승한 나라다. 발해의 땅은 고구려의 옛 땅이다. 그러면 모든 고구려 땅을 돌려달라"고 합니다. 이렇게 해서 강동 6주를 인정받았죠. 역사의식이 분명한 고려의 입장이 있었기 때문에 가능했던 일입니다.

그다음 여진족의 금나라하고 다툴 때도 그렇고 몽고에 끝까지 저항할 때도 그렇고, 고려는 힘은 부쳤지만 고구려의 옛 영토를 회복하려는 의지는 있었죠. 그런데 그 후 등장한 조선왕조는 역사의식도 없었고 의지도 없었습니다. 스스로 중국 명나라에 사대의 예를 취해버렸죠.

오연호 역사기행을 몇박 며칠로 다녀온 기분입니다. 스님과 함께 직접 고구려·발해 유적지를 다녀온 사람들은 많은 생각을 하게 되겠네요.

법륜 고구려·발해 역사기행을 하다 보면 역사의식만 생기는 것이 아니예요. 압록강과 두만강을 따라가면서 북한의 산야를 보게 되는데, 북한 주민들이 일구어놓은 뙈기밭을 보면 그동안 북한 주민들이 얼마나 고통을 겪었는지 알게 되어 가슴이 아파옵니다. 북한 주민들이 살아보려고 저렇게까지 애쓰는구나 싶어 안타까움이 생기죠. 그래서 우선 인도주의적 식량 지원에 대해 사람들이 관심을 갖게 됩니다.

한편으로는 중국에 대한 경계심을 갖게 됩니다. 중국의 급격한 성장과 무역, 자원개발 등에서의 대북한 영향력을 보면서요. 그동안은 중국에다 무엇을 팔아서 돈을 벌까 하고 경제적 이익만 궁리했던 사람들이, 앞으로 중국이 우리 민족의 통일문제에 어떻게 작용할지를 생각해보게 되죠.

또 무엇보다 민족에 대한 자긍심이 생깁니다. 백두산에 올라갔을 때 가슴이 뛰는 기상 같은 것을 느낄 수 있죠. 고구려·발해 유적지를 보면서 민족에 대한 자긍심이 생겨나고, 또 독립운동 유적지를 보면서 우리 선조들이 남의 나라에 와 고생하면서 나라의 독립을 위해 자기희생을 치렀다는 걸 알게 됩니다. 그런 보이지 않는 희생이 있었기에 오늘 우리들의 삶이 있다는 걸 깨닫게 되죠.

오연호 그런 생각들을 하다 보면 우리는 지금 무엇을 해야 할 것인가로 생각이 이어지겠죠.

법륜 한중일 삼국이 동북아시아 경제협력체를 이루든, 미국과 러시아까지 포함해서 동북아 평화체제를 구축하든, 결국은 4강의 중심에 한국이 있잖아요. 그러니까 남북분단 상태에서 갈등을 빚는 말썽꾸러기가 아니라 통일한국으로 4강의 힘의 균형을 이뤄줌으로써 세계평화에 기여하는 역할을 할 수 있다고 봅니다. 그런 측면에서 지금이 국가의 위상과 격을 높일 수 있는 절호의 기회가 아닌가 생각합니다. 이미 여러 번 강조했지만 이런 기회가 역사 속에서 자주 오는 게 아니거든요. 고구려 · 발해 멸망 이후 1000년 만에 찾아온 절호의 기회라는 거죠.

고구려 · 발해 유적지 기행을 하면 사람들이 이런 것들을 절실히 느끼게 됩니다. 그래서 이 사람들을 모아서 독립의병을 만들듯이 통일의병을 한번 만들어보려고 했던 거예요. (웃음) 물론 의병만 갖고는 안 되고 관군과 의병이 역할 분담을 잘해야 합니다. 관군이 일을 잘하도록 한다는 것은 좋은 정부가 들어서서 책임 있게 통일정책을 추구할 수 있게 하는 것이고, 의병은 그런 정부를 도와서 정부가 하지 못하는 역할을 맡아 해주는 거죠. 그렇게 관과 민이 합심해서 나라를 위해 무언가 해볼 수 있는 기회를 만들어야겠죠.

그런데 요즘 사람들은 나라를 위한다는 생각을 거의 하지 않는 것 같아요. 그런 말을 하면 오히려 이상하게 들리나 봐요. 자기 개인의 행복과 이익에 대한 생각을 많이 하는데, 결국 자신이 살고 있는 공동체가 정의롭고 평등해야 그 속에 있는 우리 모두가 혜택을 보는 거잖아요. 그런데 공동체는 붕괴시키고 그 속에서 자기만 혜택을 보겠다고 하면 결국 자신의 삶도 몰락하겠죠. 그런 예가 바로 고려 말에 원나라에 붙어서 이익을 봤던 친원파들이고, 조선 말에 청나라에 붙어서 이익을 누렸던 친청파들이고, 일제강점기 때 일본 제국주의에 빌붙어 이익을 누렸던 친일파들이에요. 그런 측면에서 역사의식을 갖고 나라와 민족의 시대적 과제를 생각해볼 필요가 있어요.

오연호 역사의식이 없을 경우 자기 스스로는 그냥 만족하며 살 수 있겠지만, 결국 공동체를 붕괴시키는 역할을 자기도 모르게 하게 된다는 말씀이죠?

법륜 역사의식을 갖지 못하게 방해하는 것은 알게 모르게 형성된 민족적 열등의식입니다. 열등의식은 우리 역사의 실상을 잘못 알고 있기 때문에 생긴다고 봅니다. 우리가 발해 역사를 잊어버렸기 때문에 발해를 잃어버린 것처럼, 고대사 부분을 잘 모르기 때문에 중국에 대한 민족적 열등의식을 갖고 있잖아요. 없는 역사를 만들어내자는 것이 아니라 우리가 잃어버린 역사, 잊어버린 역사를 다시 기억해내고 되찾자는 것이죠. 고대사를 올바르게 이해하게 되면, 지금은 우리 민족의 힘이 작지만 민족적 열등의식을 가질 필요는 없게 돼요. 고대에는 조선이 중국보다 문명이 더 앞섰거든요.

프랑스가 독일에 대해 열등의식을 갖지 않는 이유도 자신들이 레지스탕스 운동을 했기 때문이죠. 베트남 사람들이 미국과 그렇게 오래 전쟁을 했어도 화해할 때는 우리가 일본에게 갖는 그런 피해의식이 없잖아요. 전쟁에서 지지 않았기 때문이죠. 일제강점기 때 우리가 비록 일본에 졌지만, 나라를 되찾기 위해 끝까지 엄청난 저항을 했다는 사실을 알게 되면 일본에 대한 열등의식은 사라진다는 거예요.

오연호 역사 속에서 기회는 자주 오지 않는다는 말을 스님께서 강조하셨습니다. 스님과 함께 고구려 · 발해 역사와 삼국통일 과정을 살펴보니 안타까움 속에서도 자긍심이 솟아나네요. 역사의 바통을 이어받은 우리가 지금 무엇을 해야 할 것인가를 다시금 생각해보게 됩니다.

4장
분단의 뿌리

같은 뿌리, 공통의 역사를 인정하지 않으면 어느 쪽이든 사생결단할 수밖에 없거든요. 그동안 남북은 체제 경쟁을 해왔기 때문에 그 체제의 뿌리가 되는 독립운동을 서로 달리 보고 있습니다. 우리가 이것을 하나로 통합해 이해할 수 있을 때 그 자체가 통일에 한 걸음 더 가까이 나아가는 것이죠.

오연호 스님, 지난 번 대담이 끝난 뒤 돌아가는 제 발걸음이 좀 무거웠습니다.

법륜 왜요?

오연호 스님과 역사 공부를 하니 한편으로는 가슴이 뜨거워지면서도 한편으로는 죄책감이 밀려왔거든요.

법륜 그런가요?

오연호 스님께서 지금이 바로 1000년 만에 다시 우리 민족이 부흥할 수 있는 기회라고 하셨잖아요. 긴 역사 속에서 보면 이 시대에 남북통일을 놓치고 지나가서는 안 되겠다는 생각을 새삼 하게 됩니다. 그런데 죄책감이 드는 것은, 저만 하더라도 과거에 학생운동을 했던 386세대이고, 요즘도 언론을 통해 사회활동을 한다고 할 수 있지만, 통일에 대한 생각은 멀리 던져둔 채 하루하루 아등바등 살아가고 있거든요. 저뿐 아니라 대다수의 국민들이 내 공부, 내 일자리, 내 사업에 매몰돼 있죠. 스님과 공부를 하다 보면 정말 이래서는 안 되겠다 생각하다가도 또다시 일상생활에 파묻히게 됩니다.

법륜 그런 보통 사람들의 모습이 잘못은 아니라고 생각합니다.

오연호 그럴까요?

법륜 예를 들어 일제강점기 때 농사짓는 농사꾼이나 봄에 보릿고개를 못 넘겨서 굶어 죽는 사람, 제 부모도 못 살리고 자식도 잃을 위험에 처해 있는 사람이 가족을 버리고 독립운동을 한다는 것은 어려운 일이죠. 민중은 자기 생활에 충실할 수밖에 없다는 걸 인정해야 합니다. 사실은 나라가 그들을 보호해줘야 합니다. 일제강점기 때 나라를 잃어버리니 그들을 보호해줄 곳이 없었죠. 독립을 해야 하는 이유는 자기 생활에 충실할 수밖에 없는 민중의 이익과 민생문제의 해결 때문이거든요. 그런 사람들의 이익을 떠나서 단순히 나라를 되찾아야 하고, 독립을 해야 하고, 부강해야 한다는 것은 국가주의나 국수주의에 가깝죠.

일제에 나라를 빼앗겼을 때 모든 국민이 독립운동을 할 수는 없죠. 그 가운데 10퍼센트 정도만 나라가 처한 전체적인 현실을 인식하고 독립을 위해 뛰면 됩니다. 그 나머지는 약간의 지지만 해주면 되죠. 만세를 부를 때 같이 참여해준다든지, 독립군들이 오면 밥 한 끼 해준다든지, 일제에 고자질하지 않는다든지 하는 협력만 해줘도 나라의 독립에 기여하는 겁니다.

오연호 김대중 전 대통령이 서거 직전에 하신 말씀이 생각나는군요. 그분과의 생전 마지막 인터뷰에서 행동하는 양심이 되려면 무엇을 해야 하냐고 여쭸더니, 담벼락에다 대고 혼자 욕이라도 하라고 하셨죠.

법륜 바로 그런 겁니다. 문제는 나라의 독립이 필요하다 생각하고 적극적으로 나서는 10퍼센트 사람들의 자세입니다. 그 10퍼센트가 당장은 독립에 관심 없어 보이는 나머지 90퍼센트의 이익을 위해서 나라의 독립이 필요하다는 것을 자각해야 한다는 거죠. 그러지 않고 그 10퍼센트가 90퍼센트의 보통 사람들을 손가락질하면서 나라의 독립에 관심이 없으니까 저런 사람의 이익은 고려할 필요가 없다고 생각한다면 결국 독립운동마저도 집단 이기적인 운동이 된다고 봅니다.

일제강점기 때 독립이 되지 않았기 때문에 백성이 여러 가지 피해를 봤듯이, 지금도 통일이 되지 않았기 때문에 그 영향이 수많은 사람들에게 미칩니다. 자각한 10퍼센트에 속하든 자각하지 못한 90퍼센트에 속하든, 통일에 적극적이든 소극적이든, 자기가 할 수 있는 수준에서 통일에 기여를 하면 됩니다. 지나친 죄책감을 가질 필요는 없다는 거죠.

오연호 그렇게 말씀해주시니 마음이 좀 편해지네요. (웃음) 스님은 지나간 역사도 껴안아주시고 지금 아등바등 살고 있는 우리도 껴안아주시는군요.

법륜 어떤 사회운동도 자신에게 맞는 수준에서 편하게 하면 됩니다.

오연호 이 대담을 접하는 독자들도 이런 죄책감에 빠지는 것보다는 자신에게 맞는 역할이 무엇일까 찾아보는 심정으로 함께하면 좋겠네요.

오늘은 우리의 근대사를 훑어보겠습니다. 지금까지 고대사를 공부하면서 우리 민족의 뿌리를 찾아봤습니다. 이번에는 근대사를 통해 분단의 뿌리를 캐보도록 하죠. 그 뿌리를 제대로 살펴봐야 어떤 자세로 통일에 접근해야 할지 알게 되겠죠.

스님, 분단은 1948년에 이루어졌지만 우리 민족의 기운이 쇠퇴한 것은 그전부터였죠?

민란의 실패, 분노만으로는 안 된다

법륜 분단 전에는 일제의 침략이 있었고, 그전에는 조선왕조의 급격한 쇠퇴가 있었습니다. 우리 민족의 운명이 기울기 시작한 때를 더듬어 올라가면 조선 후기부터라고 볼 수 있죠. 조선왕조가 성립되고 200년 정도 안정기를 거쳤잖아요. 그러다가 임진왜란을 맞으면서 국토가 황폐해졌죠. 그다음에 다시 병자호란을 맞으면서 주권까지 빼앗기고 더욱더 황폐해졌고요. 그러다 영조, 정조 때 실학이 등장하면서 한번 재건을 해보려고 했죠. 이런 시도가 실패로 끝나면서 1800년대에 들어와 조선왕조는 완전히 몰락으로 나아갔습니다.

오연호 그래서 백성들의 삶도 피폐해졌고요. 그리고 이렇게 지배세력이 국가를 책임지지 못하면 민중들이 들고일어나죠.

법륜 그때부터 민중봉기가 계속됩니다. 최초로 지배세력에 반대한 사건이 '홍경래의 난'으로 알려진 1811년 서북 지역의 민중봉기입니다. 이때는 신분차별에 대한 저항도 있었지만, 서북 지방에 대한 지역차별이 핵심적인 이유 중 하나였어요. 그러니 전국적인 지지를 받지 못하고 실패했죠.

실패 후 민중은 점점 도탄에 빠졌어요. 삼정의 문란이 심해지면서 결국 민중들이 못살겠다고 자연발생적으로 저항한 것이 이른바 1860년에 시작된 '삼도민란'으로 알려진 '삼도민중봉기'예요. 이때의 저항은 조직적이지 못했죠. 민중이 도저히 못살겠으니까 세금 걷어가는 아전 · 이속에 저항하고, 거기서 조금 더 나아가 관청을 공격하고, 쌀을 풀어서 주민들에게 나눠주고 그랬죠. 그런데 이것이 지역적으로 연계되지 않고 대부분 각 지역에서 독자적으로 폭발한 것이거든요. 한 3년 이상 전국에서 봉기가 계속되었지만 많은 희생을 치르고 결국 실패로 돌아갔죠.

동학 교조 최제우 선생이 이때 등장합니다. 민중의 자연발생적인 봉기들이 실패하는 것을 보고 최제우 선생이 깊이 고뇌하다가 결국 동학을 선포하게 된 거죠. 무조건 분노로 떨쳐 일어날 것이 아니라 여기에 민중을 구제하는 적절한 이론과, 민중을 기반으로 하되 지식인이나 몰락 양반과의 연대 등 조직적인 활동이 필요하다고 본 겁니다.

오연호 분노만으로는 부족하고 이론과 조직이 함께해야 한다……. 그래서 동학농민운동이 근대사에서 가장 조직적인 민중봉기였죠.

법륜 1894년에 결국 동학혁명이 일어났는데, 그때는 민중들의 분노가 동학의 이념과 조직을 통해 분출됐기 때문에 과거의 민중봉기보다 훨씬 더 큰 세력으로 묶이고 공격의 목표도 비교적 뚜렷해졌어요. 하지만 이들도 국가를 어떻게 경영할 것인가라는 문제에까지 인식이 못 미쳤기 때문에 실패하게 됩니다. 임금 없는 나라를 만들자든가, 임금을 갈아 치우자는 건 아니었다는 거죠. 그 때문에 조정이 동학의 요구를 일부 수용한다고 했을 때 해산했죠. 그런데 조선왕조는 관군만으로는 동학혁명세력의 기운을 진압하지 못하니까 결국 2차 혁명 때 청나라 군대를 끌어들입니다.

오연호 그렇게 해서 일본도 개입하게 되죠. 분단을 낳은 일제강점기가 그때부터 서서히 시작된 거군요.

법륜 당시 청나라와 일본은 경쟁하는 사이였어요. 청군이 들어오자 일본군까지 개입하게 되니 동학농민혁명은 비참하게 실패했죠. 게다가 외세끼리 또 싸워 청일전쟁이 일어나는데, 여기서 일본이 승리합니다. 이후 일본의 조선 지배력이 강해지자 고종은 러시아의 힘을 빌려서 일본의 영향력에서 좀 피해보려고 아관파천(俄館播遷)을 합니다. 한 나라의 왕과 왕세자가 일본의 위협을 피해 러시아 공사관에서 1년여를 머무는 신세가 되죠. 이것이 러일전쟁을 불러오고, 결국 일본의 승리로 조선의 외교권을 박탈하는 을사조약이 맺어집니다.

우리 민중들은 이 과정에서 의식이 점차 바뀝니다. 처음에는 신분제 철폐 등 봉건세력에 대한 저항이었는데, 외세가 밀려들어오면서 반외세로 바뀌게 됐죠. 외세가 개입하기 전에는 주로 저항의식이 반봉건이었는데, 그것이 반봉건 · 반외세로 갔다가 점점 외세의 영향이 커지면서 반봉건은 오히려 줄어들고 반외세가 본질적인 것이 됐죠. 최익현 같은 봉건적인 사람들도 결국 반외세에 합세를 합니다. 그래서 항일의병이 여기저기서 일어났지만 일본의 강력한 무력 앞에서는 역부족이었죠. 결국 1910년에 한일합병이 됩니다.

오연호 스승이신 백용성 스님이 독립운동에 본격적으로 뛰어든 것이 그때였죠?

법륜 네. 한일합병이 되니까 국내 항일무장세력은 전부 궤멸되어버립니다. 남은 세력은 중국, 만주로 다 도망가고, 그곳을 근거로 독립운동을 시작하게 되죠. 독립운동이 장기전을 대비하게 됩니다. 우리 민족을 계몽해야 하니 학교를 세우고 군자금을 모아 독립군을 조직합니다. 많은 젊은이들이 만주로 건너가 독립군에 가담하면서 그곳이 독립운동의 근거지가 된 거죠. 이때 조선에 있는 사람들도 일제의 눈을 피해 몰래 독립군자금을 모아 보내줍니다. 백용성 스님도 그랬고, 돈 있는 사람들 가운데서도 나라의 독립을 생각하는 사람들은 재산을 팔아서 독립군을 도왔죠. 그 돈으로 무기를 구입하고 군대를 조직하고 그랬어요.

나라를 빼앗기고 암울한 상태에서 독립을 준비하는데, 백용성 스님 등의 주도로 1919년 3월 1일에 기미독립선언을 하게 되죠. 조선

전국이 들썩들썩할 정도로 대한독립 만세를 외치는 엄청난 저항이 일어납니다. 그동안 해외에 있는 사람들이 강력한 저항의식으로 독립투쟁을 해오긴 했지만 사실 절망적인 상황이었거든요. 그러던 중에 조선 안의 엄청난 독립 열기를 보면서 자신감을 갖게 됐어요. 그래서 중국, 소련, 미국 등지에 각각 흩어졌던 독립운동가들이 전부 중국 상해에 모여서 협의해 만든 것이 상해임시정부죠. 하지만 이 사람들은 어떤 가능성만 갖고 임시정부에 모여들었기 때문에 힘도 없었고 화합도 잘되지 않았어요. 이렇게 임시정부 내부에서 갈등을 빚고 있는 가운데 국내에서는 3·1운동이 1년 만에 모두 진압돼버리니 국내의 독립운동 열기도 사라지고 말았죠.

오연호 그렇게 되자 다시 중국에서 무장투쟁이 일어난 거군요.

법륜 그렇습니다. 임시정부에서 입으로만 떠들어서는 아무것도 안 되니 현장에서 싸울 수밖에 없겠다는 생각으로 만들어낸 첫 번째 승전보가, 1920년 6월에 홍범도 장군 등이 주도한 '봉오동전투'였죠. 이건 큰 의미를 가진 승리였어요. 일본군 약 180명이 죽었으니 사실 군사적으로만 본다면 큰 전쟁은 아니에요. 그러나 게릴라부대가 정규군을 상대로 그렇게 완승했다는 것 자체가 굉장한 거죠.

이렇게 분위기가 확 바뀌면서 우리가 다시 자신감을 찾게 됐는데, 같은 해 10월 들어 김좌진 장군이 '청산리전투'에서 대승을 거둡니다. 적이 천몇백 명 정도 죽었으니 봉오동전투의 열 배 이상의 승전보를 올린 거죠. 이렇듯 승리의 기운이 높아져가니 일본군이 가만있을 리 없죠. 중국에 있는 우리 독립군을 섬멸하기 위해서 일본군이 중국 국경을 넘어 침공작전을 시작했어요. 장작림(張作霖) 군벌에게 우리 독립군을 만주에서 쫓아내지 않으면 일본에 대한 도전으로 보겠다며 협박도 했죠. 결국 무장독립군들이 백두산을 떠나 북쪽으로 피해 가다가 마적단에게 당하는 '흑하(黑河)사변'이 일어납니다.

오연호 나라를 빼앗기고 일제 식민지 지배세력에 맞서 민중들이 나라를 구하기 위해 목숨을 바친 것이 독립운동인데, 여기까지의 과정에서도 승리의 기운과 좌절의 기운이 국면마다 교차하는 것을 볼 수 있습니다. 특히 암울한 좌절의 시기를 견뎌내면서 독립운동을 하기가 참 쉽지 않았을 것 같네요.

법륜 쉽지 않았죠. 그런데 여기서 주목해야 할 것은 그 좌절의 시기에 새롭게 등장한 것이 사회주의 바람이었다는 점입니다. 1917년에 러시아에서 사회주의혁명이 일어났죠. 그 후 그 기운이 우리나라의 독립운동에도 큰 영향을 줍니다. 러시아가 제3세계 민족해방운동을 적극적으로 지지했으니까요. 그래서 제3세계에 있는 식민지의 독립운동세력들은 사회주의를 무척 동경하게 됐죠. 사회주의 이론을 받아들이고 모스크바 유학도 가고 그랬어요.

우리나라도 마찬가지였죠. 당시 젊은이들이 볼 때 사회주의 이론은 굉장히 쌈박했어요. 신분해방과 민족해방을 같이 이룰 수 있었으니까요. 민족주의에서는 반외세만 강조되고 반봉건이 없었는데, 사회주의에는 반봉건, 반외세가 같이 있으니 이념적으로 더 완전하고 성숙돼 보였죠. 그러니까 젊은이들은 사회주의에 굉장히 호감을 가질 수밖에 없었던 겁니다. 국내든 국외든 1917년 이후에 일어난 하나의 큰 변화였죠.

갈라진 남북 독립운동사

오연호 그런 흐름이었기에 사회주의를 지향하는 세력이 독립운동의 주류를 형성하게 되었군요.

법륜 그렇습니다. 1910년 한일합병 당시 만주에는 이미 조선인이 10만 명 이상 나가 있었고 1920년대에는 50만 명, 1930년대에는 100만 명을 넘어섰어요. 나라 잃은 설움과 가난에 못 이겨 쫓겨 왔지만 나라를 되찾겠다는 독립의 열기가 대단했죠. 1906년 만주 용정의 '서전의숙'을 시작으로 여러 민족학교가 세워지기도 했습니다.

그러나 3·1운동으로 시작된 독립만세운동이 성과 없이 끝나자 무장독립운동으로 방향이 바뀌게 됩니다. 김좌진 장군의 북로군정서, 홍범도 장군의 대한독립군 등이 1920년대에 쇠퇴하게 되고 1930년대는 사회주의 계열의 동북항일연군이 활동하게 됩니다.

오연호 김일성부대도 그중 한 세력이었고요.

법륜 김일성부대가 처음으로 일본군과 싸워 이긴 사건이 1937년 보천보전투였어요. 이때 김일성부대는 중국공산당 군대인 동북항일연군 제1군 제6사에 편제돼 있었습니다. 김일성은 그 군대의 중대장쯤 되었습니다.

그 당시 국제사회주의 운동을 지도하던 코민테른에서 내린 지시가 '일국일당주의'였어요. 한 나라에는 사회주의를 추구하는 당이 하나밖에 없어야 한다는 거예요. 우리나라 사회주의 계열 독립운동가들이라 하더라도 중국 영내에서 활동하려면 중국공산당에 들어가야 한다는 거죠. 이들은 만주를 거점으로 하는 사회주의 계열 무장독립운동세력인데, 1930년대 이후로는 이들이 독립운동의 주류를 형성합니다.

빼앗긴 나라를 되찾기 위해서는 일제와 맞서 무장투쟁을 할 수밖에 없다고 생각했던 당시의 독립운동가들에게 사실 이념문제는 그렇게 중요한 것이 아니었습니다. 3·1운동이 끝나고 조선의 많은 청년들이 중국 땅으로 일제와 싸우러 나왔는데 상해임시정부가 초기에 무장투쟁을 반대했기 때문에 이들을 받아줄 곳이 없었어요. 그러다 보니 의용군에 들어가든지 공산군에 들어가든지 했던 거죠.

조선혁명군 양세봉 장군은 1930년대 남만주 일대를 중심으로 항일무장독립운동을 벌였던 대표적인 분입니다. 이분은 남한의 국립현충원과 평양의 열사릉에 묘소가 있는, 남북한 양쪽으로부터 모두 인정받는 유일한 분이기도 합니다. 이런 의용군이 많이 있었다는 것을 우리가 잘 모르고 있어요.

김일성은 1937년 보천보전투로 국내에 크게 이름을 날리게 됩니다. 〈동아일보〉에서 두 번이나 호외를 발행하여 이 소식을 알릴 정도였으니까요. 이어 1940년에는 홍기하(紅旗河)전투에서 승리를 하게 됩니다. 사실 김좌진 장군의 청산리전투 등에 비하면 규모는 상대적으로 그리 크지 않았지만 1937년, 1940년이라는 일제의 극성기, 우리에게는 가장 암울한 시기에 승리를 거둬 국민들에게 큰 희망을 줬죠. 그런데 일본이 1940년대 들어 중국 땅까지 깊숙이 들어와 독립운동에 대해 극단적인 탄압을 하게 되자 김일성부대를 포함한 무장독립운동세력들이 모두 연해주로 떠나버리게 됩니다. 1945년의 해방은 이런 상황에서 이뤄집니다.

오연호 1930년대 후반부터 1945년 해방 직전까지 사회주의 계열이 독립운동의 주류였다면, 민족주의 계열 독립운동세력들은 어떻게 활동을 했기에 주류가 되지 못했을까요?

법륜 김구 선생 등이 주로 상해임시정부를 중심으로 장개석 정부와 협력하면서 상해나 중경에서 독립운동을 했습니다. 상해임시정부의 최대 결함은 무장투쟁을 하지 않았다는 겁니다. 물론 1930년대 초반에 이봉창, 윤봉길 의거 등이 있었지만, 그 이후는 주로 임시정부를 통해 선언적인 운동을 펼쳤다고 봐야죠. 1941년 12월에는 임시정부가 대한민국의 이름으로 대일선전포고를 했고, 광복군을 조직해 본국 상륙훈련을 하기도 했습니다만, 실질적 성과를 내지 못해서 국민들에게 큰 감동을 주지도 못했습니다. 또 미국에서 외교전을 통해 독립운동을 산발적으로 하던 이승만 등의 세력들은 1930년대 후반부터는 어떤 인상적인 활동도 하지 못했습니다. 그러다 보니 사회주의 계열의 무장독립운동이 더 부각될 수밖에 없었죠.

오연호 그런데 남한의 국사 교과서에는 이런 의용군 등 사회주의 계열의 독립운동이 거의 조명돼 있지 않고, 민족주의 계열의 독립운동만 기록하다 보니 우리 독립운동사가 빈약하게 보이게 된 거군요.

법륜 이것이 분단사의 비극입니다. 어떻게 보면 남북 체제 경쟁의 어쩔 수 없는 결과이기도 하고요. 그 배경은 이승만 정권을 만들어낸 미군정 시절로 거슬러 올라가야 설명이 됩니다. 해방 이후 남한에는 미군이 진주하고, 북한에는 소련군이 진주하게 됩니다. 남한에서는 미군이 미군정을 실시했는데 지지세력이 아주 빈약했죠. 왜냐하면 해외에서 독립운동을 했던 사람들이나 국내에서 비타협적으로 독립운동을 했던 사람들이 대부분 당시에 유행하던 사회주의적 성향이었으니 미군정의 정책에 협조를 하지 않았거든요. 이렇다 보니 미국으로서는 군정을 함께할 협조자를 구해야 했어요. 그래서 일제강점기 때 친일 경력이 있는 사람들을 미군정에 대거 등용하게 됩니다.

독립이 되자 죽는 줄 알고 숨어 지내던 친일세력들은 이렇게 살

길이 열리니까 미군정에 딱 달라붙게 됩니다. 그리고 자신들을 보호하기 위해 독립운동세력을 빨갱이, 좌파라고 몰아대면서 극심한 탄압을 하죠. 그러니까 자연히 탄압받은 국내외 독립운동세력은 미군정과 그다음에 들어선 이승만 정부에 대해 비판적 · 저항적일 수밖에 없었던 겁니다.

상황이 이렇게 되니 역사에 대한 기록도 달라지죠. 이승만 정부가 그런 배경에서 등장했기 때문에 남북이 좌우로 대립하는 상황에서 사회주의 계열의 독립운동을 강조할 수 없었던 겁니다. 그러니 국사 교과서에서 독립운동사 대목이 굉장히 왜소해졌어요. 상해임시정부 활동이나 3 · 1만세운동, 1920년대 초반의 청산리전투, 봉오동전투 등만 주요한 독립운동사로 남기고, 1930년대부터 해방 전까지 펼쳐진 사회주의 계열의 국내외 항일무장독립운동은 생략하거나 축소한 거죠.

오연호 남한에서 미군정이 주민들의 반발을 사고 있을 때, 북한에서는 비교적 안정되게 주민의 지지를 받으면서 북한 정권이 들어섰죠?

법륜 북한에는 친소비에트 정권이 들어섰습니다. 중국에 있던 김일성부대는 1940년에 일본군에 쫓겨 연해주로 가게 됐는데, 1945년 일본이 항복하자 소련군이 북한에 들어올 때 김일성도 같이 오게 된 거죠. 김일성은 독립군 출신이라 김일성 주도의 소련군정은 별 마찰 없이 이뤄집니다.

북한은 정권 초기만 하더라도 일종의 독립운동세력들의 연합정부였습니다. 김일성세력만 있었던 것이 아니죠. 김일성부대뿐 아니라 만주에서 독립운동하던 많은 사람들이 다 들어오고, 남쪽에서 활동하고 있던 사회주의 계열의 독립운동세력들도 북쪽으로 올라가서 함께 만든 연합정부였습니다. 초기 북한 정부의 구성은 독립운동이라는 측면에서는 상당히 정통성을 갖췄다고 볼 수 있어요.

어찌 됐건 북한은 사회주의 계열의 독립운동가들을 정권의 중심에 놓게 되었고, 남한은 일부 민족주의 독립운동세력과 친일세력으로 정부를 수립한 겁니다. 독립운동의 경력만 놓고 볼 때는 북한 정부가 남한 정부보다 독립운동의 정통성을 더 계승했다고 할 수 있죠. 이런 이유로 초기 북한 정권은 남한 정권보다 정치적으로 더 안정돼 있었어요. 북한은 군사적으로도 항일 무장독립운동세력을 재편한 자체 군사력이 있었고요. 거기다 토지개혁까지 과감히 단행하면서 경제적으로도 남한보다 더 안정적이었어요.

반대로 남한은 친일세력의 재등장, 그로 인한 여론의 악화로 정치적인 혼란이 이어졌죠. 그래서 분단 초기에는 북한이 적극적으로 통일하자고 나선 겁니다. 북한이 정치적 · 군사적 · 경제적 측면에서 우위에 있다고 생각했으니까요. 반면 남쪽은 세력이 약하니까 통일에 대해서 부정적이었죠.

오연호 문제는 미래겠죠. 스님은 앞서 우리 시대에 통일을 하려면 주도세력이 제대로 형성돼야 하고, 그러려면 이 주도세력이 역사의식을 가져야 한다고 하셨습니다. 그런 측면에서 지금 시점에 우리가 독립운동사를 어떤 자세로 평가해야 할까요?

법륜 남과 북이 통일로 나아가려면 서로 공통점을 발견해야 합니다. 그런데 그동안은 남북의 독립운동사가 완전히 상반돼 있었죠. 남한은 북한에서 가장 중요시하는 김일성부대의 무장항일운동을 부정하고 마적단 수준으로 보고 있잖아요. 북한도 남한에서 중요시하는 상해임시정부 활동이나 3·1운동을 별 볼일 없는 수준으로 평가하고 있고요. 또 남북 양쪽 다 의용군에 대한 평가가 부족하죠.

중국은 그렇지 않습니다. 이른바 삼민주의(三民主義)를 내세우면서 공화제를 창시한, 청나라를 타도하고 중화민국을 건설하려고 했던 손문(孫文)에 대해서는 공산당이든 국민당이든 양쪽이 다 인정하죠. 그러니까 대만은 손문을 국부로 보고 있고, 중국은 완전히 국부로는 보지 않지만 준(準)국부로 봅니다. 손문은 "혁명은 아직 끝나지 않았다"는 유언을 남기고 죽었는데, 중국은 그가 이끈 신해혁명을 진정으로 완성한 게 모택동의 중국공산혁명이라고 보고 그것을 계승해오고 있죠. 이것은 두 세력이 같은 뿌리를 두고 중간에서 갈라졌다는 개념이거든요.

그런데 지금 남북은 그렇지 않죠. 공통의 뿌리가 없어요. 그러니 통일이 돼도 큰 문제가 됩니다. 만약 한국을 중심으로 통일이 된다면 북한의 혁명열사릉을 다 파헤치고, 또 만약 북한을 중심으로 통일이 된다면 남한의 국립묘지를 다 파헤쳐야 합니까? 이런 자세로는 통일이 될 수가 없죠.

같은 뿌리, 공통의 역사를 인정하지 않으면 어느 쪽이든 사생결단할 수밖에 없거든요. 그동안 남북은 체제 경쟁을 해왔기 때문에 그 체제의 뿌리가 되는 독립운동을 서로 달리 보고 있습니다. 우리가 이것을 하나로 통합해 이해할 수 있을 때 그 자체가 통일에 한 걸음 더 가까이 나아가는 것이죠. 또한 지금 우리끼리의 화해뿐 아니라 과거 선조에 대한 화해도 함께 해나갈 수 있습니다.

오연호 우선 남한 쪽에서는 북한의 초기 정권세력들이 독립운동의 한 세력이었다는 것을 인정하는 데서 출발해야겠군요. 물론 체제 경쟁이 여전히 계속되고 있는 상황에서 쉽지는 않겠죠. 그렇다면 북한 쪽에서는 어떤 태도 변화가 있어야 할까요?

법륜 지금처럼 김일성세력의 무장항일운동만이 우리 민족의 독립에 가장 중요한 요소였다고 주장하면 안 됩니다. 앞에서도 말했지만 북한의 초기 정권은 김일성세력뿐 아니라 만주 등 중국에서 독립운동을 해온 다른 많은 세력과 남한에서 올라간 사회주의 계열 세력이 연합한 정권이었습니다. 오로지 김일성만 독립운동을 했던 것은 아니라는 거죠. 또 상해임시정부나 3·1운동, 민족주의 계열의 독립운동세력, 그리고 국내에서 비타협적으로 활동했던 많은 독립운동세력에 대한 존중과 인정이 필요합니다.

요컨대 우리는 독립운동사와 관련해 북한의 주장 중 사실인 것은 수용해야 하지만, 북한 체제의 정통성을 강조하기 위해 만든 과장된 역사까지 수용할 필요는 없습니다.

오연호 지금까지 독립운동사를 살펴보면서 그것이 남북한 정권 수립과 어떤 연관이 있는가를 알아보았습니다. 그 과정에서 뼈아픈 사실은 8·15해방이 진정한 해방이 아니었다는 겁니다. 사실 일제로부터의 해방이 아니라 미국과 소련이라는 새로운 강대국에 의한 분할 점령이라고 해야 맞겠죠. 우리의 힘으로 쟁취한 독립이 아니었기 때문에 외세에 의해 분할 군정이 이뤄지고 결국 이것이 분단으로 고착화됩니다. 단독정부 수립을 반대하고 통일정부를 수립하자는 운동이 일기도 합니다만, 이런 흐름은 남과 북에서 각각 단독정부를 수립하려는 국내외 세력에 밀리게 됩니다. 그러니 지금 시점에서는 어느 편이 더 독립운동을 열심히 했는가를 주장하기보다는, 어찌 됐든 우리 힘으로 독립을 쟁취하지 못한 것에 대한 공동의 반성이 필요하지 않을까 싶습니다. 그때나 지금이나 우리가 준비되어 있지 않으면 언제든 외세에 의해 우리의 운명이 결정된다는 것을 보여줬으니까요.

법륜 네, 공동으로 반성하고 공동으로 미래를 설계해야죠. 참으로 안타까운 것은 우리 민족이 남과 북에 각각 단독정부를 수립한 이후에 서로 전쟁을 치렀다는 겁니다.

전쟁은 결과적으로 남과 북을 더욱더 경직되게 만들어버렸어요. 전쟁 전에는 남한에 친일세력도 있고, 민족주의자도 있고, 사회주의자도 있었어요. 북한에도 민족주의자가 있고, 사회주의자도 있었고요. 그런데 전쟁을 겪으면서 각각 획일화됐죠. 북한은 대부분 사회주의자로만 통일이 되고, 민족주의자들은 처형되기도 하고 월남도 했죠. 남한에서는 반대로 친일세력이 득세하고 사회주의자들은 다 탄압을 받아 월북하기도 했고요.

이렇게 남북 체제가 경직되다 보니 전쟁은 역사의 미아를 만들어 냅니다. 그런 점에서 우리가 가장 안타까워하고 원혼을 달래줘야 할 사람들은 남한의 자생적 빨치산들입니다. 이들은 남한에서는 반체제 인사로 척결 대상이었고, 북한에서는 그쪽의 정규군도 아니고 중심세력도 아니었죠. 그냥 이용 세력에 불과한 거죠. 남한의 빨치산들은 우리나라 국립묘지에도 없고 북한 혁명열사릉에도 없어요. 그들은 어쩌면 가장 순수한 사람들이었다고도 볼 수 있죠. 권력추구적 세력이라기보다는 가장 민중적인 저항세력이었는데, 이들은 지금 남북 어디에서도 역사적인 평가를 못 받고 있어요.

그래서 제가 그들의 영혼을 달래주려고 위령제를 지낸 적도 있습니다. 사실 통일이 돼야 이들을 재평가할 수 있어요. 그전에는 재평가를 제대로 할 수 없죠. 통일이 되면 이들을 역사의 큰 흐름 속에서 민중들의 자생적 저항세력의 한 갈래라고 인정해야 합니다. 이들의 활동을 역사 속에서 안아준다면 그것이 진정한 위령제겠죠.

오연호 남북의 주류가 외세와 결탁되어 있으니 한국전쟁도 외세의 영향력 속에서 치렀죠. 근현대사를 보면 우리 민족은 늘 외세에 의해 규정을 받아왔습니다. 하지만 해방 전후만 보더라도 신간회, 건국준비위원회, 김구 중심의 정부 수립운동 등 좌우 이념이나 외세를 떠나 우리 민족끼리 무언가 해보려는 시도가 계속 있었더군요. 그런데 왜 성공하지 못했을까요? 판을 주도하는 바깥세력의 힘, 이른바 외세규정력이 상당히 큰 탓이겠죠. 우리나라의 경우 외세에 영향을 받는 것이 지정학적 위치상 피할 수 없는 운명인가요, 아니면 그럼에도 불구하고 해방 전후에 좌우세력이 좀 더 노력해 통일정부를 만들 수 있었는데 그것을 못해낸 건가요?

법륜 저는 해방 이후의 분단에 대해 우리에게도 책임이 있지만 외세규정력이 더 강했고 그때는 어쩔 수가 없었다고 생각합니다. 오히려 외세 쪽으로 줄을 선 사람들이 역사의 승리자가 됐다고 볼 수 있어요. 그러나 저는 현실적으로 선택을 잘했다고 해서 그것이 정의라고는 보지 않습니다. 현실적으로 실패했다고 해서 그것을 정의가 아니라고 볼 수 없는 것처럼요.

오연호 외세규정력이 더 강했다고 하셨습니다만, 그래도 좌우합작과 통일정부를 도모하던 세력들이 어떤 부족한 점 때문에 역사의 중심이 되지 못했을까요?

법륜 국제정세를 읽지 못한 게 큰 실수였죠. 자기들 주도세력만 생각했지 밖을 제대로 안 본 거죠. 자기들의 열정만 생각하고 세상이 어떻게 돌아가는지 잘 몰랐어요. 저는 그런 측면에서 좌우합작이나 통합을 해보려던 사람들의 순수한 민족정신은 계승해야 하지만, 현실적인 국제정세에 대한 판단을 제대로 못한 것은 비판적으로 평가해야 한다고 생각합니다. 아무리 우리의 독립이 중요하다고 하더라도 현실적으로 큰 힘으로 작용하는 미·소의 군사력을 어느 정도 인정하고 협력을 이끌어내는 노력이 있어야 했다고 생각해요.

또 하나의 한계는 너무 비타협적이었다는 거예요. 너무 순수성을 중시하고 결벽주의로 나가다 보니까 자꾸 소수로 전락하죠. 통합을 하려면 참여의 폭을 넓히는 전략을 잘 세워야 하는데 그게 잘 안됐습니다. 좌파와 우파를 어디까지 껴안아야 할 것인가, 한때 친일을 했다 하더라도 외세에 대응하려면 이들을 어디까지 껴안아야 하는가 하는 부분에서 포용력이 부족했죠. 적은 강한데 우리는 자꾸 분열되어 소수정예로 가다 보니까 결국은 역사의 패배자가 되는 겁니다. 내부적으로는 통합력이 절실했고, 외부적으로는 시대의 변화를 읽어야 했어요. 역사의 주인공이 되려면 시대의 흐름을 읽어야 합니다.

오연호 사회운동을 이끄는 세력이 열정은 강한데 소수파가 되어 결국 역사를 주도하지 못했다면, 그 책임이 또 민중에게 전가되죠. 민중들은 패배주의를 갖게 되니까요.

법륜 그렇습니다. 삼도민란 때 봉기했던 사람들은 결국 다 학살당해 죽었잖아요. 동학농민혁명 때 또 한 번 기다렸다 일어났던 사람들도 실패했죠. 의병활동 했던 사람들도 실패했고요. 3·1운동 했던 사람도 실패했죠. 일제에서 해방되고 나서 민족운동 했던 사람들 가운데 일부도 6·25전쟁 중에 남한에서 빨갱이로 몰려서 죽었잖아요. 그러다 4·19혁명 때 또 일어났다가 5·16군사쿠데타로 또 실패했잖아요. 이렇게 연속적으로 실패를 경험하면 민중들은 뿌리 깊은 생존의 위협을 느끼기 때문에, 먼저 나서지 말고 엎드려 있다가 적절하게 대응하는 게 낫다는 생각을 하게 되죠.

이것은 민중들에게 위험 부담을 너무 주면 운동에 참여하지 않는다는 것을 말해줍니다. 민중은 두려움 때문에 나서지 않으려고 하죠. 우리 민중들은 거의 150년 동안 실패의 역사를 보고 경험하며 살았기에 그것이 몸에 배어 있다고 볼 수 있거든요. 민중운동을 이끌면서 목숨을 바치라거나 결연한 의지를 보여달라고 하면 다 떨어져 나가요. 지금은 투표만 잘해도 된다는 등 자신의 생존을 유지하면서도 손쉽게 할 수 있도록 위험 부담이 적은 쪽으로 동참을 요구해야 보다 많은 민중이 참여할 수 있는 겁니다.

오연호 평범한 대학생들이나 직장인들이 사회참여에 적극적이지 않거나 통일운동에 적극적으로 관심을 갖지 않는 것이, 어제 오늘의 일이 아니라 길게 보면 150년간의 근현대사에서 누적되었던 역사의 상처를 몸에 담고 있기 때문이라는 말씀이군요.

법륜 이렇게 이야기하면 민중에 대해 실망할지 모르지만, 이것이 근현대사 속에서 형성된 우리 민중의 현실 인식이니 이를 무시하면 안 된다는 거죠. 우리가 사회운동을 할 때 대중성을 고려하는 자세가 필요합니다. 대중에게 너무 위험 부담을 요구해서는 안 된다는 거죠. 그러면 대중은 못 나서요.

그래서 차근차근 승리의 경험을 쌓아나가는 것이 필요합니다. 민중들이 승리의 맛을 한번 봐야 비겁함과 두려움을 극복할 수 있어요. 이게 굉장히 중요합니다. 만일 외세가 있음에도 불구하고 우리 손으로 평화적으로 통일을 한다면, 아주 큰 승리를 경험하게 되는 거죠. 홍경래의 난이 일어난 1811년 이후 200여 년간 맺혔던 민중의 한이 풀어지는 겁니다. 북한 주민의 입장에서는 진정한 해방을 맛보는 거죠. 민주사회, 인권존중의 사회가 어떤지 맛보게 되는 거예요. 남한 주민들은 그동안 미국이나 중국 등 강대국에 붙어서 겨우 명맥만 유지하던 약소국의 근성에서 벗어나 자주성을 회복할 수 있어요. 그렇게 남북통일이 단순통합이 아니라 국민에게 자신감을 심어주는 시너지 효과를 낼 수 있기 때문에 국력이 신장되고 국운이 융성해져 민중의 생활도 나아질 수 있는 거죠.

분단의 아픔, 민중의 한을 풀어내려면

오연호 우리 세대는 1980년대 전두환 독재정권에 반대하는 민주화운동을 할 때 한국전쟁을 겪은 세대들로부터 앞장서지 마라, 앞장서봤자 너만 다친다는 이야기를 많이 들었습니다. 그런데 스님의 말씀을 듣고 보니 그런 것들이 한국전쟁을 거치면서 얻은 생존철학일 뿐 아니라 조선 말기의 민중봉기 때부터 약 200년간의 역사를 민중들이 지켜보면서 그런 생각을 품게 된 거네요. 그 한을 풀려면 우리 시대에 제대로 된 통일을 이뤄내야겠군요.

법륜 네, 통일을 하는 것이 그 완성이라고 할 수 있습니다. 통일은 지금까지 이런저런 전투에서 실패하다가 마지막 전쟁에서 승리한 것에 비유할 수 있어요.

우리가 새롭게 세우고자 하는 통일국가는 민중의 한이 풀어지는 공동체여야 합니다. 또한 소수가 지배하는 국가가 아니라 민주사회여야 한다는 거죠. 지역적으로도 차별이 없고 어느 정도 평등한 사회여야 합니다. 그리고 늘 강대국 옆에 붙어 있던 약소국의 지위에서 벗어나 동아시아에서 고구려, 발해와 같은 역할을 하는 자주국가여야 합니다.

현재 남한의 국력과 국민들이 갖고 있는 재능, 그리고 북한 사람들이 갖고 있는 일종의 자주의식 등이 잘 결합되면 짧게는 홍경래의 난 이후 200년간 쌓여온 민중의 한이 풀리고, 길게는 1000년간 쌓여온 민족의 한이 풀린다고 볼 수 있죠. 고구려를 뒤이은 발해가 망한 것이 926년이니까, 그 전후로 외세에 밀려 위축되기 시작했던 우리 민족 1000년의 역사가 통일로 인해 풀리는 겁니다.

오연호 역사를 이렇게 쭉 살펴보면 지금 우리 개개인이 어떻게 살아야 될 것인가를 많이 생각하게 됩니다. 아까 현실에서 승리했다고 해서 그것이 곧 정의라고 할 수는 없다고 말씀하셨는데, 거꾸로 그것이 정의일지라도 현실에서 승리할 수 없을 때가 있는 것 같습니다. 우리 개개인의 삶 속에서도 자신이 생각하는 정의와 현실적 선택 사이의 갈등이 반복되죠. 언젠가 한 청년이 말하기를, 자기는 반통일적인 보도를 하는 보수언론에 취직하고 싶지 않았지만 현실적으로 밥벌이를 해야 하니 면접에서 그들이 원하는 답을 할 수밖에 없었다는 겁니다. 이럴 때 우리는 어떤 마음가짐으로 선택을 해야 할까요?

법륜 그건 인생관에 해당되는 것 같아요. 정의를 중심에 놓고 현실적 이익을 조금 뒤로 미루고서 더 긴 승리를 맛볼 것인가, 아니면 현실적인 이익이라는 짧은 승리에 더 집중할 것인가 하는 문제죠.

여기서 생각해볼 점은 보수언론에 들어간 그 청년이나 독재정권에서 일했던 공무원을 우리가 어떻게 대할 것인가입니다. 저는 그들이 결과적으로 그런 기관에서 일하며 반통일에 기여를 했지만 꼭 개인이 나빠서 그랬던 것은 아니라고 봅니다. 칭찬해줄 일은 물론 아니지만 욕하고 처벌할 일도 아니라는 거죠. 오히려 그들의 재능을 새로운 통일국가를 건설하는 데 사용하려는 마음을 가져야 합니다. 혁명을 할 때는 정의에 대해 조금 근본주의적으로 밀어붙여야 하지만, 건설을 할 때는 여러 세력을 포용적으로 감싸 안아야 하죠.

지금은 우리가 부정의와 싸우기도 해야 하지만, 통합의 리더십이 더 필요한 것 같습니다. 서로 싸워서 이기는 게 아니라 좌우를 아우르고, 북한과 싸워서 이기는 게 아니라 남북을 아우르는 리더십이 필요한 시기죠. 그것이 결국 최종적 승리를 담보하는 길입니다. 예전의 운동이 승패를 통한 승리였다면 지금은 승패를 초월한 승리로 가야 합니다.

오연호 소시민들까지 포용하고 그들의 삶도 이해하면서 함께 가야 한다는 것이군요.

법륜 제가 어떤 노동운동가 출신 정치인에게 이런 이야기를 한 적이 있어요. "노동자라는 계급적 이익에 서서 평생을 살아가려 한다면 당파성을 중시해야 한다. 그러나 그렇게 하면 집권하지는 못한다. 왜냐하면 노동자가 우리 사회의 다수가 아니기 때문이다. 집권을 하려면 당파성을 뛰어넘어야 한다. 중산층까지 포용하는 입장에 서야 한다."

그러면 노동자의 정체성을 가지고 중산층의 이익까지도 포용하는 정책을 내세운다는 말은 무슨 뜻일까요? 중산층의 관점에서 봐도 노동자에게 그 정도의 이익은 보장하는 게 당연하다고 수긍할 만한 정책을 만들어야 한다는 거죠. 결국 집권한다는 것은 국가를 경영한다는 건데, 경영한다는 것은 건설하는 것입니다. 따라서 건설의 관점에서 다른 세력을 포용하면서 일을 해야죠.

오연호 건설의 관점에서 보니 포용의 의미가 새로워지는군요.

법륜 통일세력이 된다는 것도 마찬가지입니다. 단순히 남북한 통일만 생각하는 것이 아니라 남한에 있는 좌우를 아우를 수 있는 리더십이 있어야 진정한 통일세력이라고 할 수 있습니다. 어쩌면 남한 내에서 먼저 통합을 이루는 것이 북한과 통합하는 것보다 더 어려운 일이기도 합니다.

북한을 일방적으로 추종하는 사람은 아무리 통일을 주장해도 통일세력이 될 수는 없습니다. 그 사람이 북한을 추종하는 것은 개인의 자유지만, 그 사람은 통일세력이 아니라는 겁니다. 그가 통일을 말하면 말할수록 국민의 반감을 사기 때문에 오히려 통일에 악영향을 주죠.

북한을 무력으로 섬멸하자고 주장하는 사람도 마찬가지입니다. 그도 한 사람의 자유인으로서 그렇게 말할 수는 있습니다. 북한의 잘못된 행위를 보면 격분할 수도 있죠. 그러나 그것이 통일을 가꿔 나가는 길은 아니라고 봅니다. 그런 점에서 그도 통일세력이라고 할 수 없는 겁니다.

오연호 결국 더불어 함께하는 것이 필요하단 말씀이군요.

법륜 여기서 왜 고려가 고구려를 계승하겠다고 했는지를 다시 봐야 합니다. 통일신라와 발해의 남북국시대 이후에 등장한 고려가 신라나 발해가 아니라 고구려를 계승하겠다고 했죠. 그것은 양국을 모두 계승한다는 의미입니다. 그런 측면에서 오늘의 통일주도세력은 남북을 동시에 계승하는 관점에 서야 합니다. 남북을 동시에 계승한다는 것은 현실적으로 남한을 중심에 두되 북한을 우리 역사 속에서 포용하는 거죠. 역사를 기록할 때도 저쪽은 괴뢰정권이라면서 평양에 있는 열사릉을 파헤칠 것이 아니라 그 역사도 껴안아야 한다는 말입니다.

삼국시대 때 결국 신라가 통일했지만 우리는 김유신뿐만 아니라 계백 장군도 존중하잖아요. 그 비극의 시대에 각각 자기 체제에 충성한 사람을 역사 속에서 인정해주어야 한다는 겁니다. 우리가 새로운 나라를 세운다면 이런 것을 한꺼번에 역사 속으로 껴안아야 합니다. 그런 포용력이 있어야 통일을 이룰 수 있습니다.

오연호 그 시대를 인정하고 역사를 껴안자는 말씀이군요. 노무현 전 대통령이 서거 직전에 썼던 글 가운데 "부족한 그대로 동지가 됩시다"라는 문장이 생각납니다. 시대도 역사도, 내 옆에 있는 어느 부족한 사람처럼 이해하고 동지로 삼아야 제대로 껴안을 수 있겠죠.

5장
몰락한 양반, 북한

지금의 북한은 사회·경제적으로는 거의 붕괴되고 있다고 볼 수 있습니다. 그러나 아직도 정치적인 통제방식이나 군사적인 체제는 상당히 온존되고 있어요. 지배세력들까지도 불평이 많지만 아직 권력 내부의 분열이 일어나거나 그러지는 않죠. 시민운동 차원의 저항세력이 존재하지도 않고, 지배집단 내에서 파당이 형성된 것도 아니고요. 북한 지배 권력에 대한 주민들의 불만은 서서히 높아지고 있지만, 현재로서 그들에게 어떤 출구는 없는 상황이죠.

오연호 스님, 북한을 몇 차례나 직접 방문하셨나요?

법륜 나진과 선봉에 한 번 가봤고, 개성에 잠깐 가본 적밖에 없어요.

오연호 평양에는 안 가보셨나요?

법륜 네.

오연호 많이 다녀보셨을 것 같은데 의외군요.

법륜 별로 갈 일이 없었어요. (웃음) 1997년 김영삼 정부 때는 북쪽으로부터 초청장을 세 차례나 받았는데 정부에서 허락해주지 않아서 못 갔죠. 김대중 정부가 들어선 이후에는 제가 이미 북한 난민을 돕고 있었기 때문에 북한에서 오라고 하는 일이 없었어요. 함께 북한 돕기 하는 분들 중에서 김대중 정부 이후로 평양에 못 가본 사람은 저밖에 없는 것 같아요. (웃음)

오연호 그런가요? (웃음) 저는 취재하러 평양에 서너 번 가봤습니다만, 제한된 곳만 다녔기 때문에 북한 사회 전체에 대한 그림은 잘 그려지지 않더군요. 코끼리 뒷다리 잡는 기분이랄까요?

그럼 오늘은 우리가 통일의 파트너로서 북한을 어떻게 바라볼 것인가에 대해 공부해보겠습니다. 우선 북한의 현실을 점검해보고,

북한 체제의 특수성을 어떻게 이해해야 할지 집중적으로 이야기를 나눠보겠습니다. 특히 3대 세습, 인권문제 등을 포함해서요.

스님께서는 북한동포돕기 운동을 15여 년 해온지라 북한 사정에 정통한 북한전문가라고도 알려져 있습니다. 북한의 오늘에 대해 어느 정도 파악하고 계신지요.

법륜 북한 사회에 대해서는 전반적으로 대충 가늠이 되는 것 같아요. 수백 명의 북한 난민들을 직접 만나 도와주기도 하고 인터뷰도 해봤기 때문에 우선 북한 주민들의 밑바닥 삶이 어떤지 잘 알죠. 또 우리 활동가들이 3년 동안 중국에서 난민 2만여 명을 지원하고 2000여 명을 자세히 인터뷰한 자료를 분석하면서 민중들의 고통과 인권침해 상황을 잘 알게 되었고요. 그리고 시장에서 장사하는 사람들과 무역 일꾼들 얘기도 많이 들었습니다. 이른바 중간간부급들을 만나 자유로운 토론을 하면서 북한 정부의 입장과 간부들의 생각을 파악할 수도 있었죠. 북한 최고위층에 해당하는 사람들의 생활이나 생각, 사고방식 등에 대해 들을 기회도 있었고요.

지금도 여러 채널을 통해 보건의료, 학교교육, 교통, 식량, 농사, 시장 상황, 그리고 현재 공장 돌아가는 상황까지 시시각각 북한의 상황을 파악하고 있습니다. 북한 주민의 생활과 민심을 어느 정도 파악하고 있어요. 북한 주민들의 삶을 거의 들여다보고 있다고 할 수 있죠. 한두 사람 얘기가 아니라 여러 채널의 정보를 계속 접하고 있으니까요.

얼음이 녹고 있다

오연호 우리가 TV 뉴스를 지켜보고 있으면 감이 잡히잖아요. 예를 들어 부산에서 시위가 있었다고 하면, 그 자리에 가지 않아도 함께 느낄 수 있죠. 스님도 지금 북한에 대해 그런 단계로 살피고 있다고 보면 될까요?

법륜 그렇다고 봐야죠. 하지만 언론이 전하는 뉴스는 뉴스를 생산하는 사람들의 의도가 좀 담겨 있잖아요. 제가 북한에 대해 접하는 정보들은 민중들의 리포트이기 때문에 더욱더 생생하다고 할 수 있어요. 예를 들어 북한의 한 시장에서 먹고살기 위해 몸부림치는 장사꾼들이 법을 안 지킨다며 단속하는 경찰들에게 악을 쓰고 항의하는 모습을 생생하게 접할 수 있습니다. 뒷돈 주고 적당히 무마하는 사람들도 있고요. 그들 사이의 적대적이면서도 공생적인 관계를 보여주는 장면들이죠. 이렇게 여러 계층이 갈등하며 살아가는 다양한 현장을 담은 리포트들이 나옵니다.

오연호 그런 정보들을 종합하면 한마디로 북한의 오늘을 어떻게 표현할 수 있나요?

법륜 지금의 북한은 사회 · 경제적으로는 거의 붕괴되고 있다고 볼 수 있습니다. 그러나 아직도 정치적인 통제방식이나 군사적인 체제는 상당히 온존되고 있어요. 지배세력들까지도 불평이 많지만 아직 권력 내부의 분열이 일어나거나 그러지는 않죠. 시민운동 차원의 저항세력이 존재하지도 않고, 지배집단 내에서 파당이 형성된 것도 아니고요. 북한 지배 권력에 대한 주민들의 불만은 서서히 높아지고 있지만, 현재로서 그들에게 어떤 출구는 없는 상황이죠. 즉 불만의 수위는 조금씩 높아져가고 있지만 아직 변환을 가져다줄 만한 상태는 아니라는 겁니다.

오연호 스님은 남한 사회를 직접 체험하고 계시면서, 다른 한편으로는 북한의 다양한 계층으로부터 거의 매일 리포트를 받고 계시네요. 인식의 세계에서 본다면 지금 스님 안에서는 이미 남북통일이 돼 있는 셈이군요. (웃음)

법륜 그렇습니다. (웃음) 북한에 대해 제가 일상적으로 접하는 것은 주로 다수의 민중들, 중·하층민들의 민심과 생활의 고통입니다. 그리고 정기적으로 한 달에 한 번 정도는 북한의 여러 현안과 대외정책에 대한 북한 정부의 입장을 그쪽 전문가들과 함께 점검합니다. 제가 만나본 북한 관리들은 북한 체제가 끄떡없다고 말하지만 요즘엔 북한 주민들의 불만이 크다는 것을 대체로 인정하는 편입니다. 사회가 점점 변하고 있는 거죠.

오연호 아까 북한이 사회·경제적으로는 상당히 붕괴되고 있지만 정치·군사적으로는 아직 잘 유지되고 있다는 말씀을 하셨죠. 그런데 대부분의 나라는 사회·경제적으로 붕괴가 되면 정치체제가 유지될 수 없잖아요. 그런데 북한의 경우에 아래는 상당히 변화됐지만 위는 아직까지 건재하다면, 그 이유가 정치 · 군사체제의 특수성 때문이겠죠? 서서히 진행되고는 있지만 그래도 이 부조화가 결국은 큰 변화를 가져올 수밖에 없다고 보시는군요.

법륜 하부 토대가 바뀌면 언젠가는 상층부도 바뀔 거라고 봅니다. 그런데 북한의 주체사상은 유교의 성리학적인 요소가 있다고나 할까, 아무튼 사상적인 무장을 하면 사회 · 경제적 하층부가 무너져도 정치적 상층부는 건재할 수 있다는 거죠.

어쨌거나 우리가 긴 시간으로 볼 때는 당연히 바뀌겠죠. 그런데 짧은 시간으로 볼 때는 변화가 없어 보입니다. 마치 얼음이 녹고 있을 때 온도가 오르지 않는 것과 마찬가지예요. 온도만 측정하면 아무 변화가 없는 것 같은데, 지금 얼음에서 물로 상태가 바뀌고 있는 거죠. 외부인은 바깥 온도만 쳐다보니 아무 변화가 없는 것 같지만, 내부에서는 얼음이 빠른 속도로 녹고 있는 거예요. 그런 것을 우리가 읽어내야죠.

하지만 그것으로 당장 북한 주민들의 대규모 소요사태가 일어날 것이라고 판단해선 안 되죠. 우리는 저렇게 살 바에야 한번 저항하다 죽는 게 낫지 않느냐고 자꾸 남한 사회 방식으로 생각하는데, 그건 북한 주민들이 지난 60여 년간 살아온 사회적인 관습, 관계, 사상무장 등을 전혀 고려하지 않고 얘기하는 거예요.

오연호 스님의 진단대로라면 북한식 사회주의가 실패했다고 볼 수도 있겠네요. 실패의 주요인이 외부에 있을까요, 내부에 있을까요? 북한이 그동안 주장해온 미제국주의의 경제 봉쇄와 군사적 압박 때문인가요, 아니면 주체사상에 기반을 둔 김일성-김정일식 정치 · 경제체제가 이러한 파탄을 가져올 수밖에 없는 구도인가요?

법륜 북한이 주장한 대로 외부의 방해가 없었다면 성공할 수도 있었겠죠. 그런데 외부적 요인을 감안해서 성공 프레임을 짜는 게 정치가 해야 할 일이죠. 그런 측면에서는 그들의 내부 역량 문제라고 봅니다. 가뭄이나 홍수가 들 것을 고려해 댐도 막고 지하수도 파고 여러 가지 대비책을 마련해서 농사를 지어야 농사꾼이지, 비가 안 와서 농사를 망쳤다고만 하면 농사꾼이라고 할 수 없잖아요. 그런 환경에서 종자 개량이나 비료를 어떻게 할 건지, 비닐하우스를 칠 건지 말 건지, 지하수를 끌어 올릴 건지 말 건지, 댐을 막을 건지 말 건지, 이런 대책을 세우는 것이 우리가 말하는 정치죠. 외부 요인만 강조하며 책임을 모두 외부로 돌린다면 결국 정치를 안 하겠다는 소리나 마찬가지예요.

오연호 정치가 무엇인지에 대한 명쾌한 해석이군요.

법륜 저는 외부와 내부, 두 가지 요인이 다 있다고 봐요. 북한은 세계 최강국인 미국으로부터 지난 60년 동안 경제 봉쇄를 당했고, 또 남북 간의 체제 경쟁 속에서 한미군사동맹에 대응할 군사비를 북한 경제수준에 비해 과다하게 지출할 수밖에 없었죠. 그러다 보니 경제를 성장시킬 여력이 약해지면서 경제가 피폐해질 수밖에 없었습니다. 또 동유럽이 몰락하니까 대외무역을 할 수 있는 거래처들이 끊겼고, 자본주의 국가로부터는 경제 봉쇄를 당했으니 결국 고사(枯死)하는 단계로 갈 수밖에 없는 거죠. 저는 그 외부 요인의 중요성을 충분히 이해합니다.

문제는 이런 환경에서 상대편 욕만 할 게 아니라 뭔가 해결책을 찾아야죠. 적에게 약간 굽히고 실익을 추구하든지, 아니면 내부에서 농업개혁을 확실히 해 자력갱생을 하든지, 무슨 대책을 세워야 합니다. 전체적으로 보면 외부 환경도 나빴지만 사태에 올바르게 대응하지 못했다는 점에서 내부의 정치 역량도 부족했다고 봐야죠.

오연호 북한의 현재 상태가 사회 · 경제적인 측면에서는 이미 파탄에 이르렀고, 정치 · 군사체제는 아직까지 잘 유지되고 있다고 하셨습니다만, 앞으로 개선될 가능성은 없는 걸까요? 사회 · 경제적 환경이 조금 좋아져서 정치 · 군사적으로는 앞으로 상당 기간 통제가 가능한 상황이 될 가능성은 이제 없는 걸까요? 사회 · 경제적 토대의 붕괴가 이미 심각한 수준이라, 지금은 민중의 저항과 내부 불만이 계속 커지는 방향으로 갈 수밖에 없는 것인지요?

법륜 어떤 경우에도 기회는 있으니까 불가능하다고 하긴 그렇고, 회생 가능성이 매우 낮다고 봐야죠. 경제 회생을 하려면 첫째, 외부적인 지원을 받아야 합니다. 외부적인 지원을 받으려면 핵을 폐기해야죠. 그런데 북한은 핵을 폐기할 수 없다고 하니까 이게 모순입니다. 핵개발을 한 건 체제 유지를 위해서였잖아요. 그런데 핵을 개발하니 경제 봉쇄를 당하고, 경제 봉쇄를 당하니 경제가 붕괴되고, 경제가 붕괴되니 체제가 붕괴되는 쪽으로 가는 거잖아요. 그래서 경제를 살리려면 핵을 폐기해야 하는데 핵을 폐기하면 체제가 무너진다고 생각하니 북한은 끝까지 핵을 폐기하지 못하겠다는 입장이에요. 그러니 이도저도 안 되면서 방안이 없는 거죠.

둘째, 중국과 전면적인 결합을 하는 방법이 있죠. 그런데 중국과 이 문제를 풀 때도 핵문제가 있는 한 일부는 몰라도 전면적인 중국의 지원은 어려워요. 중국에 대한 국제사회의 간섭이 있기 때문이죠. 중국과의 전면적인 결합에서 또 하나의 장애물은 북한이 지금까지 내세운 자주외교, 자주국방, 자립경제 노선을 포기해야 한다는 겁니다.

셋째, 자력갱생을 하는 길입니다. 회생은 고사하고 현상유지라도 하려면 식량문제를 우선 해결해야 해요. 식량문제를 자력으로 해결하려면 우선 농업개혁을 해야 하고요. 그런데 개인농을 인정하는 농업개혁은 그동안 그들이 고수해온 집단주의와 맞지 않죠. 그건 비사회주의적 정책이니까요. 이걸 하려면 저게 문제고, 저걸 하려면 이게 문제이기 때문에 획기적인 어떤 결단을 내리지 않는 한 회생이 어렵다고 봅니다.

오연호 사회 · 경제적으로는 이미 파탄 지경이지만 정치 · 군사적 체제는 유지되고 있는 북한의 이런 부조화가 앞으로 몇 년쯤 뒤에 극대화될 거라고 보십니까?

법륜 정확히 계산할 수는 없지만 4~5년 정도 지나면 모순이 극대화하지 않을까 싶어요. 북한 체제의 생명을 연장하는 수단이 몇 개 있긴 하지만, 다 한계점에 도달했거든요. 무기를 팔아서 외화벌이를 하는 것도 이제 막혔잖아요. 그래서 석탄을 팔다가 그것도 모자라서 아예 중국에다 광산을 팔고 있죠. 그런데 석탄 수출은 당장 북한 내 화력발전 축소 등 에너지 부족을 가져오게 됩니다. 또 물고기를 팔다가 안 되니까 어장까지 통째로 넘겨주는데, 이렇게 재투자가 안 되니까 점점 한계점에 다다르고 있어요. 자원이 무한히 있는 게 아니니 이런 착취적 경제는 언젠가는 한계점에 이르죠.

요즘은 자원을 파는 데 한계가 있으니 북한의 노동력을 해외에 팔아 외화벌이를 합니다. 연 5만~10만 명이 해외에 나가 외화벌이를 하죠. 하지만 지금 이것도 어려움이 있어요. 노동 비자가 쉽게 나오지 않거든요.

굶어 죽는데 왜 민란은 없나

오연호 한계점에 도달하는 데 4~5년 정도 남았다면 무척 가까운 시기가 되겠네요.

법륜 그렇습니다. 유일한 탈출구가 있다면 그것은 친중국 노선을 확실히 선택하는 것입니다. 그리고 중국식으로 전면개방을 하는 거죠. 그렇게 되면 경제적으로 중국에 거의 예속된다고 봐야죠. 경제뿐만 아니라 점차 정치적으로도 친중세력이 득세하게 될 것이고요. 그러면 결국 친중세력이 집권하게 되는 겁니다. 제가 볼 때 지금 북한이 남북관계나 북미관계를 획기적으로 풀지 않는 한 이것이 자신들의 체제를 유지할 수 있는 유일한 방법이죠.

오연호 거의 중국에 흡수되다시피 할 텐데요.

법륜 자주노선의 포기죠. 국방, 정치, 경제의 자주를 다 포기하는 겁니다. 문제는 북한이 이렇게까지 하겠느냐는 것이고, 또 이것이 우리 민족의 통일에 도움이 되느냐는 것이죠. 북한이라는 한 나라로 볼 때는 그 길이 하나의 탈출구가 될 수 있지만, 한반도라는 한 민족의 측면에서 볼 때는 민족의 반쪽이 중국에 점점 예속되는 과정이에요. 이런 길로 가면 통일은 점점 더 어려워진다고 봅니다. 그래서 우리가 통일을 원한다면 이런 북한의 처지를 이해하고 통일정책을 추진해야 합니다.

오연호 사회 · 경제적 붕괴가 어느 정도인지를 가늠할 때 가장 기본적인 것이 먹고사는 문제죠.

법륜 북한은 식량만 자급자족하면 꽤 오래 유지될 거예요. 사실 먹는 것만 해결되면 북한 주민들의 요구는 그리 높지 않습니다.

오연호 북한 인구 중 어느 정도가 제대로 못 먹고 있나요?

법륜 절반 이상이라고 봐야죠. 그중 또 절반은 생존을 겨우겨우 유지하는 절대빈곤의 수준에 있다고 봅니다.

오연호 북한은 배급사회인 데다 빈부격차가 크지 않은 비교적 평등한 사회라는 것이 그들의 주장이었죠. 그런데 왜 가장 기초적인 먹는 문제에서, 제대로 먹는 사람과 못 먹는 사람으로 나뉜 건가요?

법륜 북한은 원래 배급사회인데 지난 15년간 배급을 제대로 못 하니까 배급받는 사람과 못 받는 사람 사이에 크게 빈부차이가 나게 되었죠. 물론 지배층인 당 간부들과 군인들에게는 배급이 되죠. 국가를 유지하는 데 필요한 인력은 배급으로 장악하고 있어요. 그러나 그 밖의 사람들은 방치하고 있는 겁니다.

그리고 장마당이라고 부르는 시장을 이용해 돈을 버는 계층이 있죠. 이들은 스스로 장사해서 번 돈으로 간부들과 결탁한 뒤 장사를 보장받고 있어요. 이른바 '돈주'라고 하는 시장세력인데, 자본주의자들이라고 할 수 있습니다. 북한에서 새롭게 등장한 계급이라고 볼 수 있어요.

그러면 극빈세력은 누구일까요? 체제로부터 보호받지 못해 배급도 없고, 시장의 경쟁에서도 살아남지 못해 스스로 생존도 못하는 사람들이 극빈층이죠. 주로 도시의 일반 노동자들입니다. 그다음으론 농민들이 있어요. 농민들은 이런 최극빈층보다는 낫죠. 농촌에서는 그래도 풀이라도 뜯어 먹을 수 있으니까요. 하지만 식량이 부족하다 보니까 정부는 국가 유지에 필요한 식량을 농민의 먹을거리에 우선해 가져가겠죠. 그래서 직접 농사를 짓긴 하지만 먹을 것이 부족해서 굉장히 곤궁합니다.

오연호 그 정도 상태라면 왜 북한에서 민란이 일어나지 않을까요? 배고파서 못살겠다는 것은 저항을 불러오는 원초적 동기잖아요. 북한에서 작은 규모지만 저항이 있었다는 미확인 보도도 이따금 전해집니다만, 체제를 위협하는 대규모 민란이 일어나지 않는 이유가 북한 지배권력에 의한 강력한 통제 때문인 것만으로는 잘 해석되지 않습니다.

법륜 첫째는 억압구조가 아주 강고하기 때문입니다. 우리 역사상 어떤 시대보다도 권력이 주민을 억압하는 구조가 최고로 강고합니다. 둘째는 유일사상 10대 원칙 등 사상·교양 교육이 그동안 엄청나게 이루어졌기 때문입니다. 물리적으로 억압만 하는 게 아니라 사상교육을 시켜서 스스로 저항하지 못하도록 한 거죠. 고난의 행군이라고 하잖아요. 일제강점기 때 그 어려웠던 시기를 극복한 것과 비교하면서 그래도 지금이 그때보다 낫다는 사상·교양 교육을 합니다. 그것이 그 어떤 나라의 강압체제보다 통제에 효과가 있죠.

셋째는 북한 정부가 천리마 운동 등 사회주의 건설 과정 초기에 대중의 지지를 받았기 때문입니다. 정권 초기에 항일세력을 기반으로 했고, 토지개혁도 대대적으로 단행해서 대중의 지지를 받았으니 북한의 기성세대는 대부분 북한 체제에 순종하는 편이에요. 사실 1950, 60년대는 물론이고 1970년대 초까지도 북한이 남한보다 잘

살았죠. 그런 상황에서 60년 이상을 살았기 때문에 정부에 저항한 경험이 없어요. 게다가 비판자들에 대해 강력한 탄압구조가 작동하고 있으니 더욱 어렵죠.

오연호 요즘 세대들은 북한이 1970년대 초까지도 우리보다 잘살았다고 하면 고개를 갸웃할지 모르겠습니다만, 설명을 들으니 좀 이해가 됩니다. 북한 정권이 초기에 주민들의 지지를 받았기 때문에 주민들은 북한 체제에 대한 자발적 협조와 존경이 내재화돼 있어서 새로운 불만 요소가 발생해도 그냥 참아버리는 거군요.

법륜 그에 비해 우리 남한은 어떤가요? 정부수립 초기부터 민중이 정부에 대해, 저들은 친일세력으로 나쁜 놈들이라 부당하다는 인식을 가지고 있어서 저항이 당연시됐죠. 그러니까 그 이후에도 저항이 계속 일어나고, 폭압이 있어도 두려움이 비교적 적다는 거예요. 이미 저항이 정당화돼 있는 시대에 우리가 살았거든요.

하지만 북한은 초기부터 정부에 대해 사람들이 지지하고 순종하는 체제에서 출발했기 때문에 저항이 굉장히 어려운 거예요. 또 저항의 경험이 별로 없으니 엄두도 못 내죠. 게다가 저항에 대해 아주 무자비할 정도로 탄압을 가하니 쉽게 일어나기가 어려운 겁니다.

오연호 아까 스님께서 4~5년 정도가 고비일 거라고 말씀하셨는데, 저항을 제대로 할 수 없는 환경이지만 불만의 정도가 워낙 심해서 이제는 폭발 지점까지 왔다는 건가요?

법륜 민중은 힘이 약하지만 참다 참다 견디지 못하면 자연적으로 폭발하고 맙니다. 물론 많은 희생을 치르게 되겠죠. 거기에다 권력 재편 과정에서 쫓겨난 간부들의 불만까지 겹치면 저항이 조금 더 거세질 가능성이 있습니다. 그리고 이제 팔아먹을 건 다 팔아먹어서 더 이상 경제를 유지하기도 어렵기 때문에 개선되기가 쉽지 않아요. 안타까운 일이죠. 그동안 죽겠다고 아우성치는 사람들을 2012년에 강성대국의 문이 열린다고 강조하면서 여기까지 끌고 왔는데, 여기서 또 더 가보자고 하면 이젠 더는 못 가겠다고 주저앉을 수도 있고요.

화폐개혁의 실패 역시 한 요인입니다. 이것이 굉장한 민심 이반을 가져왔어요. 그전에는 어떤 문제가 생기면, 이건 자연재해라서 또 미국이 경제 봉쇄를 해서 어쩔 수 없었다고 둘러대면 사람들이 반신반의하면서도 그냥 따라갔죠. 그런데 화폐개혁의 실패는 자연재해 탓도 미국의 봉쇄 탓도 아니고, 당이 경제정책을 잘못 시행해서 민중을 고통에 빠뜨린 것이잖아요. 당이 우리를 보살펴주는 것이 아니라 우리를 못살게 하고 살림을 파탄으로 이끌었다는 인식이 남아 있어서 당에 대한 신뢰가 많이 훼손됐죠.

오연호 현재와 같은 북한의 체제를 유지해온 사상적 기반은 주체사상입니다. 철학사 속에서 봤을 때 주체사상은 어떤 맥락에서 나온 것일까요? 북한이 효율적 권력 유지를 위한 방편으로 만들어낸, 어찌 보면 조악한 사상이기 때문에 철학사 속에서 평가한다는 것 자체가 무리인가요?

법륜 북한 사회의 기본 사상은 사회주의입니다. 그런데 국제 사회주의가 중-소로 분열돼버리는 바람에 어느 사회주의를 선택할 것인가 하는 문제가 대두됐죠. 결국은 이도 저도 다 부정하고 '우리식 사회주의'를 만들자는 생각에서 나온 이론이 바로 주체사상입니다. 러시아의 사회주의는 노동자가 중심이죠. 그런데 중국의 사회주의는 오히려 농민이 주축입니다. 러시아 사회주의의 기반인 마르크스 사상은 사회발전을 철저하게 객관성에 근거해 분석합니다. 그러면서 노동자를 결집시키는 프롤레타리아 독재론을 주장하죠.

그런데 중국의 모택동 사상은 조금 다릅니다. 모택동 사상은 사회발전에서 객관적 환경도 중요하지만 어느 정도는 인간의 의지가 중요하다고 봅니다. 도인정치 또는 성인정치 같은 중국적 요소의 영향을 받아서인지 모택동은 인간의 품성을 중시하는 이론을 많이 강조합니다. 그런데 이게 성공을 거둡니다. 중국공산당도 초기에는 진독수 등이 러시아식으로 해보려다가 실패했는데 모택동이 중국 국민들의 정서에 맞게 일부 변형을 해서 성공한 거죠.

북한의 사회주의는 이 중국의 영향을 받아 인간의 주관이 더 강조됐습니다. 그러니까 인간이 주변 환경의 영향을 받는 존재를 넘어 주체적인 의지로 주변 환경을 자기에 맞게 변화시킨다는 측면이 더 강조된 거죠. 그런 면에서 북한의 주체사상은 독일의 마르크스 사상, 러시아의 레닌 사상, 중국의 모택동 사상을 거쳐서 더욱더 관념화된 것이라고 볼 수 있죠.

오연호 '인간의 주체적 의지가 환경을 변화시킨다'는 것을 강조한다는 측면에선 긍정적이네요.

법륜 글쎄요, 인간의 주체적 의지가 너무 강조되면 주관주의로 흐르고 결국 유사종교화하기 쉬워요. 실상은 국제 사회주의가 분열하고 갈등을 빚으니까 자기만의 독자적인 체제를 유지하고 권력을 지속하기 위해서 이런 요소들을 더 강조한 겁니다. 학문에 근거해서 정치가 나온 것이 아니라 현실정치를 유지하기 위해서 그에 맞는 학문을 만들어냈다고 볼 수 있죠. 따라서 이것은 정치적 의도와 관계가 있다고 봐야 합니다. 이 사상이 얼마나 객관성이 있는가보다는 그 필요성이 어디에서 나왔는가가 중요합니다.

오연호 수령론(首領論)은 주체사상의 핵심이죠.

법륜 주체사상에서 사회정치적 생명체라는 개념은 수령·당·대중의 통일체로서 인민대중은 당의 영도 밑에 수령을 중심으로 사상적으로 결속되어 영생하는 생명력을 지닌다고 보고 있어요. 그러다 보니 수령절대주의와 수령독재를 옹호하게 되죠. 결국 철저하게 일인독재론을 옹호하는 쪽으로 발전했어요. 이것이 러시아, 중국과 다른 점이죠. 그들은 공산당 일당독재였는데 주체사상은 수령 일인독재로 변해갔습니다. 공산당의 무오류성이 아니라 수령의 무오류성을 강조하게 됩니다.

그러니 현재 북한은 봉건왕국과 다를 바가 없어요. 봉건왕국이라면 김일성 다음에 아들 김정일이 후계자가 되는 것이 하나도 이상

하지 않은 겁니다. 그들 스스로도 우리 민족을 김일성민족, 아니 태양민족이라고까지 부르지 않습니까.

오연호 북한 상층부에서는 통치의 수단으로 주체사상을 강조하고 그 연장선상에서 일인독재를 실시했다 하더라도 북한 주민들이 그것을 오랫동안 받아들였다는 점을 어떻게 이해해야 할까요?

법륜 북한 주민들은 그동안 민주화 과정을 한 번도 거치지 못했잖아요. 조선왕조에서 일제강점기로, 그리고 다시 사회주의 독재로 넘어왔기 때문에 민주화라는 것을 전혀 경험하지 못했어요. 그래서 김일성 독재체제로 자연스럽게 넘어올 수 있었죠. 현재 남한에서 다시 왕조나 독재체제로 돌아가려고 한다면 엄청난 국민적 저항에 부닥치고 사회적 비용을 많이 치러야 할 텐데 북한 사회는 계속 봉건 상태로 유지되어왔습니다. 그런 면에서 현재 북한 사회는 말이 사회주의지 봉건적인 요소가 너무나 많아요. 북한 지도부에는 김일성 가계뿐만 아니라 개국공신들까지도 대를 이어 주요 직책을 세습하는 경우가 많습니다.

권력세습에 대한 비판과 용인

오연호 그러면 북한의 권력세습 문제에 대해 본격적으로 이야기를 나눠보겠습니다. 북한의 세습 문제를 보는 남한 사람들은 대부분

"도대체 이해가 되지 않는다. 아무리 독재정권이라 하더라도 3대에 걸쳐 세습하는 것은 문제가 있지 않은가. 김정일까지는 어찌 봐줄 수도 있겠는데 또 김정은에게까지 이어지는 것은 이해할 수가 없다"는 반응을 보입니다. 그러나 북한은 김정일 사후에 김정은으로의 3대 세습을 완료했습니다. 스님께서는 이것을 우리가 어떻게 이해하고 대응해야 한다고 보십니까?

법륜 우리가 부정한다고 해서 북한 체제가 바뀌는 것은 아니잖아요. 우선은 북한의 이런 체제를 이해하는 관점에서 봐야 합니다. 북한은 김일성 왕국과 같습니다. 그러니까 북한을 왕조국가로 보면 이해하기가 쉬워요. 왕조국가이기 때문에 아들이 다음 왕이 되는 것은 당연한 것이죠. 북한만 왕조국가인 것이 아니라 아직도 이 세상에는 사우디아라비아를 비롯한 여러 왕국이 있지 않습니까. 북한도 그런 왕국의 하나로 볼 수 있어요. 다만 북한은 사회주의를 주장하는 왕조국가일 뿐이죠. 북한에서는 최고지도자뿐만 아니라 개국공신들도 후손에게 지위가 세습되다시피 합니다. 개국공신들의 자손들도 모두 대를 이어 김일성 왕조에 충성하고 그 대가로 지위를 얻습니다.

북한에서는 이렇게 왕과 개국공신들이 중심이 되어 지배체제를 구성하고 있어요. 이런 현실에서 보면 북한의 권력세습은 특별한 게 아니죠. 그래서 북한의 관리들도 이에 대해 별다른 문제의식을 가지고 있지 않습니다. 제가 북한 관리들을 만나서 "이것은 당신들이 볼 때도 문제가 있지 않은가"라고 물으면, "다른 대안이 없지 않은가. 현재 북한을 하나로 단결시키려면 대안은 이것뿐이다"라고 말합니다.

이런 상황이다 보니 남북이 대화하려면, 정부 차원에서는 남북이 서로 체제가 달라도 그것을 인정하고 관계를 맺을 수밖에 없어요. 사우디아라비아 왕국, 부탄 왕국, 쿠웨이트 왕국과도 그들의 체제를 이해하고 외교관계를 수립하듯이 북한과의 관계도 하나의 독특한 정치체제로 그 실체를 인정하는 측면에서 바라볼 수밖에 없죠.

중국의 정치체제가 우리가 보기에 부정적이라고 해서 우리가 중국을 인정하지 않을 수는 없잖아요. 우리가 북한과 대화하려면 유엔에 가입된 국가로서의 북한을 정치적 실체로 인정해야 합니다. 물론 저 개인적으로는 권력세습에 당연히 비판적입니다만, 국가 간 외교에서는 현실을 인정해야 한다는 점을 말하는 겁니다.

그런데 이 문제를 우리 같은 외부 사람의 입장이 아닌 북한 주민의 입장에서 보면 또 조금 달라질 수 있다고 생각합니다. 그들은 충분히 문제제기를 할 수 있습니다. 김일성 왕조체제에 의한 권력세습이 과연 조선민주주의인민공화국 헌법에 부합하느냐고 말입니다. 조선민주주의인민공화국 헌법이 권력세습이나 일인독재를 옹호하고 있다고 볼 수는 없거든요. 그런 면에서 현재의 권력구조는 북한 헌법의 정신에 어긋난다고 볼 수는 있어요. 그러니 북한 주민들의 입장에서는 권력세습이 북한의 사회주의적 이념에 맞지 않는다, 헌법 정신에 맞지 않는다고 문제를 제기할 수 있다는 겁니다. 북한 헌법을 입헌군주제로 바꾸지 않는 이상 세습은 맞지 않는 거죠.

정리하면, 어떤 체제를 선택하든 그것은 북한 주민의 문제이기 때문에 권력세습에 대해 우리가 그것을 부정하면서 관계를 단절할 필요는 없지만, 북한 주민들의 입장에서 볼 때에는 사회주의 헌법에 근거해서 충분히 문제제기를 할 만하다고 생각합니다.

오연호 어느 사회나 핵심권력이 세습되면 일반인들의 신분상승을 위한 기회의 창은 그만큼 좁아지겠죠. 북한도 상층권력이 세습된다면 하층민이 능력을 발휘해서 신분상승을 할 수 있는 기회가 줄어들 것 같습니다.

법륜 지금 북한 헌법을 보면 어떤 계급적 기득권도 인정하고 있지 않습니다. 인민이 주인이며 누구나 자기의 재능에 따라 일할 수 있도록 되어 있죠. 그러나 현실은 봉건왕조와 비슷합니다. 왕과 개국공신뿐만 아니라 하급 관리들도 점점 신분이 세습되고 있어요. 이른바 '토대와 성분'이라는 새로운 신분질서를 만들었는데 이것은 옛날의 양반 · 상놈 구분과 비슷합니다. 그러니 농민의 아들이 정부의 중앙관리가 되는 경우는 이제 매우 드물죠. 농민의 아들은 농민이 되고, 군인의 아들은 군인이 되고, 관리의 아들은 관리가 될 확률이 점점 높아지고 있습니다. 권력상층부만 세습되는 것이 아니라 중간층으로도 확산되고 있고 점차 그런 비율이 커져간다는 거죠.

그런데 문제는 지금 우리 한국 사회도 점점 이렇게 되어가고 있다는 겁니다. 자본이 세습되고 있어요. 돈에 의해서 점점 사회적 지위가 결정되고 있잖아요. 법조인이나 의사의 자녀들은 부모와 비슷한 직업을 가질 확률이 점점 높아지죠. 반면 농민의 아들이 의사 되기는 무척 어렵습니다. 의대 들어가기도 어려울뿐더러 들어가서도 그 학비를 감당하기가 어렵죠. 이렇게 되면 사회 활력이 떨어집니다.

오연호 북한이 정치권력을 세습한다면 남한은 경제권력을 세습한다고 할 수 있죠. 기업이건 개인이건 자식에게 재산을 물려주는 것이 일반화돼 있습니다. 특히 대기업이 자식들에게 회사를 물려주는 과정에서 편법과 불법을 동원해 사회적인 물의를 일으킨 적도 많죠.

법륜 어디 대기업뿐인가요? 심지어는 일부 대형 교회도 세습되잖아요. 이렇게 되면 부가 점점 한쪽으로 편중됩니다. 북한의 세습에 대해 비판만 할 게 아니라 우리 남한도 스스로 돌아보고 경계해야 합니다.

오연호 본질로 따지면 세습에 큰 차이가 없다는 거죠?

법륜 남한은 자본주의 사회이니 그 핵심인 경제력이 세습되는 것이고, 북한은 사회주의 사회이니 제일 중요한 정치권력이 세습되는 거죠. 양쪽 다 체제의 핵심 권력이 세습되고 있습니다. 차이가 있다면 남한은 그것이 합법적이라는 거죠.

오연호 통일문제와는 좀 별개입니다만, 한 가정 안에서도 세습이 이뤄지죠. 부모들 입장에서는 이런 마음을 다들 가지고 있는 것 같습니다. 자신이 살아오면서 세상이 얼마나 험난한지, 기댈 언덕이 없으면 얼마나 고생하는지 체험했기 때문에 갖고 있는 재산 중 일부를 자녀에게 상속해주고픈 마음이 있는 거죠. 넉넉지는 않더라도 우리 자식이 다른 사람에 비해 쪼들리거나 기를 못 펴는 일은 면하게 해줘야겠다는 심정일 겁니다. 그래서 재산을 상속하거나 결혼할 때 전셋집이라도 얻어주는 문화가 형성돼왔죠.

반면에 일부이긴 하지만 최근 들어 자식에게 재산 물려주지 않기 운동도 생겨나고 있습니다. 북한의 정치권력, 남한의 경제권력 같은 큰 권력들 말고, 일반 가정에서 이뤄지는 부의 대물림에 대해서는 어떻게 생각하시나요?

법륜 재산을 자식에게 물려주는 것이 꼭 좋은 일은 아닙니다. 물론 자식들은 좋아하겠죠. 그러나 물려받은 사람의 행복도나 자립도 등을 종합적으로 검증해볼 때 저는 부정적입니다. 남이 볼 때는 여유롭고 편하게 사니까 좋아 보이겠지만, 과연 그 사람이 행복한지가 문제죠.

예를 들어 결혼할 때 부모로부터 물려받을 재산이 둘 다 없으면 그냥 사람만 보고 결혼하는데, 재산이 있으면 사람이 아닌 재산이 더 크게 보이죠. 그랬을 때 그 결혼생활이 과연 행복할까요? 결혼생활이 행복하지 않으면 그 자녀가 정신적으로 건강하지 않죠. 물론 재산을 물려받고 행복하게 사는 사람도 있겠지만, 저는 그리 많지 않다고 봅니다.

그래서 저는 재산을 많이 가진 사람들에게 과감히 사회에 환원하라고 이야기합니다. 자녀에게 물려주는 것은 자연의 원리에도 맞지 않습니다. 제가 엄마들에게 하는 이야기도 자연의 원리에 맞지 않게 자식을 키우면 잘못될 확률이 높다는 겁니다. 자연의 생태계에서는 어떤 동물도 사람처럼 세습을 하지 않아요.

오연호 그러고 보니 동물들은 세습을 하지 않네요.

법륜 세습을 하지 않으니 자연 속 동물들은 건강하죠. 자녀를 키울 때 바람직한 것은 어릴 때는 끔찍이 사랑하고 돌봐주고 자라면 일정한 학습을 마칠 때까지 부모가 도와주지만, 스무 살이 넘으면 자립하도록 해야 합니다. 이런 원칙을 딱 지키고 나서 나머지 재산은 죽을 때 사회에 환원해야죠.

그래야 새로 출발하는 아이들이 동일선상에서 서로 선의의 경쟁을 하게 되겠죠. 우리 초등학교 다닐 때는 시골에서 고만고만한 애들끼리 서로 어울려 다니니까 요즘처럼 친구 간에 위화감도 없고 따뜻한 우정을 나눴잖아요. 지금은 재벌 집 아이하고 가난한 집 아이 사이에 우정이 생기겠어요? 아이들 사이에도 벌써 주인과 종 관계가 생깁니다. 저는 권력세습이든 재산세습이든, 결국 나쁜 결과를 가져올 거라고 봐요.

하지만 이 세상은 꼭 좋은 것만 유지되는 건 아니잖아요. (웃음) 그러니 현실적으로는 이런 것을 인정할 수밖에 없다고 봅니다. 우리가 그것을 비판하는 것과 현실적으로 인정하는 것은 다르잖아요. 대형 교회나 재벌이 아들딸에게 재산을 세습했다고 해서 우리가 그

교회나 회사와 거래를 하지 말아야 하는 건 아니라는 겁니다. 우리가 그것에 대해 비판적이긴 하지만, 현실의 법에 어긋나지 않는다면 그 현실을 인정할 수밖에 없다는 거죠.

오연호 북한의 세습도 비판은 하지만 인정할 수밖에 없다고 보시나요?

법륜 네, 비록 못마땅하긴 하지만 그들을 상대하려면 현실적으로 그들의 실체를 인정할 수밖에 없다고 생각해요. 우리는 5·16군사쿠데타를 반대하지만 현실적으로 박정희 정권을 인정해야 했고, 전두환 군사정권을 반대하지만 현실적으로 인정하고 살았잖아요. 대형 교회나 재벌의 세습같이 우리 안에 있는 것들을 용인하듯이, 북한의 권력세습도 용인하지 않을 수 없다는 것이죠. 거듭 말하지만, 저는 그것에 대해 비판적이지만 현실을 인정할 수밖에 없다는 겁니다.

사실 현재 북한 사회문제의 핵심은 권력이 세습되고 있는 것이 아니라, 사람이 굶어 죽는데도 아무런 대책을 못 세우고 있는 것입니다. 이것을 강력하게 비판해야죠. 왕조를 세우든 뭘 하든 그것은 북한이 알아서 할 일이지만, 인민공화국에서 인민을 굶어 죽게 하거나 병들어 죽게 하거나 기본 교육도 시키지 않거나 인권을 유린하는 일은 비판받아 마땅하죠.

우리가 북한에 요구할 수 있는 것은 북한 주민들이 선택한 북한의 사회주의 헌법에 맞게 체제를 유지하라는 거죠. 즉 완전한 민주주의는 아니더라도 당내 민주주의는 실현돼야 한다는 겁니다. 신라시대만 하더라도 화백제도가 있었잖아요.

오연호 어쨌거나 북한은 김정일 사후 3대째 권력이양이 되었는데요. 김일성에서 김정일로의 이양과 김정일에서 김정은으로의 이양은 질적으로 차이가 좀 있을까요? 그것을 바라보는 북한 주민들의 시선이나 권력집단 내부의 충성도 측면에서요.

법륜 큰 차이는 없습니다. 그냥 김씨 왕조라고 생각하면 모든 문제를 이해하기가 쉽습니다. 왕조니까 당연히 아들에게 권력이 세습되는 거죠. 그래서 북한에서는 대를 이어 충성하자고 말하는 거잖아요.

다만 김일성-김정일 권력 이양은 20여 년에 걸쳐 이뤄졌고, 장자라는 승계의 원칙도 분명해서 매우 안정적으로 진행됐죠. 그러나 김정일-김정은의 경우는 승계 준비 기간도 짧고, 나이도 젊은 데다 경력도 부족하고 장자도 아니라는 면에서 그때보다는 조금 취약하다고 볼 수 있어요. 그렇다고 이 후계구도가 완전히 취약하다는 건 아닙니다. 김정일 사후에 별다른 혼란 없이 바로 후계가 완료되었다는 것은 그만큼 내부가 안정되어 있다는 것을 의미하거든요.

오연호 지금까지 세습 문제를 자세히 다뤄봤습니다. 이번엔 또 하나의 뜨거운 감자인 북한 주민의 인권문제를 본격적으로 다뤄보겠습니다.

스님께서는 남한의 진보세력이 북한의 인권문제에 대해 침묵한 것은 큰 실수라고 말씀하셨습니다. 남한의 진보세력이 북한 인권문제에 별다른 대응을 하지 못한 이유는 크게 두 가지를 들 수 있을 것 같은데요. 첫째, 북한과 함께 통일을 이뤄가야 하는데 인권문제를 계속 제기하다 보면 이것이 방해 요소로 작용하거나 쓸데없는 자극을 줄 수 있다는 거죠. 둘째, 북한의 실상을 잘 모르기 때문에 소극적으로 대응해온 것 같습니다.

스님께서는 오랫동안 이 문제를 고민하시고 실천도 해오셨습니다. 그렇다면 북한 체제 내에서 일어나고 있는 인권문제들을 남한 사람들은 어떤 시각으로 바라봐야 할까요? 또 어떤 방법으로 대응해야 북한 주민들에게 실질적인 도움이 될까요?

인권운동과 정치운동은 다르다

법륜 북한의 인권 상황이 열악하다는 사실을 먼저 이해할 필요가 있어요. 일부 진보세력은 열악하다는 것 자체를 자꾸 부정하면서 인정하지 않으려 해요. 우리 인권도 제대로 보장되고 있지 않다며 똥 묻은 개가 겨 묻은 개 나무란다는 논리를 펴죠. 이것은 무지이자 자기변명일 뿐입니다.

우선 북한 인권 상황이 열악한지 아닌지가 논란이 된다면, 최선을 다해서 알아봐야죠. 북한에 가보지 않고 어떻게 알 수 있냐고요? 지금 북한에서 남한으로 넘어온 사람이 2만 3000명이나 됩니다. 그들 중 아무나 무작위로 선발해서 몇십 명만 만나보면 북한 인권이 얼마나 열악한지 알 수 있습니다. 외면하니까 모르는 것이지 알려고 하면 얼마든지 알 수 있는 자료가 있죠. 북한 인권 상황은 우리의 1970, 80년대 인권 상황보다 훨씬 더 열악합니다. 이런 사실을 정확하게 이해할 필요가 있습니다.

오연호 그렇다면 우리가 무엇부터 어떻게 도와야 할까요?

법륜 우리가 북한 주민의 인권 개선을 위해 실질적으로 도와줄 수 있는 방법은 많지 않습니다. 앞으로 많은 연구를 해야 할 문제인데요. 돕는 것을 생색내서도 안 되고 북한 정권을 쓸데없이 자극해서 북한 주민들을 오히려 위축되게 하거나 피해를 받게 해서도 안 됩니다. 그러기 위해서는 인권운동과 정치운동을 확실히 구분할 필요가 있어요. 물론 인권과 정치, 인권과 민주화는 매우 밀접한 관련이 있습니다. 하지만 지혜로울 필요가 있어요.

중국을 예로 들자면, 인터넷상의 표현의 자유 등 특정한 인권 실상이 열악함을 지적하고 그것의 개선을 요구하면 그건 인권운동의 범주에 속합니다. 그러나 인권문제의 원인이 공산당 일당독재에 있다고 하면서, '후진타오 물러가라, 중국공산당 해체하라' 등을 내세우면 그건 정치운동이 됩니다. 또 박정희 시대를 예로 들자면, 유신독재 타도운동은 정치운동이지만 노동 3권 보장을 요구하는 것은 인권운동이죠.

우리가 북한 인권이 열악하다는 것을 인식하고 개선하기 위해 나설 때는 두 가지 방법이 있어요. 하나는 인권운동이고, 또 하나는 근본적인 체제 변혁이 있어야 한다고 주장하는 민주화운동이에요.

그런데 정부 차원에서는 후자를 선택할 수가 없죠. 노태우 정권 시절에 만든 '남북기본합의서', 김대중 정권 때 합의한 '6·15공동선언'에서 남북이 서로의 체제를 인정하고 내정간섭을 하지 않기로 했거든요. 그래서 이런 민주화운동은 남한 정부 차원에서는 하기 어렵고, 민간 차원에서 해야 합니다.

오연호 남한 정부 차원에서는 북한 인권을 위해 도와줄 것이 없다는 건가요?

법륜 비정치적 분야의 인권 개선운동이 있죠. 미국이 한국 정부에 인권 개선을 요구한 사례를 보세요. 1980년에 전두환 독재정권이 당시 김대중 야당 지도자를 사형시키려고 하니까 안 된다며 압력을 넣었잖아요. 이처럼 정부 차원에서는 개별적 인권 사안에 대응하거나 인도적 지원을 통해 생존권을 보장해주는 것이죠.

지금처럼 북한 정권 타도를 앞세우는 방식은 남한 정부가 하기에는 비현실적인 데다 좋은 효과를 내기도 힘들다는 거죠. 남한의 진보가 북한의 인권 실태를 모르고 있는 데다 인권 개선을 위해 아무런 노력도 하지 않는 것이 문제라면, 보수는 북한 인권 개선운동을 한다면서 북한 정부를 붕괴시키려는 정치운동으로 이어진다는 게 문제입니다. 게다가 그런 운동을 남한 정부 차원에서 해야 한다고 주장하는 것이죠. 만일 남한 정부가 그렇게 한다면 남북 간 정부 대

정부의 관계는 파탄이 날 것을 염두에 두어야 합니다.

여기서 잊지 말아야 할 것은 우리에게 북한 인권 개선도 중요하지만, 한반도의 평화와 통일이 더 중요한 문제라는 겁니다. 그러니 정부 차원에서는 서로를 인정하고 대화가 오고 가야지, 정부더러 북한 정권을 비판하는 정치운동을 하라고 해서 남북관계를 파탄낼 필요는 없죠. 민간 차원에서 하는 것은 그들 자유겠지만요.

오연호 그렇다면 민간 차원에서 북한 인권을 돕는 운동을 할 때 주의해야 할 점은 무엇인가요?

법륜 북한 주민들이 너무 겁내지 않고 스스로 할 수 있는 방법을 찾아 돕는 거죠. 이쪽에서는 그들을 도와준다고 해도 정작 당사자들이 잔뜩 겁을 먹고 움직이지 않는다면 무슨 소용이 있겠어요. 북한 인권운동을 한다면서 자꾸 김정은 정권 붕괴 같은 주장을 하라고 하면 북한 주민들이 현실적으로 할 수가 없죠.

그런 면에서 우리의 경험을 살펴보면, 남한에서 전두환 독재 반대 같은 민주화운동을 할 때 북한 정부가 이를 지원한다고 사람을 보내 이래라저래라 했을 때 과연 우리한테 도움이 됐습니까? 도움은커녕 북한 지령을 받은 것이라며 항상 탄압의 근거가 되었잖아요. 그리고 남북관계가 긴장이 되면 항상 민주화운동이나 인권운동에 악영향을 주었죠. 그러니 이쪽에서 큰 목소리로 북한 정권 타도를 외친다고 해서 그것이 바로 북한 주민들의 인권 개선에 보탬이 되는 것이 아니라 오히려 북한 주민들을 탄압받게 할 수도 있다는 점을 고려해야 합니다.

오연호 매우 세심한 배려가 필요하겠군요.

법륜 그렇습니다. 그러면 우리는 외부에서 무엇을 해줄 수 있을까요? 저는 오히려 남북관계의 긴장을 해소시켜 북한 주민의 운신의 폭을 넓혀줘야 한다고 봅니다. 앞서 말했듯이 남북관계가 좋아지면 민주화운동이 훨씬 쉬워졌잖아요. 그런데 남북관계가 나빠지고 긴장이 고조되면 국가안보를 위한다는 목소리는 커지고 민주화 세력은 움츠러들죠.

마찬가지로 우리가 남북관계를 풀어주고, 그 분위기로 북한 내에서 주민들이 자유롭게 의사표현을 할 수 있도록 도와주자는 겁니다. 그래서 남북 간의 긴장 완화는 남북교류와 경제협력뿐만 아니라 북한 인권문제 개선에도 아주 중요한 도움이 됩니다. 그러니 외부환경을 개선시켜주면서 북한 주민의 눈높이에 맞는 인권운동이 이뤄질 수 있도록 배려해줘야 합니다. 예를 들어 전태일이 1970년대에 행동했던 것처럼 말이죠.

오연호 전태일 열사가 지금 평양에 있었다면 어떤 인권운동을 할지 궁금해집니다.

법륜 1970년대에 평화시장에서 일하던 전태일 열사는 박정희 정권 타도, 민주화, 대통령 직선제 개헌 등을 요구한 것이 아니라 단지 노동 3권 보장해달라고 한 거잖아요. 버젓이 있는 법을 좀 지켜달라는 것이었죠. 법질서를 지키자는 것이야말로 친체제운동 아닌가요? 그래서 노동자들이 겁을 먹지 않고 참여할 수 있었던 거예요. 그런데도 그 당시에 반정부운동으로 취급당했잖아요. 있는 법을 지켜달라는 것조차 탄압받던 시대에, 박정희 정권 타도 같은 반정부운동을 내걸었다면 아마 노동자들은 동참할 수 없었을 거예요.

마찬가지입니다. 지금 북한 내에서의 인권 개선운동은, 조선민주주의인민공화국 헌법이나 형법에 있는 인권 보호를 제대로 보장하라는 식으로 해야 북한 주민들이 겁먹지 않고 함께할 수 있습니다. 그들이 그들의 헌법에 보장된 권리를 억울하게 침해당했을 때 그 권리를 보장해달라고 말할 수 있는 수준에서 출발하자는 겁니다. 사실 그런 수준의 요구도 탄압받을 텐데, 하물며 남한 수준의 인권을 주장한다면 북한 주민이 겁을 먹고 동참할 수가 없다는 거죠.

또 북한이 유엔에 가입돼 있으니 북한 헌법이나 형법에 유엔인권조약에 어긋나는 것이 있다면 고치라고 주장할 수도 있습니다. 유엔에서 국가보안법 시정하라고 남한 정부에 요청을 해도 안 고치면 소용없는 것처럼 북한 정부도 요청을 무시할 수 있지만, 어쨌든 그런 주장을 할 수 있다는 거죠. 반인권적인 법령은 세계인권선언에 근거해 개선을 요구하고, 이미 북한 법에 명시된 인권 조항은 지키는지의 여부를 감시한 뒤 제대로 지키라고 요구할 수 있는 거예요. 이런 주장이 북한 체제에 반대하는 것은 아니잖아요. 이렇게 북한 주민이 스스로 인권운동을 할 수 있는 분위기를 만들어주는 등 실질적인 도움을 주는 것이 우리가 할 수 있는 일 아닌가 싶어요.

예를 들어 그쪽에 전단을 보낸다면, 조선민주주의인민공화국 헌법 안에 어떤 인권 조항이 있는지를 적어 보낸다거나 김일성이나 김정일 어록 중 인권에 대해 말해놓은 것을 적어 보낸다거나 하는 거예요. (웃음) 그러면 사람들이 그걸 읽어볼 때 겁이 나지 않죠. 그들이 전단을 북한 관리나 경찰한테 보여주며, "장군님이 이런 말을 했는데 왜 당신들은 지키지 않느냐"고 말할 수 있는 자료와 논리를 제공해줘야 합니다.

오연호 남한에서는 '눈높이'라는 단어가 소통을 이야기할 때 자주 쓰입니다. 북한 주민을 도울 때도 상대방의 입장과 처지를 잘 고려해야 한다는 말씀이 참 중요한 것 같네요.

법륜 저항이란 그 당시 민중의 수준에 맞아야 두려움 없이 실천을 하게 됩니다. 현재 북한에서 주민들이 당국에 저항하는 것 가운데 장마당을 허용하라는 문제가 제일 주목받고 있습니다. 그냥 막연히 장마당을 허용하라고 하지 않고, 만일 배급을 못 줄 거라면 우리 스스로 장마당을 통해 먹고살 수 있도록 단속하지 말고 좀 놓아달라는 겁니다. 이런 주장은 누가 봐도 무조건 탄압하기가 굉장히 어렵잖아요. 그래서 이런 문제를 갖고는 주민과 관리들이 싸운단 말이죠. 보안원하고 멱살까지 잡으며 막 싸우는데, 이것도 굉장한 하나의 운동이거든요.

저항의 수준이 얼마나 높은가가 중요한 게 아닙니다. 만일 '김정은 타도'라는 벽보가 한 장 붙었다고 해봅시다. 사람들이 그걸 보고 단지 겁낼 뿐, 대중한테 영향력을 주지 않기 때문에 별로 효과가 없어요. 그런데 어느 장마당에서 관리가 부당하게 주민들의 장사 밑천과 상품을 빼앗아갔다고 칩시다. 그래서 수백 명이 몰려가서 항의를 했다면 사람들의 권리 의식에 큰 변화를 가져오겠죠. 이런 흐름에 대해 우리가 북한 주민의 입장에서 주목하고 도와줄 것이 무엇인지 살펴봐야 해요. 실질적 개선이 가능한 것을 도와야 합니다.

독재만 있고 인권은 없다

오연호 북한의 인권 상황에 문제제기를 하는 사람들은 우선 정치범수용소부터 언급하더군요.

법륜 정치범수용소(북한에서는 '관리소'라 부르며 국가안전보위부가 관할한다)는 북한 정권이 우리식 사회주의를 내걸고 김일성 독재체제를 구축할 때 이른바 친러파, 친중파를 제거하는 과정에서 출발한 것인데, 중요한 인권침해 사례의 하나입니다. 1960년대를 전후로 중·소가 분열하면서 북한은 자주노선을 내겁니다. 이 과정에서 친러파나 친중파를 제거했죠. 이 사람들은 항일독립운동이나 초기 정권수립 과정에서 중요한 동지였잖아요. 무슨 범죄를 저지른 것이 아니라 단지 유일사상 체계를 반대한 사람들이죠. 그런데 이들을 교양시킨다면서 '관리소'에다 집어넣기 시작한 겁니다. 어떤 법률에 근거한 것이 아니라, 유일사상 10대 원칙에 어긋났으니 노동을 통한 사상교양을 시킨다며 조선시대 귀양살이처럼 폐쇄된 공간에 격리해서 관리하기 시작한 거죠. 그 이후에 북한 정권은 정치적 반대자뿐만 아니라 단순한 불평불만자까지도 사상교양시킨다는 명목으로 계속 관리소에 집어넣었습니다. 나중에는 가족까지 끌려가는 연좌제가 적용됐어요. 굉장한 인권침해라고 볼 수 있죠.

관리소는 하루 빨리 해체되어야 합니다. 특히 연좌제로 끌려간 가족들은 즉시 풀려나야 합니다. 하지만 무조건 없애라고 하는 것보다는 법률에 근거해서 정치범을 처리하라고 요구하는 게 낫습니다. 10대 원칙만 가지고 초법적으로 처리하지 말고 법에 근거해 정당한 법적 절차를 밟으라는 거죠. 그러면 정치범수용소에 있는 북한 주민 중 4분의 3은 자동으로 나오게 될 겁니다. 그들은 정치범의 가족이라는 이유로 연좌제에 걸려서 들어간 사람들이니까요.

북한 헌법은 일당독재를 이야기하고 있지만 사실은 일인독재입니다. 그러니까 북한 사회의 민주화는 우선 첫 단계로 사회주의 헌법, 즉 조선민주주의인민공화국 헌법에 맞는 정치제도와 정치체제를 복원해야 합니다. 그런 면에서 북한 정부가 자기 정체성을 회복하려면 우선 관리소부터 해체해야 한다고 봅니다.

오연호 북한 인권을 이야기할 때 자주 거론되는 또 하나가 법의 집행 과정입니다. 공개처형도 그 사례겠죠.

법륜 우리도 예전에 경찰서에 잡혀가면 무조건 빰부터 얻어맞았잖아요. 그렇듯 북한 주민이 범법 행위를 저질렀을 때 그 집행 과정

단순히 남북한 통일만 생각하는 것이 아니라 남한에 있는 좌우를 아우를 수 있는 리더십이 있어야 진정한 통일세력이라고 할 수 있습니다. 어쩌면 남한 내에서 먼저 통합을 이루는 것이 북한과 통합하는 것보다 더 어려운 일이기도 합니다.

에서 인권침해가 많다는 거죠. 범죄자도 인권은 보장받아야 하잖아요. 그런데 북한 같은 곳에서는 범죄자라고 하면 무조건 척결 대상이기 때문에 그 사람들도 마땅히 보호받아야 할 인권이 있다는 인식이 부족해요.

그러다 보니 처벌이 어떤 선전이나 교육 수단으로 이용되는 경우가 많아요. 본때를 보여준다거나 일벌백계라고 하면서 그 사람이 지은 죄보다 훨씬 큰 형벌을 줄 때가 많아요. 이것도 인권침해에 들어가는 거죠. 만약 누가 배가 고파서 몰래 소를 훔쳐다가 잡아먹었다고 칩시다. 그랬을 때 형법 조문에 따라 5년 형, 10년 형 등 처벌을 받는 게 정상이죠. 그런데 그냥 총살을 시켜버리는 겁니다. 북한에서 소는 국가 재산이자 농사짓는 데 무엇보다 중요하죠. 그러니 아무리 배가 고프다고 해도 어떻게 소를 잡아먹을 수 있느냐, 이런 일이 앞으로 계속 일어나면 농업에 큰 차질을 가져오고 수백 수천 명을 굶겨 죽이는 원인이 된다면서 공개처형을 해버리죠. 그 사람이 지은 죄만큼만 처벌해야 하는데, 범죄를 미연에 방지하기 위해서 교양·선전용으로 과도하게 처벌을 하는 것입니다.

그런데 정작 북한 관리들에게 이런 문제제기를 하면, 무엇이 문제냐면서 이해가 잘 안 된다고 그럽니다. 이런 범죄자는 그들의 가족을 비롯해 그 누구한테 물어봐도 나쁜 놈이라며 처형해야 한다고 하는데 왜 그걸 문제 삼느냐는 거죠. 이럴 정도로 인권보호에 대한 인식이 부족해요. 이런 것도 개선돼야죠.

오연호 북한 인권을 이야기하면서 빼놓을 수 없는 것이 사상과 표현의 자유입니다. 북한은 언론을 통제하면서 주체사상에 어긋나거나 정권에 비판적인 소식을 주민들이 접하지 못하게 하고 있죠. 이를 우리가 어떻게 이해하고 대응해야 할까요? 적극적으로 문제제기를 해야 할까요, 북한 사회의 특수성으로 받아들여야 할까요?

북한 민중의 저항 에너지

법륜 북한 사회에는 사상이나 언론 · 집회 · 결사의 자유 등 우리가 보통 말하는 기본적인 자유가 없습니다. 그런데 지금 그것을 너무 우리 수준에서 문제 삼으면 남북관계를 평화적으로 진전시키기 어려우므로 매우 조심스럽게 대응해야 합니다. 북한과 대화를 해야 하는데 정면으로 이런 문제를 제기하면 더 큰 갈등이 생기기 때문에 의도와는 달리 역효과를 불러올 수 있어요.

가령 이란은 회교 율법에 따라 통치합니다. 저는 북한도 종교의 나라는 아니지만 그런 수준이라고 봅니다. 그렇기 때문에 우리 시각만 내세워 그것을 무조건 다 잘못됐다고 지적할 수는 없죠. 어느 정도 체제의 특수성을 인정하고 받아들일 수밖에 없다고 봅니다.

우리가 사우디아라비아나 이란을 볼 때 우리 시각에서는 이해할 수 없는 여러 문제가 있지만 그네들 종교의 계율이라고 어느 정도 인정하고 있지 않습니까. 예를 들면, 사우디아라비아에 가서 술을 마시지는 않잖아요.

오연호 주체사상에서는 인간이 사회변화의 주체가 되어야 한다면서 자주성과 함께 창의성도 많이 거론합니다. 그런데 오늘날의 북한에서는 개인은 물론이거니와 사회 전반의 창의성도 높지 않은 듯합니다.

법륜 북한은 유일사상으로 통제합니다. 사상적 독재죠. 종교든 뭐든 다 유일사상 체계에 부합되는 한에서만 인정이 됩니다. 이런 통제 속에서 어떤 창의성이 나올 수 있겠어요. 오히려 여러 분야에서 심각한 후유증을 낳고 있는 거죠.

오연호 그런데 북한 주민들이 왜 그런 사상적 독재를 쉽게 받아들였을까요? 아까 스님께서 조선 말기부터 지금까지 북한 지역에서 민주화 과정이 벌어지지 않았기 때문에 북한 주민들의 인권의식이 희박하다고 말씀하셨죠. 사상의 자유도 마찬가지로 이해할 수 있습니까?

법륜 네, 그렇습니다. 조선시대의 유교사상에다 일제강점기의 황국신민사상, 그리고 그다음에 나온 사회주의 사상 역시 프롤레타리아 독재 사상이죠. 게다가 주체사상은 수령독재죠. 결국 수령에 대한 절대충성의 논리로 변질되어 독재를 정당화하니 인권에 부정적으로 작용할 수밖에 없어요.

오연호 앞에서 조선 말기 의병에 대한 말씀도 하셨죠. 아무리 체제와 통치자가 민중을 옥죈다 하더라도 민중들의 기본적인 건강성이 역사의 면면에서 흘러나온다고 생각한다면, 지금의 북한 주민들이 민중으로서의 역동적 에너지를 여전히 간직하고 있다고 보십니까? 아니면 상처가 매우 깊은 나머지 위축되어 있다고 생각하십니까?

법륜 지금은 상당히 위축돼 있는 상태라고 봅니다. 우선 북한 정부가 수립된 뒤 주민들이 정부에 대항하면서 싸워본 경험이 없잖아요. 초기에 북한 정부가 주민의 지지를 받았다는 사실도 저항의 움직임을 심리적으로 억누른다고 볼 수 있습니다. 남한처럼 초기에 정부가 부당한 경우에는 저항이 상당한 정당성을 띠지 않았습니까. 그러다 보니 저항이 하나의 흐름으로 형성됐죠. 그런데 북한은 처음에 정부가 주민들의 호응을 받았기 때문에 누군가가 정부에 대항한다는 생각을 거의 못해본 겁니다. 그러는 가운데 독재가 점점 굳어지면서 아주 강고한 통제체제가 됐고 지금은 저항하기가 굉장히 어려워졌습니다. 저항이 일어나려면 역사적 자생 과정을 처음부터 다시 거쳐야 합니다. 다시 말해 조선왕조 말엽처럼 사람들이 엄청나게 굶어 죽다가 삼도민중봉기가 터지고 그다음에 동학혁명이 일어나고 하는 식의 과정을 거쳐야 하는 거죠.

하지만 그러려면 너무나 시간이 오래 걸리고 많은 희생이 따릅니다. 그보다는 우리가 북한 사회를 통일적 관점에서 포용해 외부적 영향을 주어서 변화를 가져오는 편이 훨씬 희생도 줄이고 시간도 단축할 수 있지 않겠습니까. 그러나 만약 아무런 변화 없이 독재체제를 계속 유지한다면 반드시 민중의 저항 에너지가 다시 분출할 겁니다, 많은 희생을 치르겠지만.

오연호 인권문제를 중심으로 북한 사회의 건강성을 점검해봤습니다. 그렇다면 남한은 어느 정도 건강한가 생각해보게 됩니다. 흔히 남한 사회의 문제점들로 빈부 격차, 황금만능주의, 개인주의, 퇴폐적 섹스산업, 저출산, 높은 자살률 등을 거론합니다. 이런 부정적 요소에도 불구하고 그동안 민주화 과정을 거치면서 언론·사상의 자유, 인권 신장 등을 쟁취해온 남한 사회 주민의 건강성이 북한 주민에 비해 훨씬 높다고 볼 수도 있을까요?

법륜 남한 사회 주민들의 정치적인 건강성은 훨씬 높죠. 그러나 도덕성이라든지 개인주의처럼 비판해야 할 것도 굉장히 많습니다.

우선 남한 주민들에게는 자기 권리에 대한 자각이 있습니다. 민중이 독재권력에 저항해 주도적으로 싸우고 피 흘리면서 권리를 쟁취한 승리의 역사가 있습니다. 국가를 완전히 새롭게 바꾸는 혁명까지는 못 갔어도 민주화라는 작은 승리는 경험하지 않았습니까. 지금 우리 국민들에게 자신감이 있는 것은 산업화의 승리 경험에 민주화의 승리 경험이 더해졌기 때문입니다. 이런 경험에다 우리가 통일의 경험까지 직접 이끌어낸다면 역사 속에서 짊어져온 패배의식을 대부분 극복할 수 있을 겁니다.

그런데 북한 주민들의 경우에는 민중이 스스로 싸워서 이겼다고 할 만한 경험이 없습니다. 일제와 대항했다는 승리의 경험이 있었지만 그것은 김일성 일파가 독점해서 지배의 논리로 사용하고 있을

뿐, 지금 60세 이하의 북한 주민들은 권력에 맞서 싸워 이긴 아무런 승리의 경험이 없습니다.

오연호 역사의 아이러니군요. 북한 주민들은 초기에 지지할 정권이 있었는데 그것 때문에 그 후 수동적으로 되었고, 남한 주민들은 초기에 지지보다는 저항할 정권이 있었는데 그것 때문에 그 후 능동적으로 되었다는 점이요.

법륜 상황이 너무 열악해도 문명이 발달하기 어렵고, 상황이 너무 좋아도 문명이 발달하기 어렵다는 말이 있지 않습니까. 적당한 도전이 있어야 그에 따른 응전이 있고, 그것이 문명의 발전을 가져오는 거죠. 영국의 역사학자 토인비(A.J. Toynbee)가 역사를 '도전과 응전'이라고 표현한 것처럼요. 그래서 지금 우리 아이들도 부모에게서 혜택을 너무 많이 받으면 그 상태에 안주해서 도전의식이나 창조의식이 없어져버리지 않을까 염려가 됩니다.

오연호 그동안 북한의 이모저모를 죽 지켜봐오신 스님께서 생각하시기에 남한보다 북한이 더 나은 점에는 어떤 것이 있을까요?

법륜 우선은 자주외교입니다. 우리보다 잘하는 것 같아요. 북한은 나라가 작고 형편이 어려워도 중국에든 미국에든 국가의 체통과 권위를 아주 분명히 지키지 않습니까. 통일을 하고 나서도 이런 자주외교와 자주국방의 입장은 계승해야 합니다. 우리는 잘살기만 하지 이런 문제에 약하잖습니까. 이런 면은 배워야 합니다.

의료체계의 경우 처음에는 무상이었는데 지금은 다 붕괴돼버렸기 때문에 장점을 찾을 수가 없어요. 옛날에는 잘하지 않았느냐는 얘기는 지금 꺼내봐야 소용없죠.

사실 인간성을 봐도 옛날에는 북한 주민들이 가난해도 참 순박했는데 지금은 많이 변했죠. 생존권이 보장되지 않는 상황에서 오래 살다 보니 심성이 파괴돼버린 거죠. 간부들조차도 지금은 헌신성 같은 것이 많이 없어졌어요. 전부 저 살기 바쁘죠. 6·25전쟁 뒤에 경제적으로는 피폐했지만 일종의 혁명성이라든지 엘리트들의 공익성, 국민을 위한 헌신이 엄청났고, 그래서 국민과 일치단결해서 빠르게 재건을 할 수 있었잖아요. 지금은 외부에서 설령 재정 지원이 되어도 재건되기 힘들 것 같아요. 간부들의 헌신성이 떨어져 돈이 유실되고 낭비될 가능성이 매우 높아요.

교육 분야도 원래 체계가 잘 갖추어져 있었는데 지금은 11년 무상교육도 붕괴된 상태입니다. 아직까지 유치원 교육은 잘 유지되고 있는 것 같아요. 유치원 선생님들이 무척 잘 가르치고 아이들도 공부를 잘해요. 제가 볼 때 북한에서 가장 경쟁력 있는 것은 유치원 선생님 같아요. 이 선생님들을 국제사회에 내보내면 아마 최고의 재능인이 되지 않을까 싶습니다.

오연호 남한에 비해 북한이 앞서는 점이 외교라고 했습니다만, 지금 북한은 핵무기 개발을 자주외교의 지렛대로 삼고 있습니다. 통일로 가는 길목에서 한반도에 평화를 정착시키려면 어떤 식으로든 핵무기 문제를 매듭지어야겠죠. 이 문제를 어떻게 풀어야 할까요?

법륜 한반도의 평화를 위해서는 비핵화의 원칙이 지켜져야 합니다. 그러나 북한이 현재 시점에서 핵을 포기하는 것은 어렵다고 봐요. 자기들 말마따나 굶어 죽으면서 개발한 것을 어떻게 쉽게 포기하겠어요. 북한은 재래식 무기가 남한에 비해서 많이 열세입니다. 그런 상태에서는 더더욱 포기 못하죠. 만약 자주국방 노선을 포기하고 중국으로부터 핵안보 우산을 받는다면 할 수도 있겠죠. 그런데 북한은 외세에 그들의 안보를 맡기지 않겠다는 것이 기본 방침이잖아요. 중국이 언제 뒤통수 때릴지 모르는데 어떻게 믿느냐는 입장이죠. 북한의 요구는 미국의 대북적대시 정책만 폐기된다면 핵을 포기할 수도 있다는 건데, 현시점에서 미국이 그것을 수용할 수가 없으니까 당분간 어렵다고 봐야겠죠. 이런 점을 감안해서 북한 핵문제를 한반도 비핵화의 원칙에 맞게 어떻게 해결할 것인지를 연구해야 합니다.

보수는 두려워 말고, 진보는 부러워 말라

오연호 스님은 환경운동도 오랫동안 해오셨는데, 환경문제 측면에서 남한과 북한을 비교해본다면 어떻습니까?

법륜 북한의 환경문제에서 가장 심각한 것은 산림파괴입니다.

땔감이 없어 난방연료 문제가 해결되지 않으니 전 국토가 민둥산으로 황폐화되어 있어요. 또 식량이 없어 가파른 산에까지 뙈기밭을 만드니 더욱 심하죠. 이것이 홍수와 가뭄 피해의 원인이 되기도 하죠. 지금 북한의 산림파괴 문제는 나무만 심는다고 해서 해결되지 않아요. 식량문제와 연료문제를 모두 해결해줘야 하죠. 이런 일은 통일 전에라도 우리가 해결해야 할 시급한 문제입니다.

또 하나의 문제는 식수 오염입니다. 전기가 없으니까 상수도가 제대로 가동이 안 되어 깨끗한 물을 못 먹죠. 도시조차도 상·하수도 시설이 제대로 갖춰져 있지 않아 오수와 우수가 구분이 안 된다는 말이에요. 그래서 상수도와 하수도 시설 개선이 필요합니다. 사실 남한이 4대강개발사업 같은 건 하지 말고, 오히려 북한에서 하천 정비를 해주었으면 좋았는데 말이죠. (웃음)

그래도 공기는 맑아요. 공장도 안 돌아가고 자동차도 적으니까요. 일반적인 개울물은 아직 깨끗한 편이고요.

오연호 북한 권력집단에 대한 북한 주민의 불만이 임계점에 거의 도달했다면, 통일이 되는 과정에서 북한 주민이 권력집단을 어떻게 대할 것인가도 우리의 관심사입니다. 스님께서는 앞에서 남한이 주체가 되어 통일을 한다 할지라도 현재의 북한 권력자들을 포용하고 신분을 보장해줘야 피를 덜 흘리고 통일할 수 있다고 하셨습니다.

그런데 통일 뒤 북한 권력집단에 대한 신분보장은 남과 북의 관계에서도 있어야겠지만 북한 주민과 북한 권력집단의 관계에서도 있어야 하지 않을까요? 그리고 과연 그것이 가능할까요? 남북통일

과정에서 엄청난 격변의 흐름이 있을 텐데 말이죠.

법륜 그러니까 남한에서 북한 주민의 생존권 보장을 강력하게 책임져주는 대신에, 그들의 북한 지도부에 대한 보복도 좀 자제하도록 설득해야죠. 그래야 혼란을 덜 겪고 사회통합을 이룰 수가 있어요. 그런데 남한의 보수세력은 북한 주민들의 분노를 이용해 북한 지배층에 보복을 하려고 합니다. 그래서 북한 지도부의 신분을 인정하면 안 된다는 입장이잖아요. 이런 것이 앞으로 통일의 큰 걸림돌이 되죠.

우선 남한 안에서 몇 가지 문제에 대한 합의가 있어야 합니다. 첫째, 큰 틀에서 남한이 중심이 되어 통일을 한다. 둘째, 남북 경제력 격차가 너무 커서 북한을 더 이상 방치해선 안 된다. 셋째, 남한이 자신감을 가지고 북한을 과감히 포용하자. 넷째, 북한의 지도부까지도 포용하는 아량을 베풀자. 만약 그렇지 않으면 그들이 끝까지 저항해서 분단이 고착화하거나 중국으로 대량 이탈하는 문제가 생기겠죠. 그러면 이것이 민족사 전체에 엄청난 혼란을 만들 수도 있고, 또 많은 사람들이 피를 흘리게 되잖아요. 여기에서 민족 통합을 위한 대포용이 필요한 겁니다.

오연호 어떤 식으로 포용을 해야 할까요?

법륜 우선 남한의 보수세력은 북한에 대해 자신감을 가져야 합니다. 그들은 북한에 대해 적대적이면서도 또 한편으로는 두려워하거든요. 내일 아니 모레 북한이 쳐들어올지도 모른다, 친북세력 때문에 우리 사회가 망할지도 모른다면서 북한에 잡아먹힐까 봐 아직도 두려움에 덜덜 떨고 있거든요. 그러나 현실 인식을 정확하게 하면 북한은 이제 더 이상 두려워할 필요가 없는 존재입니다. 다만 위험할 뿐인데 그것은 잘 관리해야죠. 이런 자신감 속에서 북한을 포용해야 합니다. 여기서 참고할 만한 게 중국 정부의 통일정책이죠. 중국이 대만이나 홍콩에 대해서 그렇게 포용적일 수 있는 것은 자신감 때문이겠죠. 대만과 홍콩에 대해 통일의 울타리만 크게 쳐놓고 상당한 자율성을 주는 대륙적인 포용력을 우리가 배워야지 너무 감정에만 치우치면 안 된다는 거죠.

남한의 진보세력도 북한의 현실을 제대로 봐야 합니다. 지금의 북한은 항일 독립운동세력이 주축이 되어 정권을 처음 세울 때의 북한도 아니고, 남한보다 경제력이 앞섰던 1960년대의 북한도 아닙니다. 무상의료, 무상교육도 취지와 출발은 좋았지만 지금은 파탄이 났어요. 밥을 못 먹어 굶어 죽는 사람들이 나올 정도로 생존권도 제대로 보장이 안 되고 인권 상황도 아주 열악한 사회가 북한입니다.

그러니 이제 더 이상 북한을 두려워하지도 말고 부러워하지도 말고 북한의 어려움을 이해하면서 과감하게 민족사 내부로 통합해야 합니다.

오연호 우리가 비정규직 문제나 복지문제를 이야기할 때 정치권의 여야뿐 아니라 노동계와 시민사회까지 포함한 사회적 대타협이 필요하다고 자주 말합니다만, 이 남북통일 문제야말로 사회적 대타협이 필요한 것이군요.

법륜 그렇습니다. 진보 · 보수, 그리고 여야가 북한문제, 통일문제를 어떻게 해결할 것인가에 대한 대타협이 필요한 거예요. 시간이 많지 않습니다. 그런 점에서 2013년부터 새 정권을 운영할 사람들은 통일문제에 대한 사회적 대타협을 어떤 내용으로, 어떻게 추진할 것인지 비전을 제시해야 합니다.

오연호 통일의 주체는 결국 남북한 주민일 겁니다. 그런데 지금의 북한 내부 상황을 점검해보니 북한 주민의 처지를 이해하면 할수록 우리들의 어깨가 더 무거워지는군요.

법륜 북한 주민들은 당연히 북한 체제의 현 수준에 따라 영향을 받습니다. 북한은 지금 자기 체제 방어에 급급합니다. 그래서 중국에 기울게 되는 거죠. 마치 남쪽이 열세일 때 미국에 의존했듯이 말입니다. 이런 사정이니 북한 정권이나 북한 주민은 통일주도세력이 되려고 해도 될 수가 없습니다.

그렇기 때문에 남한이 통일의 주체가 될 수밖에 없습니다. 하지만 남한은 역량은 있지만 통일의지가 없어요. 남한 정부와 국민이 통일의지와 책임의식을 가져야 합니다. 1950, 60년대처럼 남한이 북한에 비해 여러모로 열세일 때는 체제 방어적이었으니까 남한 자체만 책임지면 되었으나, 이제는 북한이 열세이니 남한이 민족사 전체를 책임져야 합니다. 그것이 통일에 대한 책임의식이죠.

현재 민족적 과제는 크게 세 가지인데, 첫째, 북한 주민들의 생존권과 인권을 보장해주는 것, 둘째, 한반도에 다시는 전쟁이 일어나지 않도록 항구적 평화체제를 구축하는 것, 셋째, 평화적으로 통일을 이뤄내는 것입니다. 이 세 가지에 대해 우리는 책임의식을 가져야 합니다.

6장
나눔과 포용

이명박 정부의 통일정책은 완전히 실패했죠. 평화도 관리하지 못했고, 교류협력도 다 문을 닫아버렸잖아요. 남북관계를 보편적·합리적·상식적으로 대응하지 않고, 김대중·노무현 정부의 정책에 대한 반대를 기조로 잡아 너무 정치적으로 이용한 겁니다. 북한의 버릇을 고쳐놓겠다, 갑을(甲乙) 관계를 분명히 하겠다 하면서 말이에요. 그런데 결국은 임기 내내 아무것도 못하고 도발만 유발한 결과가 돼버렸죠.

오연호 스님, 오늘은 약속 시간보다 조금 늦게 오셨네요.

법륜 상담받겠다는 사람들이 계속 찾아오는 바람에 늦었습니다.

오연호 주로 다른 사람 상담을 해주시는 입장입니다만, 스님도 자신의 문제가 오랫동안 풀리지 않을 때가 있나요?

법륜 물론이죠.

오연호 그럴 때는 주로 어떻게 해법을 찾으시나요?

법륜 우선 지금까지의 처방이 제대로 됐는지 되돌아보며 따져봐야겠죠. 우리가 어떤 문제에 직면하면 적절하게 대응해야 그 문제가 풀리잖아요. 예를 들어 어떤 아이가 잘못을 100만큼 했을 때 처벌도 딱 100만큼 해야 반성을 하는데, 처벌을 500 정도 하면 아이가 억울해져요. 그러면 교육 효과가 나지 않죠. 그렇다고 처벌을 전혀 하지 않으면 아이 버릇이 나빠지잖아요. 그러니까 적절하게 판단하는 것이 굉장히 중요하죠.

오연호 학부모라면 누구나 그런 고민의 순간이 있죠.

법륜 그런데 어느 정도의 처벌이 적당한지는 정답이 없어요. 그래서 전략과 전술이 필요한 거죠. 이 전략과 전술을 제대로 세우려면 문제나 상황의 특성을 정확히 파악해야 합니다.

오연호 오늘은 그동안 남한 정부가 통일을 위해 무엇을 해왔는지 공부해보려 합니다. 통일을 하려면 물론 하나로 합쳐야 할 상대가 있어야 하잖아요. 그런 점에서 남한 정부가 북한이라는 상대를 어떻게 대해왔는지에 대한 이야기이기도 하겠네요.

법륜 그렇습니다.

살아온 길이 다른 두 사람이 사귀는 방법

오연호 북한의 어제와 오늘을 사람에 비유한다면 어떤 사람이라고 보십니까?

법륜 몰락한 양반, 부도난 부자, 가난한 선비라고 할까요? 옛날에는 제법 부자였다가 지금은 가난한, 그래도 자존심은 남아 있는 사람이라고 할까요.

오연호 그렇다면 남한의 모습은 어떨까요?

법륜 벼락 출세한 남자, 갑자기 돈 번 졸부, 먹고살 만은 한데 역사의식은 없는 사람이랄까요. (웃음)

오연호 재미있는 비유네요. 통일은 그렇게 서로 다른 특성을 가진 두 사람이 사귀는 방식 같은 것이겠죠. 통일은 이뤄지지 않았지만 남과 북이 통일을 앞에 두고 사귀어온 역사는 오래되었습니다. 그 역사를 시기별로 나눠보면 어떨까요?

법륜 1단계는 6·25전쟁 이후부터 1972년 7·4남북공동성명까지, 2단계는 7·4남북공동성명부터 2000년 6·15공동선언까지, 3단계는 6·15공동선언 이후, 이렇게 세 단계로 크게 나누는 것이 좋겠네요.

오연호 그럼 1단계부터 살펴보죠. 앞에서도 잠깐 언급하셨습니다만, 해방 이후 남북이 각각 단독정부를 세울 때부터 1972년 7월 4일 역사적인 7·4남북공동성명이 발표될 때까지는 북한이 통일 이슈에 대한 주도권을 쥐었던 시기였죠? 요즘 젊은이들에겐 그 시기가 아주 먼 옛날로 느껴질 텐데, 왜 그때 남한은 통일에 소극적이었고 북한은 적극적이었나요?

법륜 당시에 어느 쪽이 민중의 지지를 더 받았느냐와 연관이 있습니다. 지지를 받은 쪽이 더 자신감이 있을 수밖에 없거든요. 해방 후 단독정부 수립 과정에서 남한과 북한 정부 양쪽 다 외세를 등에 업었죠. 그럼에도 불구하고 독립운동을 했던 사람들 대다수가 사회주의적 성향이다 보니 당시의 국내 정치상황은 북쪽에 대한 호감도가 더 높았다고 볼 수 있습니다. 또 정책적인 측면에서도 북한은 당시 민중들의 요구를 수용해서 토지개혁을 단행하고 친일세력을 척결한 반면, 남한은 토지개혁도 제대로 못하고 친일 테크노크라트(기술관료)를 대부분 등용했습니다. 그러다 보니 남한 정부는 민중의 지지보다는 반발을 샀고, 북한 정부는 오히려 민중의 지지를 얻게 되어 남한에 있는 일부 좌파세력이 북쪽을 더 신뢰하게 된 거죠.

오연호 요즘 젊은이들은 그런 시절이 있었다는 것 자체를 이해하기가 힘들 것 같습니다.

법륜 그렇습니다. 북한이 그렇게 자신감을 갖고 있는 상황에서 6·25전쟁이 난 겁니다. 북쪽에서 남쪽에도 북쪽을 지지하는 세력이 많은 것 같으니 밀어붙이면 통일이 될 거라고 생각한 거죠.

이것이 불법적인 침략이라면서 미군이 중심이 된 유엔군이 참여하게 되고, 급기야는 38선을 넘어 북으로 밀고 올라가니까 중국도 항미원조전쟁(抗美援朝戰爭)이라는 명목으로 개입하게 되죠. 이렇게 밀고 당기다가 결국 3년 만에 휴전을 했습니다. 북한의 입장에서는 미국이 개입하지 않았으면 통일을 이룩할 수 있었을 텐데 미국 때문에 못했다고 생각해서 미 제국주의를 철천지원수로 여기는 반미자주노선과 함께 통일을 민족의 숙원사업으로 내세웠죠. 국가의 목표를 아예 통일에 두고 적극적 공세를 편 겁니다. 사회제도적인 목표는 사회주의 건설이었지만 민족적인 목표는 통일이었죠. 반면에 남한은 미국의 도움으로 겨우 체제를 유지할 수 있었기 때문에 철저한 친미 노선에다가 체제 방어적인 입장이 될 수밖에 없었죠.

오연호 전쟁 직후 이승만 정부도 북진통일을 내세웠죠.

법륜 이승만 정부가 한때 북진통일을 내세웠는데, 유엔군의 지원으로 압록강까지 북진을 해봤으니 북진통일을 할 수도 있겠다 싶어서 그런 주장을 했지만 사실 남한은 자기 체제를 유지하기도 벅찼죠. 외국군의 지원 없이 자체적으로 실현할 힘은 없었어요. 그러다가 1960년 4 · 19혁명으로 이승만 정부가 무너졌을 때 학생들이 외친 구호 중 하나가 '오라 남으로, 가자 북으로'였습니다.

오연호 '오라 남으로, 가자 북으로.' 지금은 6 · 25전쟁 후 7년 만에 그런 구호가 나왔다는 것이 믿기지 않습니다.

법륜 우리 민족에게 그만큼 통일 기운이 컸던 거죠. 남한 정부가 통일에 소극적이니 학생들과 민중들이 적극적으로 나선 겁니다. 그런데 1961년 5 · 16군사쿠데타로 박정희 정권이 들어서면서 그 통일 기운을 다시 완전히 누릅니다. 반공(反共)을 국시(國是)로 정한 거죠. 반공정책은 통일정책의 반대편에 있는 겁니다. 이승만 정부 때는 능력이 없긴 했어도 북진통일정책이었는데 박정희 정권 때는 반공을 내세우며 철저히 체제 방어적이었죠. 어쨌든 남한 정부는 통일에 소극적이었습니다. 그래서 북한은 공세적 통일정책을 펴고 남한은 방어적 반공정책을 내세우면서 서로 대치하는 상황이 1972년 7 · 4남북공동성명이 나오기 전까지 계속된 겁니다.

오연호 저희 세대도 박정희 정권 아래서 반공교육을 철저하게 받고 자랐습니다. 그때는 반공이 적극적인 것인 줄 알았는데 스님 말씀을 듣고 보니 매우 방어적인 것이었군요.

자신감과 위기감의 이중주

법륜 박정희가 군사쿠데타를 일으킬 때 이른바 혁명공약 중 제1의 공약이 반공을 국시로 삼는다는 것이었습니다. 그만큼 북한으로부터 위협을 크게 느꼈다는 뜻이죠. 북한의 힘에 위협을 느꼈을 뿐만 아니라 남한 안에서 북한에 동조하는 사람들에게서도 위협을 느꼈다는 겁니다. 남한 지배세력의 입장에서는 체제 위기를 느낀 셈이죠. 그래서 반공운동을 대대적으로 펼칩니다. 저희 초등학교 다닐 때는 집집마다 대문 앞, 담장, 그리고 학교 건물에도 죄다 빨간 글씨로 반공방첩이라고 써 붙였답니다.

오연호 저희 세대에도 학교 건물에는 확실히 그 빨간 글씨가 붙어 있었죠.

법륜 한마디로 체제 방어에 돌입한 겁니다. 4·19혁명이 일어나면서 민심이 남한 정부를 떠나고 학생들은 '오라 남으로, 가자 북으로' 라고 부르짖으니까 이러다간 적화통일이 될지도 모르겠다고 생각하지 않았겠습니까. 그런데 체제 방어는 군사력만 가지고는 할 수 없잖아요. 그래서 경제개발 하고, 국방 자주화하고, 반공교육 시키고, 이렇게 체제 방어에 들어가면서 통일은 딱 접어버렸죠. 통일을 언급하지 못하게 하고 만일 얘기하면 다 잡아가는 분위기였어요. 그때는 통혁당사건, 인혁당사건처럼 통일과 연관된 사회운동세력을 모두 친북으로 몰아서 철저히 제거하고 감옥에 가뒀습니다. 박정희 정권의 입장에서는 남쪽의 힘이 약할 때 통일을 하게 되면 북쪽에게 먹히니까 우리가 힘을 기른 후에 통일을 추진하자는 거였죠.

오연호 그래서 1960년대에는 별다른 통일정책이 나오지 않았던 거군요.

법륜 네, 그러다가 1970년대에 들어오면서 남한도 어느 정도 경제가 일어서고, 자주국방을 추진하고, 독재이긴 하지만 일단 사회 통제력을 확보했잖아요. 이쯤 되면 남한이 일방적으로 북한에 먹힐 수 없는 상태가 된 거죠. 남북 간의 세력이 비등해진 겁니다. 드디어 1972년에 역사적인 7·4남북공동성명이 나옵니다. 이 성명은 남북한이 분단된 지 27년 만에 통일에 대해 최초로 합의한 내용이라는 점에서 역사적으로 매우 중요하죠. 통일에 대한 3대 원칙은 외세에 의존하지 말고 자주적으로 하자, 무력으로 하지 말고 평화적으로 하자, 사상과 이념을 초월하여 하나의 민족으로서 대동단결을 도모하자는 것이었죠.

오연호 실천을 못해서 그렇긴 하지만, 지금 다시 봐도 3대 원칙이 아주 잘 정리돼 있네요.

법륜 그렇죠. 이후 남북 간 모든 통일 논의의 기초가 된 것이 바로 이 3대 원칙이니까요.

6·15공동선언의 배경

오연호 이 성명이 나온 이후부터가 남북관계의 2단계라고 말씀하셨죠. 이때부터 2000년 6·15선언이 나오기까지는 1단계와 달리 남한이 주도를 하게 됩니다. 1단계에서 방어적이었던 남한이 2단계에서 서서히 공세로 전환하죠. 남한이 자신감을 갖고 본격적으로 공세로 돌아선 것은 노태우 대통령 시절의 북방정책부터라고 할 수 있을까요?

법륜 그렇습니다. 2단계 초기, 즉 1970년대 후반과 1980년대 초반까지만 하더라도 북한이 약간 우위에 있었는데 서서히 상황이 바뀌게 되죠. 남한에서는 1980년 광주항쟁이 일어나고 전두환 군사정권이 들어서면서 체제위기가 있었지만, 이후 1987년 6월항쟁과 뒤이은 직선제 개헌, 88올림픽 등을 거치면서 체제가 다시 안정됩니다. 민주화와 경제성장의 진전으로 정권의 정당성을 서서히 확보하게 되었죠.

그 힘을 바탕으로 노태우 정권이 북방정책을 추진합니다. 중국,

소련과 수교를 맺으면서 남한이 그동안의 수세에서 벗어나 공세적 입장을 취하게 되죠. 그전에 비하면 굉장히 진취적인 정책이었어요. 그래서 나온 작품이 1991년 12월 13일 체결된 남북기본합의서입니다. 이 합의서는 서문과 4장 25조로 이뤄져 있는데, 7·4남북공동성명에서 천명한 조국통일 3대 원칙을 구체화하는 내용을 담고 있죠. 이 기본합의서는 지금도 실행이 제대로 되지 않고 있지만 그전에 비해 내용은 굉장히 앞서 있습니다.

오연호 노태우 정부는 전후의 다른 정부들에 비하면 존재감이 별로 없지만, 북방정책을 추진하고 남북기본합의서를 만들었다는 점에서는 인정할 만하죠.

법륜 통일정책의 측면에서만 보면 노태우 정부가 가장 진취적이었다고 할 수 있죠. 이후 김영삼 정권이 들어선 뒤에도 그 분위기 속에서 김영삼-김일성 정상회담이 계획되었죠. 그러나 1994년 7월 8일 김일성이 갑작스럽게 사망하는 바람에 이뤄지지 못했고, 오히려 조문 파동으로 남남갈등이 증폭되고 남북관계는 얼어붙었습니다. 김일성 사망 당시 김영삼 정부가 전군에 비상경계령을 내렸는데 우리로서는 당연한 조치라고 할 수 있을지 모르지만 북한 정부의 입장에선 분노와 적개심이 생길 수밖에 없었죠. 아마 김영삼 정부는 김일성이 사망하면 북한이 곧 붕괴될 것이라고 오판을 한 것 같아요.

그 이후 1998년 김대중 정부가 들어서면서 햇볕정책을 통해 그 어느 때보다 공세적으로 나갔죠. 그러다 2000년에 분단 이후 최초로 평양에서 김대중-김정일 남북 최고지도자가 만나 6·15공동선언을 만들어냅니다. 공동선언 2항에는 남쪽의 연합제 안과 북쪽의 낮은 단계의 연방제 안이 서로 공통점을 갖고 있다고 인정한다는 조항이 들어 있어요. 이 합의는 북한이 남북관계에서 수세에 몰려 있다는 것을 보여줍니다. 북한이 벌써 체제 방어에 들어갔다는 이야기죠.

오연호 그 대목을 더 자세히 설명해주시죠.

법륜 북한은 그동안 고려연방제를 주장해왔습니다. 이것은 남북이 하나의 지붕 밑에 연방국가를 구성해서 통일의 결합도를 높이자는 것이었거든요. 이른바 높은 차원의 연방제인데, 그때까지는 남한에 비해 그들의 체제가 우위에 있다는 자신감에서 나온 거죠. 반면 남한은 6·15공동선언 이전까지 연방제가 아닌 연합제를 주장했습니다. 남북이 완전히 각자 독자적인 군대와 외교권을 가진 독립국가를 구성하고 다만 하나의 형식적 틀로만 통일국가를 만들자는 거였죠. 이것은 오랫동안 수세 국면에 있었던 남한의 요구가 반영된 거죠. 자기 체제를 최대한 독립적으로 유지하겠다는 거예요.

그런데 북한이 이 연합제를 받아들일 수 있다고 한 것이 6·15공동선언입니다. 우리가 좋아서 받아들이는 게 아니라 자기들이 수세에 몰리니까, 우리 주장을 들어주는 척하면서 체제 방어 논리에 들어간 것이라고 봐야죠. 남한의 우파들은 이 합의를 김대중 대통령이 양보했다고들 하는데 그건 옳지 않습니다. 북한이 기존의 자기 주장을 약간 낮춰주면서 남북이 공통점을 갖게 된 것이거든요. 여기까지가 남북관계 2단계입니다.

오연호 남북 간의 통일정책 변천사는 한마디로 자신감과 위기감의 이중주로군요. 김대중-김정일 남북정상회담, 그리고 6·15공동선언은 김대중 정부의 통일정책 노선이었던 햇볕정책 때문에 가능한 것이었습니다. 하지만 보수 쪽으로부터 나라 팔아먹기라든가, 퍼주기라고 하는 비판이 심했죠. 스님은 햇볕정책을 어떻게 평가하십니까?

법륜 그 시점에서는 햇볕정책을 잘했다고 봅니다. 김영삼 정부 때의 남북 간 대치 국면에서 벗어나 최초로 남북정상회담을 하는 등 긴장을 완화하고 교류를 증대했잖아요. 이것은 역사적인 사건이죠.

그런데 6·15공동선언을 통해 남북교류가 상당히 활발해졌지만 사실 북한 정부는 남한과의 인적 교류를 꽤 두려워했어요. 우리는 북한에 많이 갔지만 북한 주민은 남쪽에 내려온 경우가 많지 않았죠. 남쪽 사람을 접대할 때도 통일전선부 사람들로 한정했기 때문에 진정한 인적 교류는 아니었어요.

또 그 시점에서 아쉬웠던 것은, 남북문제를 좌우, 진보·보수가 공히 받아들일 수 있는 남한 안에서의 국민통합 정책을 제대로 강구했으면 좋았을 텐데 그게 부족했다는 점입니다. 남북한의 문제를 푼 공로는 인정하되 남남갈등을 유발한 점에서는 반성해야 한다고 봅니다.

예를 들어 남북정상회담이 성사된 후 김대중 대통령은 그것을 자기 정권의 성과나 진보의 성과로 만들 것이 아니라, 보수야당을 껴안으면서 국민 모두의 성과로 만들어야 했는데 그것이 부족했어요. 정상회담을 할 때 당시 야당인 이회창 한나라당 총재를 설득해서 데려가든지, 그것이 어려웠다면 갔다 오자마자 국민 앞에 나서기 전에 이회창 총재에게 별도로 보고한 후, 두 사람이 나란히 TV 앞에 나섰더라면 훨씬 좋았을 겁니다. 만일 그때 여야가 민족문제는 국내 정쟁에 이용하지 말고 같이 힘을 합해 통일문제를 해결하자고 서로 합의했다면, 여야가 다 함께 살 수 있었고 국민의 지지도 지속될 수가 있었겠죠.

오연호 김대중 정부가 당시에 그런 화합을 제안했다손 치더라도 보수야당이 과연 받아들였을까요? 처음부터 다음 정권을 잡을 궁리만 하고 있었으니, 어떻게든 훼손을 하려고 하지 않았을까요?

법륜 통일문제는 민족문제이기 때문에 통일부나 국정원만의 사업이 아니잖아요. 여야 합동으로 공동보조를 취하면서 함께 나가야죠. 서로 공감대를 이뤄야죠. 보수야당을 설득할 수 있는 정치력이 필요했던 겁니다. 그런데 김대중 정부가 그러지 않고 남북정상회담을 자신의 성과, 진보의 성과로만 가져가니까 보수야당이 반발한 거죠. 보수야당의 입장에서는 남북문제가 잘 풀려 성과가 나오면 자기들이 다음에 정권을 잡을 수가 없잖아요. 그러면 뭔가 훼손을 해서 이 성과를 깨야 국민의 지지를 가져올 수가 있으니 계속 발목을 잡는 거예요. 이어 노무현 정부가 탄생했지만 여러 가지로 미숙한 정책이 국민을 실망시키면서 결국 보수야당의 주장이 국민의 지지를 받기 시작했죠. 조중동 등 보수언론의 끈질긴 공격적 비판도 큰 힘을 발휘했습니다.

오연호 보수야당과 보수언론에서는 계속 퍼주기다, 종북이다 하면서 햇볕정책을 깎아내렸죠.

법륜 남한의 보수는 남한의 진보정권과 북한의 대화를, 남북 간의 대화가 아니라 좌파끼리의 대화라고 보거든요. 그러니까 대한민국을 북한에 팔아먹는다, 종북이다라고 국민들에게 주장하잖아요. 꼭 그것 때문만은 아니었지만 그런 주장이 어느 정도 먹혀서 이명박 정권이 탄생한 겁니다. 결국 보수세력의 반격을 불러일으킨 거죠. 그러니까 보수세력을 무시하지 말고 껴안고 가줘야 이런 반발을 막을 수 있었는데 그것까지 고려한 통일정책을 펴나가는 데는 역부족이었던 겁니다. 남남갈등을 최소화하면서 여야 합의로 남북교류를 폭넓게 했다면 햇볕정책이 유지되지 않았을까 하는 생각이 듭니다.

오연호 김대중 정부 때의 성과 중 하나가 개성공단을 만든 겁니다. 남북 간 경제협력을 특정 지역에서 본격적으로 보여준 사례죠. 그래서 기업도 많이 참여했고 인적 교류도 상당히 이뤄졌는데, 이것을 이후의 통일 과정에서 우리가 해야 할 일들과 연관해서 평가해

본다면 어떻습니까?

법륜 획기적으로 잘한 일입니다. 앞으로 정권이 바뀌어도 계속 확대해나가야 할 영역이죠. 통일을 염두에 둔다면 우리가 적어도 개성, 신의주, 금강산, 나진 네 곳은 개발해야 합니다. 지금 북한이 먹고살기 위해 나진항의 개발권과 사용권을 중국과 러시아에 50년간 넘겼어요. 적어도 통일을 준비한다면 이런 일이 벌어지기 전에 우리가 나진항을 개발하고 신의주 지역에 투자를 확대해 중국과 러시아의 진출에 대비해야 합니다. 그리고 남한과 북한의 소통을 위해서는 개성과 금강산을 트는 식의 국가 전략이 필요합니다.

진보가 진보의 가치를 지키지 못하면

오연호 노무현 정부는 김대중 정부의 햇볕정책을 계승하겠다고 했지만, 정권 초·중반까지 남북관계의 획기적 진전을 이루지 못하다가 임기 마지막 해에야 노무현-김정일 정상회담을 가까스로 성사시켰습니다. 이때 많은 합의를 했음에도 불구하고 정권 말기의 일이라 실천할 시간이 없었고, 이후 이명박 정권이 들어서면서 물거품이 되었죠.

법륜 노무현 정부는 김대중 정부의 장단점을 잘 분석하고 대응했어야 합니다. 김대중 정부의 장점은 남북관계를 획기적으로 풀었다는 것이고, 단점이라면 그렇게 남북관계를 진전시키는 과정에서 남남갈등이 생겼다는 겁니다. 다시 말하면 여야 합의를 통해서 통일문제를 풀지 못했기 때문에 국론 분열을 가져왔다는 거죠.

그렇다면 노무현 정부의 과제는 김대중 정부의 장점을 계승하되 단점을 극복하는 것이 되었어야죠. 김대중 정부가 남겨놓은 남남갈등을 과감하게 치유했어야죠. 그런데 되돌아보면 남북관계에서도 김대중 정부보다 못했고, 남남갈등 치유도 제대로 하지 못한 채 오히려 남남갈등이 증폭된 측면이 있습니다. 아마도 민족통일 문제에 대해 뚜렷한 역사의식이 부족해서였던 것 같아요. 역사적 책임의식이 분명했다면 보수세력이 아무리 반대를 해도 정치력을 발휘해서 통일이 민족의 시대적 과제임을 설득하고, 인도적 지원 같은 분야에서 획기적인 진전을 시켰어야죠.

그런데 별 진전도 없었고 또 국내의 여러 다른 문제들로 여·야의 갈등이 증폭되니까 통일문제를 풀 기회를 놓친 거죠. 임기 마지막 해에 퇴임 몇 개월을 앞두고 남북정상회담을 추진했지만, 그건 누가 봐도 정권 연장을 위한, 다음 대선에 유리하게 하기 위한 노림수 같이 보이잖아요. 그러니까 보수세력을 더욱 자극해 단결시키고 정권을 넘겨주는 결과를 가져왔죠.

노무현 정부가 권위주의를 없애려고 노력한 점은 인정할 만합니다. 그러나 스스로 권위를 잃어버렸죠. 많은 부분에서 개혁을 위한 의욕은 앞섰지만 현실 인식과 추진 능력의 부족으로 결실을 맺지 못했어요. 또 정권 초기에는 우리가 너무 미국에 종속돼 있다고 큰소리 쳐놓고는 나중에는 미국에게 끌려갔잖아요. 그리고 서민을 위한 정치를 한다고 해놓고는 재벌의 영향력을 확대하는 정책을 실시해 양극화 현상을 심화시켰단 말입니다. 결국 이러다 보니까 국민의 신뢰를 잃으면서 남한 안에서 보수세력이 여론을 주도하도록 만들어버린 거죠.

오연호 노무현 정부의 역사의식이 부족했을 수도 있지만, 그 당시에 보수야당과 보수언론의 공격이 예상보다 훨씬 강했기 때문에 김대중 정부에 비해 운신의 폭이 제한된 측면도 있었죠.

법륜 그렇다 해도 아쉬움이 남아요. 대북정책에서 김대중 정부가 남북 정부 사이의 화해 기운을 만들어놓았으니, 노무현 정부는 거기서 한 걸음 더 나아가 북한 민중들을 위한 정책을 과감히 펴나갔어야죠. 김대중 정부 때보다 대북 인도적 지원을 더 획기적으로 확대하고, 인권문제도 적정한 수준에서 제기했어야 합니다. 그랬다면 북한 주민의 민심도 얻고, 남한 우파의 공격도 어느 정도 막아낼 수 있었겠죠.

북한 인권문제를 살펴보자면, 김대중 정부에 이어 노무현 정부 때도 별다른 진전이 없었어요. 진보의 가장 큰 덕목이 인권문제잖아요. 그런데 그것을 결국 우파에 넘겨줘버린 거죠. 진보가 진보의 가치를 지키지 못하고 오히려 그 가치를 보수에게 뺏긴 꼴이 돼버린 겁니다. 이것은 역사적으로도 진보파의 큰 실책으로 기록될 겁니다. 노무현 정부가 북한 인권문제의 주도권을 보수파에 넘겨주고 별다른 대응을 하지 못하니 국민이 볼 때에는 노무현 정부가 북한의 반(反)인권정책을 외면하고 있다는 인상을 받은 거죠. 그래서 결국 뒤집어쓴 게 종북주의입니다. 북한의 주장은 뭐든지 따라간다는 오명을 쓰게 된 거죠.

오연호 지금부터는 이명박 정부 이야기를 해보겠습니다. 김대중-노무현 정부의 통일정책을 전면 비판하면서 이명박 정부가 등장했죠. 그런데 통일정책 면에서 어떤 대안적 모델도 제시하지 못한 것으로 보입니다.

꼬일 대로 꼬인 '이명박 5년'

법륜 완전히 실패했죠. 평화도 관리하지 못했고, 교류협력도 다 문을 닫아버렸잖아요. 얻어먹는 자가 큰소리치는 못된 버르장머리를 고쳐놓겠다며 대북 인도적 지원마저 중단시키고 북한 주민의 굶주림을 외면하여 그들의 민심도 얻지 못했죠. 게다가 북한에 더 이상 끌려다니지 않고 북한 길들이기를 하겠다고 했는데 북한은 오히려 도발을 하고 더 큰소리 치고 있으니 그 어떤 것도 제대로 못한 겁니다.

오연호 최악의 평가네요. 왜 그렇게 완전히 실패한 거죠?

법륜 감정적으로 대응했기 때문이라고 봅니다. 남북관계를 보면적·합리적·상식적으로 대응하지 않고, 김대중·노무현 정부의 정책에 대한 반대를 기조로 잡아 너무 정치적으로 이용한 겁니다. 북한에 너무 많이 퍼줬다거나 너무 끌려다녔다는 식으로 감정적인 것을 내세워서 선거에 이용했잖아요. 북한의 버릇을 고쳐놓겠다, 갑을(甲乙) 관계를 분명히 하겠다 하면서 말이에요. 그런데 결국은 임기 내내 아무것도 못하고 도발만 유발한 결과가 돼버렸죠.

이명박 정부도 역사의식이 없어서 그래요. 역사의식이 있다면 북한을 우리 민족사 내부로 통합하겠다는 큰 틀을 잡고 나서 김대중·노무현 정부 때보다 더 인도적인 지원을 늘렸어야죠. 북한 주민들도 우리 국민이다, 헌법 정신에 의거해 우리가 먹여 살려야겠다, 우리가 그들을 도와주는 일은 북한에 끌려다니는 게 아니라 북한 주민의 민심을 얻는 것이다, 그렇게 국민을 설득하면서 과감하게 지원했어야죠. 지원한 식량이 북한 주민에게 잘 전달되는지 모니터링을 강화하고, 북한 인권문제에 대한 적절한 지적을 함으로써 보수세력의 우려도 어느 정도 풀어주면서 큰 틀에서 남북관계를 진전시켰어야 했습니다.

북한 정부와 티격태격 싸울 것이 아니라 북한 주민의 민심을 얻기 위한 경쟁을 했어야죠. 그들의 생존권을 보장하고 인권 개선을 위해 노력하는 것을 보여줌으로써 북한 정부나 당보다 남한이 자기들을 더 아끼고 사랑한다는 것을 느낄 수 있도록 말입니다.

돌아보면 6·15공동선언은 우리 민족사의 큰 전환점이에요. 우리가 북한보다 우위에 서 있다는 시대적 인식에서 대북 포용정책이 나온 만큼, 이명박 정부가 남북합의를 존중하고 계승하면서 부족한 부분은 보충하고 잘못된 부분은 수정하면서 오히려 주도적으로 남북관계를 끌고 나갔다면 큰 성과를 낼 수 있었을 것입니다.

오연호 이명박 정부 때는 대북전략을 제대로 갖추지 못한 셈이군요. 전략과 전술을 제대로 쓰려면 무엇이 필요했던 걸까요?

법륜 북한을 나쁘다고만 할 것이 아니라 어떻게 다룰지 생각해야죠. 우선 북한의 성격을 이해해야 합니다. 아까도 이야기했지만 북한을 옛날에는 제법 힘깨나 썼던 사람에 비유할 수 있죠. 예전에는 잘살면서 지위도 높았던 사람인데 지금은 쫄딱 망해서 돈도 없고 처지가 궁하다는 얘기예요. 그런데 지금 궁하다고 해서 이 사람에게 거지에게 밥 주듯 먹을 것을 조금만 주면 어떻게 나올까요? 자존심 상하겠죠. 그렇다고 전혀 도와주지 않으면 배고파 힘들 거란 말이에요. 자존심을 세워주면서 지금의 어려운 사정도 알아줘야 한다는 거죠. 그러니까 그 두 가지 성질을 잘 이해한 뒤 대응해야 합니다.

오연호 대응이 정교해야겠군요.

법륜 북한은 망한 부자나 몰락한 양반인 가난한 선비 다루듯 하면 돼요. 예를 들어 당근과 채찍을 쓰더라도 테이블 위에서는 당근을 주며 존중해주고, 테이블 아래에서는 발로 차야 합니다. 그런데 이명박 정부는 지금 거꾸로, 테이블 위에서는 뺨따귀를 때리고 화나서 덤비면 테이블 아래에서는 당근을 주며 달래니까 통하질 않죠. 북한 입장에서는 테이블 위에서 때리니 자존심은 자존심대로 상하는 데다, 테이블 밑에서는 달래며 먹을 것을 주니 남쪽이 겁나지 않고 만만하게 보이는 겁니다. 앞에서는 자존심을 살려주고 뒤에서는 힘을 보여주면 두려워할 텐데 말이죠.

오연호 왜 그렇게 하지 않을까요?

법륜 이명박 정부 입장에서는 북한문제를 어떻게 다루느냐가 중요한 게 아니라 남한 내 보수세력의 지지를 받는 것이 더 중요하죠. 북한을 껴안았다가는 내부의 비판을 받잖아요. 그러니까 내부의 지지를 받기 위해서는 때려야 한다는 거죠. 그런데 북한의 반발을 너무 받게 되면 그것도 문제가 되니까 뒤에서는 달래야 한다는 말이에요. 이런 식이니 문제 해결은 안 되고 꼬일 대로 꼬이기만 한 채 5년을 다 보내는 셈이죠.

오연호 설명을 들으니 왜 대북정책이 완전히 실패했는지 이해가 갑니다. 그런데 이명박 정부 입장에서는 헤맬 수밖에 없었던 이유가 핵문제 때문이라고 합니다. 북한 핵을 용인할 수 없고 그들이 핵을 포기하지 않으면 그 어떤 노력도 하지 않겠다는 것이 보수세력의 기본 자세잖아요. 북한 핵문제를 어떻게 푸는 것이 통일을 지연시키거나 방해하지 않고 보탬이 되는 길일까요?

법륜 우선 역지사지(易地思之)하는 것이 필요합니다. 우리가 남한 단독정부 수립 이후에 체제를 지키기 위해서 어떻게 했나요? 우리도 6·25전쟁 때 체제가 무너지려고 하니까 미군을 불러들여서 지켰잖아요. 그 후에도 이 땅에다 주한미군이라는 외국군을 주둔시켰고요. 게다가 군대의 작전지휘권까지 미군한테 줬죠. 바로 우리 체제를 지키려고 그랬던 겁니다.

그렇다면 북한이 왜 핵무기를 개발하는 건지 그들의 입장에서 생각해봅시다. 우리와 마찬가지로 자기 체제를 지키는 방법으로 핵을 개발하는 겁니다. 그러니 체제 유지가 보장되지 않는 한 폐기하지 않을 거라고 봐야죠. 하지만 절대 폐기하지 못하는 건 아닐 거예요. 핵으로 대응할 수밖에 없는 북한의 안보적 위험이 해결된다면 가능하겠죠. 북한은 재래식 무기가 열등한 데다 남한에 주한미군까지 있고 경제력도 취약하다고 생각하니 이런 상태에서 자기 체제를 유지할 방법으로 지금 선택할 수 있는 카드 중 하나가 핵무기 개발이라고 볼 수 있습니다.

오연호 그렇게 말씀하시니 일단 처지를 바꿔서 생각해보게 되는군요.

법륜 네, 북한의 자기 체제 방어적인 측면에서 본다면 이해가 될 수 있습니다. 핵을 무기로 삼고서, 건드리기만 하면 너도 나도 같이 죽는다는 사생결단으로 견딜 수밖에 없는 측면이 있어요. 우리가 볼 때는 굶어 죽을 판에 무슨 핵이냐고 하지만, 북한 정부의 체제 유지라는 관점에서 볼 때는 가장 돈을 적게 쓰면서 안보를 지키는 방법이 핵개발이잖아요. 그러니 북한이 그냥 쉽게 포기하지는 않겠죠.

또 중국이 북한을 포기하지 않을 겁니다. 그렇기 때문에 북한 체제는 많은 어려움이 있더라도 쉽게 붕괴되지 않을 거예요.

평화운동에서 다시 통일운동으로

오연호 이런 상황에서 앞으로 우리는 북한 핵문제를 어떻게 풀어나가야 할까요?

법륜 우선 평화를 유지하기 위해 북한 정부와 대화를 해야 합니다. 지금 상황에서 북한에게 핵을 포기하라는 건 체제를 포기하라는 얘기와 같기 때문에 말을 듣지 않을 게 뻔하죠. 그러니 단계적으로 접근할 수밖에 없습니다. 물론 우리의 최종 목표는 한반도 비핵화입니다. 통일을 한다면 미국이나 중국이, 남이든 북이든 핵을 보유하는 것을 용인하지 않을 것이기 때문이죠.

그러니 통일되기 전의 1단계 목표는 핵확산 방지로 잡아야 합니다. 핵확산 방지란 북한이 더 이상 핵물질을 생산하지 말아야 하고, 핵실험을 포함한 기술개발을 더 이상 하지 말아야 하며, 핵물질을 제3국으로 이전시키지 말아야 한다는 겁니다. 이것은 국제사회와 우리가 북한에 요구할 수 있고, 북한도 수용 가능한 것이거든요. 물론 이 과정에서 북한에 필요한 경제적 지원들을 해나가야겠죠.

오연호 2단계로는 어떤 일들을 해야 합니까?

법륜 이렇게 핵확산 방지에 합의한 다음에는 핵폐기로 가야죠. 그러려면 북한의 요구에 따라 안보상의 위협을 해결해줘야 합니다. 휴전 상태를 종식시키는 종전 선언을 해야 하고, 북미수교를 맺어 관계를 정상화해야 하며, 주한미군의 성격을 전환해줘야 한다는 겁니다.

이런 과정이 결국 통일의 한 방법인 국가연합으로 가기 위한 전제조건입니다. 남북이 서로 각자의 체제를 유지하면서 국가연합으로 간 다음 통일정부로 갈 수 있는 거죠. 그런데 이명박 정부는 이런 과정을 다 생략하면서 공들여 노력도 하지 않고 대책 없이 북한 핵폐기만 주장했잖아요. 출구전략으로 써야 할 것을 입구전략으로 잡아놓으니 아무것도 안 되는 거죠.

오연호 출구전략과 입구전략의 혼돈에 비유하시니, 왜 이명박 정권 내내 남북관계가 악화됐는지 이해가 되네요.

법륜 그러니 출발부터 아무것도 못해낸 거죠.

오연호 그런데 일부 보수 쪽에서는 이런 주장을 합니다. 김대중·노무현 정부 때 스님께서 말씀하신 그런 방식으로 해보려 했지만 별 진전이 없었다는 겁니다. 오히려 북한에게 핵개발을 할 시간만 줬다는 거죠. 그래서 한 보수신문의 칼럼에 북한 핵기지 폭파론까지 등장했습니다. 이렇게 무력으로 북핵 문제를 해결하자는 안에 대해서는 어떻게 생각하십니까?

법륜 우리가 북한 핵기지를 그런 식으로 폭격하면 북한이 가만히 있을까요? 우리나라에 있는 원자력발전소를 공격할 수도 있잖아요. 지난번 일본 지진 때문에 원자력발전소가 고장났을 때 얼마나 위험한지 알게 됐죠. 그런 식으로 하면 북한의 핵무기가 제거될지는 몰라도, 사실상 핵무기와 다름없는 남한의 원자력발전소들이 다 터지면서 전쟁으로 치달을 겁니다.

연평도에서의 포 사격 훈련도 하마터면 전쟁으로 갈 뻔했는데, 이거야말로 너 죽고 나 죽자는 북한에게 전쟁의 빌미를 제공하는 거죠. 보수신문이 칼럼에서 주장한 그런 방안은 어떤 정신 나간 사람이 하도 답답하니까 그냥 해본 소리 정도로 여겨야 합니다. 이성적인 사람이라면 본인도 죽을 텐데 그런 말은 안 했겠죠. 자기는 잠깐 일본이나 미국에 도망가 있다가 다시 오려는지 모르겠지만요. 이건 평화를 관리해서 국민의 생명과 재산을 보호해야 할 책임이 있는 정부 당국자나 언론이 할 소리가 아니죠.

북한이야 정 안 되면 까짓것 너 죽고 나 죽자 식으로 나올 수 있다고 생각해요. 왜냐하면 힘 없는 사람이 부릴 수 있는 마지막 배짱이니까요. (웃음) 임진왜란 때 논개가 일본 장수를 껴안고 같이 물에 빠져 죽는다든지, 일제강점기 때 윤봉길 의사가 폭탄을 터뜨려서 일본군 대장을 죽이고 본인은 총살당한다든지, 안중근 의사가 이토 히로부미를 사살하고 사형당한다든지 하는 것은 힘이 약한 사람이

통일된 한국이 어떤 사회인가에 따라 우리가 먹는 밥의 질도 달라질 것 같습니다. 그러니 그런 사회를 만들어가는 오늘의 선택이 소중하다고 하겠습니다. 결국 통일이 밥 먹여주는 것이 아니라 우리의 선택이 밥을 먹여준다고 할 수 있네요.

할 수 있는 최후의 저항 수단이죠. 그런데 있는 사람은 선택할 카드가 많이 있으니 그런 식으로 대응할 이유가 없겠죠.

오연호 이명박 정부 때는 통일정책이 완전히 실패했다고 하셨죠. 그런데 스님께서는 김대중·노무현 정부 때인 2000년 6·15공동선언 이후에 오히려 남북한의 통일주도세력이 와해됐다고 표현해왔습니다. 그때는 보수정권 시절에 비해 상대적으로 통일에 더 많은 관심을 기울였는데, 어떤 이유로 진보정권 시절에 그런 현상이 나타난 건가요?

법륜 김대중-김정일 두 남북 정상이 직접 만나 통일문제를 협의한 것은 분단 55년 만에 처음 있는 일이었습니다. 그만큼 역사적인 사건이었죠. 이때 두 정상이 5개항에 합의했는데 그중 핵심은 제2항입니다. "남과 북은 나라의 통일을 위한 남측의 연합제안과 북측의 낮은 단계의 연방제안이 서로 공통성이 있다고 인정하고, 앞으로 이 방향에서 통일을 지향하여 나가기로 하였다."

이것은 앞에서도 이야기했지만, 북한의 입장에서는 높은 단계의 연방제에서 낮은 단계의 연방제로 후퇴한 겁니다. 수세적으로 변한 거죠. 사실상 통일에서 평화와 공존으로 입장을 바꾼 겁니다. 물론 북한은 입으로는 계속 통일을 얘기하죠. 왜냐하면 통일의 사명을 가지고 있고, 그동안 민족 전체를 책임지겠다고 큰소리 땅땅 쳤으니까요. 그러나 경제적으로 피폐해졌고, 정치적으로는 불안하고, 국민의 지지를 못 얻어 오히려 탄압해야 할 입장이 되고, 군사적으로도 약하니까 통일을 추진할 힘이 없는 겁니다. 북측은 정권 자체가 통일추진세력이었는데, 지금은 정권이 자기 백성 밥도 제대로 못 먹이고, 체제 유지에 급급하다 보니 자연히 통일을 추진할 힘이 약해질 수밖에 없는 거죠.

오연호 일단 북한의 통일주도세력이 약해진 거네요. 그렇다면 남한에서는 왜 통일세력이 약해졌나요?

법륜 통일세력이 있긴 하지만 방향을 잃어버렸죠. 김대중 정권 이전까지는, 통일에 대해 정권은 수세적이고 시민사회와 야당은 적극적이었잖아요. 북한 정권이 좋아서가 아니라 남한 정권이 정통성이 부족하고 통일에 수세적이니까 알게 모르게 통일문제에서는 북한에 동조적일 수밖에 없었어요.

그런데 1990년대 중반부터 북한 사람들이 굶어 죽는다, 북한 정권이 인권침해를 하고 있다, 북한 정권이 지도자를 세습하고 있다는 이야기들이 본격적으로 이슈화되면서 남한에서 북한 정부의 통일정책에 동조하는 식의 통일운동은 더 이상 추진하기 어렵게 되죠. 설사 그런 사람이 있다 하더라도 국민의 지지를 얻지 못하고요. 다시 말하지만 그 시기부터 북한이 말로는 통일을 이야기하면서도 체제 방어적으로 나오니까 통일운동의 방향성을 잃게 됩니다. 또 6·15공동선언으로 남북이 평화공존에 합의하면서 남한의 통일세력은 통일운동 대신 평화운동을 하기 시작합니다. 지금 남한에는 평화운동세력은 있어도 통일운동세력은 거의 없다고 볼 수 있죠.

오연호 통일운동이 평화운동으로 전환된 배경에 그런 이유들이 있었군요.

법륜 지금은 통일운동보다는 평화운동 쪽으로 무게중심이 옮겨왔죠. 물론 아직까지 정전 상태에 있는 한반도에서 평화운동도 의미는 있지만, 여기에 머물러 있어선 안 됩니다. 평화를 딛고 통일로 가야 합니다. 그런데 지금 통일을 이야기하면 머리가 아프니까 아주 먼 미래의 것으로 보내버린 거예요. 하지만 이제는 바뀌어야 합니다. 진정한 평화는 통일이 되어야 완성되니까요. 이 대담도 그래서 마련하게 된 거죠.

오연호 이제까지 김대중, 노무현, 이명박 정권의 통일정책을 점검해봤는데요. 스님께서 대통령들을 평가하면서 이따금 역사의식이 문제라는 표현을 하셨습니다. 그러니까 한 나라의 대통령 같은 최고 결정권자가 될 사람이나 그 그룹을 형성할 사람들은 역사의식을 가져야 한다는 주문인데요. 물론 그들이 남한 사회의 각종 문제를 해결할 철학도 가져야겠지만, 남과 북으로 나뉜 우리 민족사 속에서 지금 우리가 어디에 있는지 제대로 파악해야만 장기적으로 통일에 보탬이 되는 남북정책이 나올 수 있다는 거죠?

법륜 그렇습니다. 국내 교육정책 하나도 근본 뿌리부터 접근하지 않으면 이리저리 바꾸기만 하지 효과가 없잖아요. 하물며 민족적 과제인 남북문제를 그런 뿌리를 꿰뚫지 않은 채 풀겠다거나 적당하게 해결하겠다고 한다면 민족의 지도자로서는 치명적인 결격 사유가 됩니다. 사실 1980년대까지의 과거 대통령들은 우리가 북에 대해 열세에 있던 때였으니, 일단 남한 체제를 유지 발전시키는 것이 최고의 과제였습니다. 남한 하나를 책임지는 것도 어려운데 어떻게 민족 전체를 책임질 수 있겠습니까.

그런데 지금처럼 우리가 절대 우위에 있을 때는 북한까지도 책임져야 합니다. 국가 최고지도자가 되려면 민족 전체에 대한 책임의식이 있어야 한단 말이죠. 북한과 중국이, 북한과 미국이 관계 개선을 할 때 그것이 장기적으로 남한에 유리할지 불리할지만 보는 게 아니라, 우리 민족 전체에 어떤 영향을 끼칠지의 측면에서 봐야죠. 그렇게 북한까지도 우리가 책임져야 한다는 정도의 역사의식이 있어야 합니다. 북한은 지금 스스로를 지킬 역량도 부족하고, 지킨다고 하더라도 겨우 버티는 수준밖에 안 되니까요.

국가의 최고 지도자가 민족사에 대한 책임의식을 가진다면 시대적인 과제가 통일임이 분명해질 겁니다. 중국이 급부상하는 지금, 통일만이 이 변화된 정세에 우리가 능동적으로 대응할 수 있는 길이죠. 국가정책의 모든 초점이 통일에 맞춰져야 합니다. 외교도 통일외교, 국방도 통일국방 등 전방위적으로 국가 목표의 초점을 통일에 맞춰놓아야 합니다.

오연호 정치를 한번 해보려고 하는 사람이 그동안은 통일문제에 대해 역사의식을 가지고 본격적으로 생각해본 적이 없다고 합시다. 그런데 지금부터 역사의식을 가지려 한다면 무엇부터 준비해야 합

니까? (웃음)

법륜 그런 사람은 정치하지 말아야죠. (웃음) 그래도 하겠다면 먼저 역사를 꿰뚫어보고 현실을 정확하게 파악해야 합니다. 우선 근현대사부터 공부하라고 권하고 싶어요. 동학혁명으로 시작된 민중의 의식 변화, 그리고 독립운동사와 분단전후사 부분을 정확하게 알아야 합니다. 시대적 과제가 무엇인지를 알아야 하는 거죠. 조금 더 나아가면 민족의 뿌리, 고대사에 대해 알아야 합니다. 한국 사람으로서 한국 사람의 뿌리에 대해 알아야 한다는 말이죠.

그다음은 현안에 대해 정확하게 알고 있어야 합니다. 지금 북한 주민의 현실, 북한 정부가 놓인 처지, 그들의 사고방식, 모순 등에 대해 꿰뚫고 있어야 하겠죠. 또 동북아의 세력 변화를 알아야 합니다. 미중의 경쟁과 협력이라는 미묘한 세력 다툼을 예의주시하며 대응해야 하니까요.

그리고 민족사에 대한 우리의 책임의식을 분명하게 갖고 있어야 합니다. 민족문제와 통일문제는 지금 오직 남한에서 책임지고 풀어야 하며, 북한은 하나의 하위 변수이지 주 변수가 아니라는 관점을 확실히 가지고서 북한, 중국, 미국 문제를 다뤄가야 합니다.

오연호 현역 정치인이나 정치인 지망생뿐만 아니라 역사의식을 갖고자 하거나 깨어 있는 시민이 되고자 하는 사람이면 누구나 스님께서 말씀해주신 공부가 필요하다고 봅니다.

7장
미안하다, 통일

당장 내일이라도 남북이 손을 잡고 통일을 했으면 해요. 따지고 보면 통일에 드는 비용보다 통일된 뒤에 얻는 이익이 훨씬 크거든요. 북한이 주장하는 '우리 민족끼리' 구호를 이제 우리가 주도적으로 강조해야 합니다. 말로만 외치는 선전이 아니라 실질적으로 더 자주 만나 교류하고 배우면서 우리 민족의 앞날에 대해 적극적으로 논의해서 통일국가를 건설해야 합니다. 북한도 그래야 살길이 생겨요.

오연호 평화재단에서 정성껏 차려주신 음식들이 참 맛있습니다. 절밥처럼 담백하네요.

법륜 손님들이 오시면 여기서 만든 음식으로 점심을 함께하곤 합니다. 먹으러 나가기도 번거롭고요.

오연호 벌써 스님과 대담을 시작한 지 3개월 가까이 지났네요. 밥도 맛있게 먹었으니 오늘은 '통일이 밥 먹여주는가'라는 문제에 대해 이야기를 나눠보겠습니다.

법륜 네, 그러죠.

오연호 어쩌다 통일 이야기가 나오면 "그런데 통일이 밥 먹여줍니까? 오히려 지금 이대로가 편하지 않을까요"라고 말하는 사람들이 제법 많습니다. 스님, 정말로 통일이 밥 먹여줍니까? (웃음)

법륜 저는 통일이 우리 경제를 한 번 더 성장시켜서 한 단계 더 나아가게 하는 유일한 길이라고 생각합니다. 우리가 분단된 상태에서도 꾸준히 노력해서 어느 정도 성장했지만, 이제는 한계점에 다다르고 있습니다. 그런데 통일이 된다면 지금의 한계를 극복할 수 있다고 봅니다. 지금 세계는 지역공동체를 꾸려가는 쪽으로 움직이고 있어요. 통일은 우리 민족이 동북아 지역공동체를 중심적으로 이끌 수 있는 기회를 만들어줄 겁니다.

오연호 동북아 지역공동체 구상은 대담 초기에도 잠깐 언급하셨습니다. 여기서 좀 자세히 풀어주시죠.

법륜 유럽을 예로 들어볼까요? 이웃 나라인 영국과 독일, 프랑스는 서로 경쟁하며 유럽뿐만 아니라 세계 패권을 다투는 관계였습니다. 가까이 있는 나라는 치고 멀리 있는 나라와는 친구가 되는 원교근공(遠交近攻)책이 국가의 주요한 외교 전략이었죠. 그러다 보니 패권이 자꾸 바뀌었습니다.

15세기 이후 유럽에서 맨 먼저 지리상의 발견에 나선 나라는 포르투갈입니다. 그 뒤를 이어 뛰어든 나라가 스페인이죠. 한때는 세계를 포르투갈과 스페인이 양분했습니다. 지금 남미를 가보면 브라질에서는 포르투갈어를 쓰고 나머지는 다 스페인어를 쓰고 있는데 이것은 두 나라가 패권을 다툰 역사를 보여주는 거죠.

그러다가 주도권이 네덜란드로 넘어가고, 또 그다음에는 영국이 막강한 해군력으로 판세를 주도합니다. 이 영국에 강력하게 도전한 나라가 프랑스였죠. 두 나라는 유럽뿐 아니라 전 세계에서 충돌했어요. 아메리카 대륙에서도 프랑스와 영국이 서로 식민지를 차지하려고 다퉜고, 아프리카에서도 종횡으로 대립했습니다. 아시아에서도 프랑스는 인도차이나를, 영국은 인도를 차지하면서 서로 다퉜죠.

오연호 그러다가 독일이 세계의 패권을 장악하려고 나서죠.

법륜 그래서 1차 세계대전이 일어났죠. 1914년에 오스트리아와

동맹을 맺은 독일이 영국-프랑스-러시아 연합군과 4년간에 걸친 전쟁을 치렀고 이 과정에서 무려 854만 명이 전사하거나 병사했습니다. 2차 세계대전도 독일이 촉발했죠. 1939년에 독일이 폴란드를 침공하자 영국-프랑스가 독일에 선전포고를 하고 여기에 이탈리아·미국·소련·일본·중국이 뒤엉켜서 그야말로 세계대전으로 번져나갔는데, 1945년에 끝나기까지 수천만 명이 희생당했죠. 그 여파로 결국 세계의 중심이 유럽에서 미국과 소련으로 옮겨갔습니다. 미국 중심의 자본주의 세계와 소련 중심의 사회주의 세계로 양분된 거죠.

미래의 이익을 위해 손을 잡다

오연호 유럽이 500여 년 만에 세계의 주도권을 상실하게 된 거군요.

법륜 그런데 그 이후의 유럽 역사에서 눈여겨봐야 할 사실은 철천지원수였던 나라들이 서로 손을 잡았다는 겁니다. 특히 프랑스와 독일이 그것을 주도했어요. 둘은 얼마 전까지만 해도 철천지원수였죠. 과거를 돌아보면 수백 년간 다퉈왔는데 미래를 내다보고 둘이 협력하기로 한 거죠. 1950년부터 두 나라가 유럽석탄철강공동체(ECSC)를 만들기 시작했는데 이것이 오늘날 유럽 연합의 모태입니다.

오연호 그야말로 철천지원수였으니 손잡기가 쉽지 않았을 텐데요.

법륜 그러는 것이 서로에게 이익이니까요. 아시다시피 두 나라는 국경을 마주하고 있습니다. 전쟁의 결과에 따라 국경선이 이리저리 바뀌고 늘 긴장 상태에 있었죠. 프랑스의 알자스로렌 지방에는 철광이 많고 바로 국경 너머에 있는 독일의 루르 지방에는 석탄이 많았어요. 두 나라가 적대적일 때에는 서로 덕을 못 봤어요. 독일은 가까운 프랑스를 놓아두고 스웨덴에서 철광석을 수입해오고, 프랑스도 마찬가지로 영국에서 석탄을 수입해야 했던 거죠. 경제적 효율성이 많이 떨어졌죠.

그래서 돌파구를 찾고자 서로 협력하자고 한 겁니다. 그게 훨씬 경제적으로 효과적이잖아요. 감정적으로 본다면야 과거에 철천지원수였으니까 서로 가까이할 수 없겠지만, 현재와 미래의 이익을 보면 서로 협력하는 것이 훨씬 경제적으로 이익이라고 판단해 과거를 넘어선 거죠. 이것이 이른바 독·프 석탄철강공동체입니다. 여기에 그 주변의 네덜란드, 벨기에, 룩셈부르크가 참여하고, 나중에는 영국까지 들어가서 유럽 경제공동체가 되어 마침내 오늘날의 유럽연합으로 발전했죠.

오연호 사람이든 나라든 감정을 뛰어넘기가 쉽지 않은데, 슬기롭게 협력을 이루니 후대들이 덕을 보는군요.

법륜 네, 그 어려운 걸 해내니 후대에 효과가 확실히 나죠. 유럽

연합의 인구가 지금 5억 명 가까이 됩니다. 경제적 규모가 각 나라별로 있을 때와 비교하면 상당히 커진 겁니다. 그 정도 규모가 되어야 내수 산업이 발달하고, 인적 교류도 활발해지고, 교통이나 통신도 규모 있게 발전되는 거죠.

이런 식으로 지금 세계는 지역 블록화가 진행되고 있습니다. 미국-캐나다-멕시코 중심의 나프타(NAFTA, 북미 자유무역협정)도 그런 경우죠. 동남아시아는 동남아시아대로, 아랍은 아랍대로, 남미는 남미대로 세계가 전부 지역적으로 블록화되고 있다고 볼 수 있죠. 이것이 하나의 추세입니다.

오연호 그런데 동북아시아에서는 아직 그런 흐름이 형성되지 않고 있습니다.

법륜 동북아시아는 이런 세계의 흐름에 굉장히 뒤처져 있습니다. 남한, 북한, 중국, 일본이 서로 하나의 공동체로 통합되지 못하고 있는 거죠.

그럼 누가 동북아 경제공동체를 주도할 것인지 하나씩 살펴봅시다. 우선 일본이 주도하려면 먼저 과거사를 진솔하게 반성하고 경제적 이득을 주변국에게 적극 나눠줄 생각을 해야 하는데 그러질 못하고 있어요. 게다가 국내 경제는 오랜 침체기이고, 급성장 중인 중국에 국토 면적이나 인구 면에서도 크게 밀리죠. 그러니 일본은 사실상 마땅한 진로가 없어요. 큰 세력인 미국에 붙어서 중국의 성장에 대비하는 정책을 펼칠 뿐 동아시아의 중심 역할은 못하고 있잖아요. 일본은 면적이 남한의 3배이고, 인구는 2.5배예요. GDP는 5배나 되죠. 이 정도 규모의 일본도 지금 전망이 불투명한데, 남한이 이런 세력 판도에서 어떤 전망이 있을까요? 우리도 일본처럼 미국에 기대려고 한다면 동아시아는 지역공동체를 이루기는커녕 지역 대립이 격화된다고 봐야죠. 그래서 통일이라는 돌파구, 동북아 경제공동체라는 돌파구를 찾아야 하는 겁니다.

오연호 남북통일이 된다면 과연 우리가 동북아 경제공동체의 중심이 될 수 있을까요? 일본은 정체 중이라 해도 여전히 강대국이고, 중국은 급성장을 하면서 미국의 힘을 능가하고 있잖아요.

누가 동북아 경제공동체를 주도할 것인가

법륜 남북통일의 시너지를 최대한으로 낸다면 가능하죠. 민족의 번영은 두 단계의 비전을 제시할 수가 있습니다. 1단계는 통일을 한 뒤 인구를 늘리고 영토를 넓혀 체력을 키우는 겁니다. 규모 면에서 영토는 2배가 되고 인구는 1.5배로 늘어나겠죠. 영토가 21만 제곱킬로미터, 인구가 7000만 명이 되니, 지금의 유럽 나라들과 비교하면 프랑스, 영국, 이탈리아 수준이 됩니다. 인구나 영토만 본다면 그 정도의 국가 위상이 우리에게 가능하다는 거죠. 거기에다 통일 이후 북한 지역에 대한 개발이 이뤄지면 한반도 전체에 활기를 불어넣어주겠죠. 미국 역사에서 서부개척이 활기를 불어넣어주었듯이 말이에요. 통일이 우리 민족을 세계 속에서 한 번 더 도약할 수 있는 어떤 계기를 만들어줄 겁니다. 그렇게 되면 세계 10위권 내의 국가 위상을 가질 수 있다고 봅니다. G8에 들어갈 수도 있죠.

하지만 여기에 그쳐서는 안 되겠죠. 2단계 비전은 통일된 한국과 일본이 먼저 경제공동체를 만드는 겁니다. 그렇게 하지 않으면 중국이 만들어내고 있는 거대한 중화 경제권에 우리가 그냥 흡수돼버려 그 주변부로 전락할 위험이 있습니다. 한일 경제공동체를 만들자는 것은 중화 경제공동체와 경쟁하자는 것이 아니죠. 그쪽과 협력해서 동북아 경제공동체를 만들어가자는 겁니다.

한일 경제공동체가 제대로 형성되면 중국의 동북 3성과 러시아의 연해주를 연결해서 환동해권 경제블록, 즉 동북아 경제공동체를 만들 수 있습니다. 만약 그렇게 된다면 인구나 면적에서 유럽연합에 버금가는 경제공동체가 만들어집니다. 이런 블록이 만들어지기만 한다면 이를 바탕으로 더 큰 규모의 한중일 경제공동체, 동아시아 경제공동체를 탄생시킬 수도 있겠죠.

오연호 동북아 공동체를 이루려면 우선 일본과 한일 공동체를 만들어야 한다고 하셨죠. 과연 일본이 통일된 우리나라와 힘을 합하려 할까요?

법륜 그럼요. 경제적 이득이 확실하다면 그렇게 하겠죠.

오연호 일본은 제국주의 시대에 '대동아공영권'을 주창하면서 한반도와 만주를 침략했습니다. 통일 이후 우리 민족이 주도해서 만들어야 한다는 동북아 경제공동체도 지역적으로는 그때와 일치한다고 봐야겠죠?

법륜 네, 거의 동일하죠.

오연호 그때 그들은 폭력적인 방법으로 했지만, 우리는 통일 이후에 평화로운 방법으로 하자는 것이군요.

법륜 상생의 관점에서 해야죠. 일제도 공영(共榮), 즉 같이 번영하자는 말을 썼지만 사실은 자신의 이익만을 위해 폭력적인 방법으로 한 거였고, 그래서 바로 전쟁을 유발했잖아요. 결국 공영이 아니라 공멸했죠. 앞으로 우리가 서로 이익을 나누며 공생하는 관점에서 평화적인 방법으로 접근한다면, 전쟁이 아니라 평화를, 공멸이 아니라 공영을 가져올 수 있을 겁니다.

통일이 된다면 우리는 그걸 주장할 만한 적절한 위치에 서게 됩니다. 강대한 중국이나 일본이 패권을 행사하는 수단으로 그런 주장을 하면 의심을 받잖아요. 중국이 주장하면 일본이, 일본이 주장하면 중국이, 서로 말려들어가 주도권을 빼앗기지 않으려고 경계하겠죠. 그러나 오래 분단돼 있던 우리나라가 통일을 이루면서 평화와 공영을 위해 진정성 있게 그런 주장을 하면 더 설득력이 있습니다. 그러면 동북아 경제공동체의 본부를 우리나라에 두고 우리가 중국과 일본의 세력균형을 잡아줄 수도 있다는 거죠.

오연호 말씀을 듣고 보니 중국과 일본 두 강대국에 둘러싸인 것을 단점이 아니라 장점으로 활용할 수도 있겠군요.

법륜 네, 그 때문에 빨리 통일이 돼야 합니다. 만약 분단된 상태에서 남한이 이런 주장을 하면 우리와 경쟁하는 북한이 사사건건 다 반대하겠죠. 그러면 중국은 북한을 카드로 쓸 수 있고, 미국이나 일본은 한국을 그 카드로 쓸 수 있어요. 분단돼 있으면 능력에 비해 영향력이 없죠. 하지만 통일이 되면 우리가 결정권을 쥐게 됩니다.

오연호 분단돼 있으면 영향력에 비해 어떤 역할이 없게 된다는 말씀이 절실하게 다가옵니다.

법륜 이런 생각을 하면 저는 당장 내일이라도 남북이 손을 잡고 통일을 했으면 해요. 따지고 보면 통일에 드는 비용보다 통일된 뒤에 얻는 이익이 훨씬 크거든요. 북한이 주장하는 '우리 민족끼리' 구호를 이제 우리가 주도적으로 강조해야 합니다. 말로만 외치는 선전이 아니라 실질적으로 더 자주 만나 교류하고 배우면서 우리 민족의 앞날에 대해 적극적으로 논의해서 통일국가를 건설해야 합니다. 북한도 그래야 살길이 생겨요. 그래서 제가 북한을 강성대국으로 만드는 건 어렵지 않다고 농담을 합니다. 남한하고 통일하면 바로 강성대국이 될 텐데 왜 쉬운 걸 어렵게 하냐는 거죠. (웃음) 지금 상황이라면 인민들에게 쌀밥에 고깃국 먹여줄 가능성은 요원하지만, 통일하면 금방 먹여줄 수 있다는 겁니다.

북한을 설득하는 일도 저는 그렇게 어렵지 않다고 봐요. 자꾸 꼼수를 쓰니까 서로 의심하고 오해하고 형식적인 회의만 하게 되는 거죠. 서로 뒤통수 때리기만 해서는 절대 해결이 안 되죠. 한쪽에서 조금 손해 볼 각오로 먼저 투자를 해야 합니다. 또 이산가족, 납북자, 국군포로, 장기수 등 인도적 문제도 빨리 해결해 과거의 아픔을 치유한다면, 적대 감정을 해소하고 화해와 협력을 통한 통일의 기초를 닦을 수 있겠죠.

오연호 판을 크게 벌일 만한 인물이 있어야겠군요.

법륜 개인이 하기는 힘들 테니 통일을 추진할 집단을 만들면 되죠. 통일추진세력이 있어야 합니다.

오연호 드림팀을 만들어야겠군요.

갈등의 분쟁지를 넘어 평화의 구심체로

법륜 중국은 이미 지금의 국토 면적과 인구만으로 세계 어느 나라와도 경쟁할 수 있는 능력이 있어요. 그런데도 대만과 홍콩을 껴안고 갑니다. 또한 동남아의 화교 자본과도 협력을 해나가니 머지않아 세계 최대의 경제블록이 될 수 있을 겁니다. 그런 중국에게 우리가 어떻게 다가서는 게 현명할까요? 우리가 단지 하나의 나라로 중국 주위에 편제되는 것보다는 어느 정도의 힘을 가지는 경제공동체를 구성하면서 협력하는 게 훨씬 바람직하죠.

만약 동북아가 한중일 경제공동체로 확대되면 세계 최대의 경제블록이 형성될 겁니다. 세계의 중심이 동아시아로 옮겨 오고, 우리는 그 속에서 새로운 국가 위상을 만들어갈 수가 있다는 거죠. 통일된 나라만으로도 프랑스나 영국 수준의 위상을 갖고, 이 경제블록을 통해서는 세계 최대의 위상을 갖는 겁니다. 이렇게 되면 명실상부하게 우리나라는 세계 최강대국은 아니더라도 중강국으로서의 세계 중심국가 위상을 가질 수 있다고 봅니다.

통일이 밥 먹여주느냐고들 하는데, 이렇게 되면 더 좋은 밥을 먹을 수 있습니다. 지금 한계에 달해 있는 남한 경제가 통일된 나라에서 다시 성장할 수 있는 거죠. 연해주와 시베리아로부터 오는 안전한 에너지 자원도 확보할 수 있고, 중국 동북 3성의 노동력과 시장도 확보할 수 있어요. 그러면 한중일 경제공동체는 거대한 하나의 내수시장처럼 되겠죠.

문명사적으로 이것은 무엇을 의미할까요? 동아시아에는 크게 중화문명과 조선문명이 있습니다. 아주 옛날로 거슬러 올라가면 중국의 뿌리인 황하문명과 우리의 뿌리인 홍산문명이 있는데, 그 두 문명이 결합해서 세계의 중심이 되는 거죠. 우리가 이런 식의 큰 비전을 만들 수 있다는 겁니다.

오연호 그러고 보니 앞서 스님께서 우리 민족의 뿌리에 대해 언급하셨던 것이 생각납니다. 역사를 거슬러 올라가면 우리 민족이 중국 동북 3성까지 영향권 안에 둔 적이 있잖아요. 그 역사를 다시 한 번 우리 시대에 되살려보자는 말씀 같네요.

법륜 네, 동북아 경제공동체의 원형은 역사 속에서 자주 있었습니다. 무력으로 하긴 했지만 일제강점기가 그랬고, 그전에는 청나라가, 또 그전에는 원나라가 이런 식으로 시도를 했죠. 그리고 더 오래전에는 고구려, 발해, 고조선이 이런 영향력을 끼쳤던 거고요. 어찌 보면 역사적으로 늘 있어왔던 일입니다.

이 지역의 주도권을 고조선 때부터 다시 짚어볼까요? 고조선에 이어 고구려와 발해가 역사를 주도하다가, 그다음에 거란족의 요나라, 여진족의 금나라, 몽골족의 원나라, 한족의 명나라, 만주족의 청나라, 그리고 일본이 차례대로 주도권을 가져간 겁니다. 그럼 그 다음은 어떻게 될까요? 우리 주위의 민족들이 한 번씩 주도를 하다가 역사가 한 바퀴 돌면서 주도권이 다시 조선족으로 돌아온다고 볼 수 있겠죠. 앞으로의 실현 가능성을 떠나서 이런 생각들이 젊은 이들에게 희망을 주지 않을까요?

오연호 역사가 한 바퀴 돈다는 것에 대해 좀 더 설명해주시죠.

법륜 사실 산업문명의 출발지는 유럽이 아닙니다. 원래 화약이든 인쇄술이든 모두 중국에서 발명됐죠. 이것이 서쪽으로 가서 중동을 거쳐 유럽으로 전달됐고, 유럽에서 미국으로 건너갔다가 지금 다시 동아시아, 그러니까 중국으로 돌아오고 있습니다. 이런 생각이 중국의 젊은이들에게 이제 중국 시대가 왔다는 희망을 주잖아요. 그러니 우리도 우리가 동북아의 중심이며, 동북아 문명의 역사는 조선족을 출발점으로 돈다고 생각할 수 있는 거죠. 앞에서 함께 고대사에 대해 자세히 짚어봤잖아요. 제가 매년 수강생을 모집해 고구려·발해 유적지를 탐방하는 이유가 무엇이겠습니까? 우리가 주도했던 문명의 현장에서 단순히 과거를 되새기는 것이 아니라 미래에 대한 원대한 꿈을 설계해보자는 것입니다.

오연호 그 원대한 꿈의 첫걸음이 남북통일이라는 것이죠? 남북이 하나 되지 않으면 그런 꿈을 꿀 에너지가 기본적으로 형성되지 않으니까요.

법륜 네, 분단 상태에서는 에너지 형성이 되지 않죠. 남쪽에 살면서 아무리 원대한 꿈을 꾸어도 북쪽이 막혀 있기 때문에 될 수가 없어요. 거기에다가 미국과 중국의 대립이라는 문제가 우리를 둘러싸고 있잖아요. 그 힘이 워낙 세니까 우리가 중심을 잡고 주도하지 않으면 결국 남한은 미국 쪽으로 편제되고 북한은 중국 쪽으로 편제돼 미·중이라는 큰 세력구도의 하위 변수로 전락하는 겁니다.

반면 통일이 되면 한중일 경제공동체의 매개가 서울이 될 수 있습니다. 서울이 경제 번영의 중심이 되고 평화의 중심이 될 수 있는 거죠. 동북아의 중심지가 서울이 될 겁니다. 이렇게 되면 한반도가 세계 정치·경제·문화의 중심 역할을 하면서 큰 문명의 중심축으로 성장할 수 있죠.

이런 이유로 지금 우리가 분기점에 있다는 겁니다. 분단으로 갈등의 분쟁지가 될 것인가, 통일로 평화와 번영의 구심체가 될 것인가. 지금 통일문제보다 더 중요한 것은 없다는 말이죠. 이렇게 큰 틀에서 생각을 해보면, 국내에 아무리 이런저런 문제가 있다고 해도 통일문제에 비하면 다 부차적인 문제입니다.

오연호 통일은 한중일 경제공동체로 가는 길목이며, 그 과정에서 우리나라가 질적으로 한 단계 더 성장할 것이라고 말씀하셨습니다. 그런데 사람들이 통일이 밥 먹여주느냐는 질문을 하면서 정작 묻고 싶은 것은 통일이 되면 일자리가 정말 늘어나는가가 아닐까 생각됩니다. 일부에서는 통일이 되면 오히려 북한의 값싼 노동력이 남한으로 몰려올 것이고, 그렇게 되면 일자리를 찾는 것이 더 어려워질 수도 있다는 우려도 있는 것 같던데요.

통일이 밥 먹여준다

법륜 통일이 되면 전체적으로 일자리가 크게 늘어날 거라고 봅니다. 우선 북한을 대대적으로 개발해야 하니까요. 물론 북한 인력으로 가능한 것들도 있겠지만, 도로, 철도, 통신, 전기 등 주요 인프라를 설계하고 건설하는 전문가들이 많이 필요하죠. 또 수많은 건물도 지어야 하고 하천 방재도 해야죠. 북한에 남한의 여러 기업들이 들어가게 될 테니 일자리는 절대적으로 엄청나게 늘어날 겁니다.

국가연합 수준의 통일 과정에서는 노동력을 한꺼번에 풀어서 이동하게 할 수 없습니다. 북한 체제는 그것대로 굴러가야 하니까 북한 노동자들이 남한에 한꺼번에 몰려오게 해서는 안 되죠. 하지만 남한에서 필요로 하는 인력은 올 수 있다는 겁니다. 지금 동남아나 중국에서 오듯이 허가를 받아 남한에 와서 일자리를 구할 수 있죠. 이럴 경우 현재 우리나라에서 외국인 노동자들이 하고 있는 일자리에 북한 노동자들이 들어올 수는 있겠죠. 남한 주민의 일자리를 크게 빼앗는 것이 아니니 심각한 문제는 아닌 것 같습니다.

오연호 통일된 이후 질 높은 경제성장을 하려면 남북 모두에서 충분한 노동력이 필요할 텐데요. 남한은 지금 고령화 저출산 문제가 심각합니다. 고령화는 빠르게 진행되고 있지만 2011년 합계출산율이 불과 1.24명이니까요. 고령화된 노인들을 먹여 살릴 수 있는 젊은 경제인구가 절대적으로 부족한 셈입니다. 북한은 저출산 문제가 어느 수준인가요?

법륜 북한도 저출산에 속합니다. 식량난 때문에 아이를 낳아서 제대로 키울 수 없으니까요. 낳는다 하더라도 아이들이 제대로 자라지도 못합니다. 그런데 남한과 달리 북한은 생존권만 보장해주면 출산 문제도 훨씬 빨리 극복되겠죠. 제대로 먹고살기만 해도 출산 의욕이 생길 겁니다.

노동력을 노동력답게 사용해야 한다는 노동효율 측면에서도 통일은 시급합니다. 지금 북한 주민들은 비생산적인 일을 하는 데 노동력을 낭비하고 있어요. 하루 한 끼를 먹기 위해서 산야를 헤매고 이삭을 줍고 풀을 뜯고 있잖아요. 노동생산력이 하루 1000~2000원도 안 되게 그냥 낭비된다는 거죠. 이 노동력을 산업생산에 제대로 활용한다면 엄청난 부를 창출할 수 있겠죠.

오연호 통일 후 북한의 개발에 대해 잠깐 말씀하셨습니다만, 어떤 모델로 개발할지가 중요한 것 같습니다. 남한 사회에서 그동안 문제가 되어왔던 토건 중심의 개발을 할지, 아니면 그런 문제를 해소하는 방식을 고민한 뒤에 개발할지도 상당히 중요한 이슈가 될 수 있겠네요.

법륜 환경문제까지 고려해서 지속가능한 개발을 해야 합니다. 북한은 남한이 개발하면서 생겼던 부작용까지 감안해서 정책을 수립하면 시행착오를 줄일 수 있겠죠. 남한도 1960, 70년대에는 돈이 없으니까 우선 급한 대로 임시로 개발을 한 뒤에 나중에 부수고 나서 또 개발하고 그랬잖아요. 예를 들면 산에 나무를 심을 때 돈이 부족하니까 일단 아카시아부터 심어 산사태를 방지하고 나서, 나중에 다른 나무들로 교체하고 그랬어요.

통일된 뒤 북한을 개발할 때는 어차피 우리나라 땅이니까 우리가 자본을 갖고 우리 경험을 교훈 삼아 처음부터 제대로 개발할 수가 있죠. 북한 자체적으로 계획을 세우면 우리처럼 난개발을 할 위험이 있어요. 북한 개발은 남북 경제공동체 차원에서 함께 하고, 정치 체제는 당분간 북한 체제를 유지해주는 방식으로 가야겠죠. 마치 홍콩이 중국에 반환되어 흡수됐지만 그전의 사회경제체제를 그대로 유지하는 것처럼요.

북한에 대한 개발이 시작되면 상당히 속도가 붙을 겁니다. 북한은 개인 소유의 땅이 거의 없으니까 우리처럼 토지에 대한 보상이 필요 없잖아요. 그러니 개발 경비가 적게 들고 속도감 있게 진행할 수 있을 거란 말이죠. 그래도 약 20년간 건설을 해야 남한의 70~80퍼센트 수준이 될 테니 설계를 아주 신중하게 해야 합니다. 반드시 잊지 말아야 할 것은 북한 개발에 따른 개발이익 환수장치가 있어야 한다는 겁니다. 개발업자들에게도 일정한 이익을 보장해줘야겠지만 주요하게는 북한 주민들에게 이익이 골고루 돌아가게 하고, 또 민족 전체의 이익이 될 수 있도록 사전에 철저한 대비책이 있어야겠죠.

오연호 북한은 농촌 인구가 아직도 40퍼센트일 정도로 많죠. 북한을 개발할 때 농촌을 어떻게 살릴 것인가도 주요한 포인트가 되겠네요.

법륜 북한이 현 상태에서 스스로 농업을 살릴 수 있는 방안은 농민들에게 개인 영농을 허용하는 수밖에 없습니다. 그러지 않으면 농민들의 생산 의욕이 생기지 않으니까요.

그런데 통일이 되어 남쪽이 본격적으로 지원한다면 두 가지 길이 있습니다. 하나는 우리처럼 개인 영농의 길로 가는 겁니다. 우리가 부족한 식량과 농자재 같은 것을 몇 년간 일정하게 지원해줄 테니 개인농으로 전환하라고 하는 거죠.

또 다른 길은 북한의 집단농장을 영농회사로 만드는 겁니다. 남한도 지금 농촌에 사람이 없어 농사짓기가 힘드니까 다시 영농법인을 만들어 통합하는 곳도 있잖아요. 집단농장을 영농법인으로 만들어 시장경제의 틀 속에서 회사로 운영하는 거죠. 한마디로 농민들이 주주가 되는 거예요. 한 집단농장이 너무 크면 조금 작게 해서 몇 개의 영농법인을 만드는 방식도 있을 것 같아요.

오연호 북한의 집단농장은 운영만 잘된다면 요즘 남한의 농촌사회가 텅텅 비어가는 문제점을 해소하는 데 힌트를 얻을 수도 있겠네요.

법륜 바로 그 점이 중요합니다. 남북이 어울리다 보면 더 창의적인 방안이 나오겠죠.

창의성과 신바람의 경제효과

오연호 지금부터는 통일의 경제적 효과를 다른 측면에서 살펴보도록 하죠. 통일을 하면 새로운 개발거리들 때문에 경제가 활성화되기도 하겠지만, 그동안 과도하게 지출된 분단 비용을 복지 비용으로 전환한다든지 하는 방식으로 우리 국민들에게 혜택이 돌아갈 것 같습니다. 그중 핵심이 국방비겠죠. 남한의 2012년 한 해 예산이 325조 5000억 원 규모인데, 그중 10퍼센트 정도인 32조 9576억

원이 국방비거든요.

법륜 북한은 GDP의 30퍼센트 정도를 국방비로 쓰고 있어요. 분단 유지 비용, 혹은 체제 방어 비용이 엄청나게 많이 든다고 할 수 있죠. 통일이 되면 이 부분이 엄청 절약되겠죠. 첫째는 군인을 대폭 감축할 수 있잖아요. 군대 가서 근무하는 기간을 줄여줄 수도 있겠죠. 의무병은 기간을 많이 줄여주고 대신에 국가의 상시 방어체계를 위해서는 유급 직원인 모병제로 대체할 수도 있습니다.

물론 통일 이후에도 우리가 일본이나 중국에 대응도 해야 하니까 무조건 군인 수를 줄일 수는 없을 겁니다. 그래서 통일을 바탕으로 한중일 경제공동체를 추진하고, 동북아의 지역적인 다자 안보체계가 확보돼야만 추가로 우리 국방비가 줄어들겠죠. 또한 분단에 따른 체제선전비도 많이 줄어들 겁니다. 외교에서도 체제 경쟁에서 이기기 위한 선전비를 적지 않게 쓰고 있거든요.

오연호 창의성을 경제적 효과로 환산하는 것도 쉽지는 않을 테죠? 통일이 되면 남북사회가 갖고 있던 경직성이 완화되면서 사람들이 전보다 훨씬 더 창의적인 사고를 할 수 있는 분위기가 만들어질 가능성이 높습니다. 또 이것이 공공기관이나 기업에서 생산성을 향상시켜준다든지 하는 간접적인 효과도 적지 않을 듯합니다.

법륜 그렇습니다. 사상적인 자유가 신장되면서 신바람이라고 할까, 어떤 기(氣) 같은 것이 우리에게 굉장한 기운과 자신감을 주겠죠. 우리는 지금 분단된 가운데서도 한류라든지 체육 쪽에서 세계적인 경쟁력을 확보하고 있잖아요. 통일이 되면 창조성이 더욱 발휘될 테니 문학이든 자연과학이든 경제든 세계 수준으로 올라갈 겁니다. 사람이란 자신감을 갖게 되면 굉장한 힘을 발휘하거든요. 통일이 한국 사람들에게 그런 기운을 만들어줄 것이라고 생각합니다.

그뿐 아니라 이산가족의 아픔을 치유할 수 있고, 납북자 · 국군포로 · 장기수 등 전쟁과 분단이 만들어낸 희생자들의 아픔을 다 청산할 수 있겠죠. 우리로서는 어쨌든 일본에 나라를 빼앗기고 분단되고 전쟁하고 갈등했던 지난 100년의 상처를 완전히 청산할 수 있을 겁니다. 그러고 나서 새로운 100년을 향한 설계를 해나갈 수 있겠죠.

오연호 지난 100년에 대한 성찰적 청산과 새로운 100년에 대한 창조적 설계라니 다시 제 가슴이 뛥니다. 통일이 되면 나라의 이미지도 개선될 테니 경제적 효과도 기대할 수 있겠네요.

법륜 그렇습니다. 통일이 되면 우리가 해외에 나갔을 때 열등의식을 가질 필요가 없겠죠. 그리고 해외에 있는 700만 동포들이 새롭게 갖게 될 자신감은 굉장할 거예요. 그동안 해외에서는 한반도 이야기만 나오면 늘 부정적인 이미지였잖아요. 북한에 대한 말을 꺼내면 핵문제, 아사, 인권침해, 전쟁 가능성 이야기가 나오죠. 외국인에게 코리아에서 왔다고 하면, 노스(North)인지 사우스(South)인지 묻잖아요. 그것이 코리아라는 국가 상표 이미지가 엄청나게 훼손됐음을 말해주는 거예요. 통일이 되면 이런 이미지도 개선되어

상품 수출에도 긍정적 영향을 줄 겁니다.

오연호 700만 명에 달하는 해외동포들이 기를 펼 수 있다는 말씀에 깊이 공감합니다. 저도 해외에 나갈 때마다 느껴왔으니까요.

법륜 통일이 되면 가장 빨리 혜택을 피부로 느낄 사람들은 북한 동포들이고, 두 번째가 바로 해외동포들입니다. 이들이 기를 펴고 살 수 있으니까요. 사실 각 나라마다 동포들 사이에도 늘 갈등이 있잖아요. 재일동포만 해도 국적이 조선인지 한국인지, 조총련인지 민단인지에 따라 그 안에서도 갈등이 많았는데, 이런 것들이 다 해소되죠. 또한 동포들이 떳떳하게 북한에도 투자할 수 있게 됩니다. 남한 쪽에서만 북한에 개발 자금을 보내는 것이 아니라 해외동포들로부터도 올 수 있다는 말입니다.

양극화 해소와 통일은 맞물려 있다

오연호 그런데 통일이 여러모로 좋긴 하지만 한편으로는 통일 이후에 비용이 너무 많이 들어갈 거라는 우려도 있던데요.

법륜 북한을 어떤 식으로 도와주고 개발하느냐에 따라서 초기 통일 비용은 커질 수도 있고 작아질 수도 있습니다. 가급적 비용이 적게 들어가는 방법을 택해야겠죠. 그동안 남한에서 했던 식으로 한꺼번에 개발하면 돈이 많이 들어갑니다. 초기에는 남한의 물자를 재활용하는 방법도 생각해볼 수 있어요.

예를 들면 북한에는 가까운 바다에서 고기를 잡는 배가 절대적으로 부족하단 말이에요. 그러면 남한에서 쓰다가 폐기해야 할 중고 배를 우선 북한에 보내 가까운 바다에서 어업을 하게 할 수 있겠죠. 비싼 최신 기계를 바로 북한에 보내기보다는 중고 물자를 재활용하자는 겁니다. 남한의 한물간 농기계 같은 것도 북한에서는 요긴하게 한 번 더 돌릴 수 있단 말이죠.

옷도 마찬가지입니다. 북한의 모든 주민에게 새 옷을 사 입혀야 하는 건 아니니, 남한에서 입지 않는 옷을 세탁해 북한에 보내 재활용하면 됩니다. 그쪽에서는 그게 고급 옷이잖아요. 그렇다면 북한 주민들이 이런 상황을 어떻게 받아들일까요? 남북한이 긴장하면서 대치하는 상태에서는 헌옷을 주면 기분 나빠할 수도 있겠죠. 그러나 통일을 합의하고 서로 협력하기로 했다면 기분 나빠할 일이 아니죠. 북한에서 재활용할 수 있는 것들이 굉장히 많아요. 또 북한이 가장 시급하게 필요한 쌀 문제만 해도 남한은 재고가 너무 많아서 보관에 어려움이 있잖아요. 이것을 지원하면 북한 주민도, 남한 농민도 모두 혜택을 볼 수 있죠.

남과 북이 하나의 나라가 되었을 때 협력할 수 있는 방안은 우리가 지금 생각해낼 수 있는 것보다 훨씬 많을 겁니다. 북한에다 나무 심는 것을 예로 들어보죠. 포스코 같은 큰 기업에서는 어차피 이산화탄소 배출에 대한 부담금을 물어야 하잖아요. 그 돈으로 북한의 민둥산에 나무를 심을 수 있겠죠. 이렇게 우리가 어차피 지출해야

제가 볼 때 대중은 새로운 리더십을 지지할 준비가 되어 있습니다. 민심이 움직이면 기적이 투표로 나타나겠죠. 2012년부터는 민족의 번영을 위해서 꼭 평화와 통일의 기초를 닦아야 합니다.

할 것들을 현명하게 북한을 개발하는 데 쓸 수가 있는 겁니다. 분단적 사고를 넘어서면 시너지 효과를 낼 수 있는 것들이 한두 가지가 아닙니다.

북한 개발 비용은 지출이 아니라 투자라고 봐야 합니다. 통일 비용은 소모성 소비가 아니라 미래의 이익을 창출하는 투자로 생각해야 합니다.

오연호 한쪽에서는 통일도 좋지만 그보다 더 시급한 것이 남한 사회 내부의 경제적 양극화 해소라고 말합니다. 양극화가 우리 내부의 계층적 분단을 고착화하고 있다는 거죠. 이것을 해결하지 않고 통일을 한다면, 자본주의적 경쟁 경험이 없는 북한 사람들까지도 양극화 구도에 휘말려 전체적으로 양극화가 더 심화될 거라는 우려 같습니다.

법륜 우리 사회에 활기를 불어넣으려면 통일과 양극화 해소라는 두 가지 문제를 같이 풀어나가야죠. 통일만 생각하면 개인 삶의 문제는 해결이 안 될 것이고, 양극화 해소만 생각하면 개인은 어느 정도 좋아져도 우리 공동체인 민족의 비전이 없잖아요. 이전까지는 이 두 문제가 별개로 보였지만, 지금은 판을 키우지 않으면 양극화 해소가 쉽지 않고, 판을 키우려면 통일이 되어야 합니다. 그렇기 때문에 통일과 양극화 해소가 같이 가야 하는 겁니다.

통일이 파이를 키우는 것이라면, 양극화 해소는 파이를 잘 나눠 갖는 것이겠죠. 키워지지 않는 파이 안에서 분배의 균형점을 잡아

나가려고 하면 심한 갈등을 불러오겠죠. 가진 자들이 양보를 하지 않으려고 할 테니까요. 성인군자가 아닌 이상 쉽게 내놓으려 하지 않겠죠. 파이 전체를 키워나가면서 내부 분배의 문제를 풀어야 어느 정도 서로 양보가 가능해질 겁니다. 통일이야말로 그런 변화를 가져올 수 있는 중요한 계기죠. 이런 측면에서 통일과 복지는 함께 가야 합니다. 양극화 해소가 내부 질서의 조절이라면 통일은 외부 환경 조성이라고 할 수 있어요. 내외가 맞물려 있어서 이 둘 중 하나만 갖고는 어느 것도 제대로 풀리지 않습니다.

오연호 양극화 해소와 통일, 둘 중 어느 하나만으로는 안 된다는 거군요.

법륜 분명히 짚고 가자면, 통일이 중요한 것이 아니라 통일된 한국이 어떤 사회일 것인가가 더 중요하죠. 그 때문에 통일을 이뤄내는 과정에서 우리 사회의 양극화 문제를 반드시 풀면서 가야 합니다. 양극화가 해소되지 않은 상태에서는 어쩌면 노동자가 통일을 반대하고 대기업이나 재벌이 통일을 찬성하는 상황이 올 수도 있습니다. 이게 무슨 말이냐면, 역사적으로 보면 히틀러 정권 때 빈곤층이 파시즘의 온상이 되었잖아요. 지금 우리나라도 양극화가 심화되다 보니 오히려 빈곤층이 극우세력의 온상이 될 가능성이 굉장히 높아졌어요. 통일이 서민을 위협하고, 북한 사람들이 밀려 내려와 일자리를 차지해 가난한 사람을 더 가난하게 만든다고 우려할 수 있거든요.

우리가 충분히 북한을 포용하고 통일을 이룩할 힘이 있는데, 이런 식으로 통일을 외면한다면 참 어리석은 일이죠. 통일이 오히려 판을 키워 우리에게 밥 먹여준다는 것을 알면 오히려 갈등의 실마리가 풀리는 계기가 될 수 있습니다. 그런 면에서 반드시 심화된 양극화 문제를 누그러뜨리면서 통일문제를 풀어가야죠. 그래서 2012년 우리 유권자들의 선택이 중요합니다. 양극화도 풀면서 통일 비전도 추진할 수 있는 집권세력을 새로 만들어내야 하니까요.

오연호 통일이 중요한 것이 아니라 통일된 한국이 어떤 사회일 것인가가 중요하다는 말씀을 되새기게 됩니다. 결국 통일이 저절로 밥 먹여주는 것이 아니라 통일된 한국이 어떤 사회인가에 따라 우리가 먹는 밥의 질도 달라질 것 같습니다. 그러니 그런 사회를 만들어가는 오늘의 선택이 소중하다고 하겠습니다. 결국 통일이 밥 먹여주는 것이 아니라 우리의 선택이 밥을 먹여준다고 할 수 있네요.

8장
틈새에 피는 꽃

지금은 미·중 교체기이니 우리에게 기회가 생긴 거예요. 만약 미국이 일방적으로 지배하는 세계라면 우리가 미국에서 조금이라도 벗어난다는 것은 불가능하죠. 이런 교체기에는 남북이 서로 합의만 잘하면 외세가 간섭하기 꽤 어렵습니다. 또 중국이 아직 북한에 완전히 개입해 있는 것도 아니기 때문에 우리가 지금 적극적으로 통일을 추진해야 합니다. 문제는 남북이 그만큼 통일을 원하느냐죠.

오연호 시대를 읽는다…… 스님과 이야기를 나누다 보면 이 말이 가끔 등장하는데, 그때마다 '오늘 나는 시대를 제대로 읽고 있나' 하고 돌아보게 됩니다.

법륜 역사를 상대로 도박을 하면 안 됩니다. 역사를 제대로 이끌려면 순리에 따르면서도 변화를 가져와야 합니다. 그리고 항상 그 중심에서는 국민이 무엇을 원하는가, 어떻게 하면 국민이 더 행복한가 하는 질문들에 답해야 하는 겁니다.

오연호 시대를 읽고 역사의 순리에 따른다는 것이 쉽지만은 않은 것 같습니다.

법륜 기성의 체제를 유지하는 선에서의 개혁이냐, 아니면 시대가 그것보다 더 큰 변화를 요구하느냐를 잘 읽어야 된다는 겁니다. 시대를 잘못 읽으면, 그러니까 개혁을 해야 할 시기에 혁명을 하면 혁명이 실패하고, 혁명을 해야 할 시기에 개혁을 하면 개혁이 실패하는 겁니다. 그래서 면밀히 상황을 판단하고 시대를 읽어야죠.

오연호 개혁과제는 제대로 봤지만 안팎의 세력 판도를 제대로 읽지 못할 경우에도 개혁에 실패한다는 말씀이군요.

법륜 과거 고려시대 말엽 공민왕 때의 개혁세력들은, 외부적으로는 원나라가 명나라로 교체되는 국제적인 변화를 못 읽었고, 내부적으로는 신진사대부들의 성장이 무엇을 의미하는지도 못 읽었죠. 현실의 모순은 정확히 간파하고 신분제도 철폐나 토지개혁 같은 개혁과제를 정했지만, 이것을 달성하려면 국제관계는 물론 국내 정치세력도 살펴봐야 하는데 그런 인식은 부족했던 것 같습니다. 그러면서 당면한 문제를 해결하는 데만 집중했기 때문에 실패하지 않았나 싶어요. 실패한 개혁이나 혁명은 대부분 그런 경우가 많거든요. 갑신정변도 뜻은 좋았지만 실패했잖아요.

세력교체기로 접어든 미국과 중국

오연호 개혁을 제대로 하려면 국제관계도 잘 살펴야 한다고 하셨습니다. 역사를 죽 돌아보면 우리나라를 둘러싼 외세규정력이 늘 강했습니다. 분단 과정에서도 그랬는데, 지금 시점에서도 이것이 궁금합니다. 외세규정력은 통일되는 과정에서도 결코 줄어들지 않고 유지될까요, 아니면 남과 북 우리 민족의 역량이 점점 커질수록 줄어들 수도 있을까요?

법륜 외세 중 어느 한 나라가 일방적으로 강할 때에는 우리가 애써봐야 벗어나기가 어려워요. 청나라가 천하를 지배할 때 효종이 북벌론을 주장했지만 기껏해야 계란으로 바위치기였죠. 하지만 세력교체기에는 틈새가 있어요. 틈새가 벌어지기 때문에 우리가 자주적 역량을 높일 가능성이 굉장히 높습니다. 고려 말 공민왕 때가 그랬죠. 원나라의 힘이 약간 빠지고 명나라가 커가는 시기에 그 기회를 이용해서 예전에 원나라 직할지로 빼앗겼던 쌍성총관부를 회복했습니다. 그래도 원나라가 세력교체기라 손을 쓸 여력이 없었죠. 지금은 우리 주변에 있는 미국과 중국이라는 주요 외세가 세력교체기로 접어들고 있습니다.

오연호 고려 말 조선 초에 원나라가 저물어가고 명나라가 떠오른 것은 요즘 중국이 부상하고 미국이 침체되는 것과 비슷하군요.

법륜 그렇습니다. 그때 외세의 세력 변화와 관련해서 시대를 읽은 것은 권문세족이 아니라 신진사대부였죠. 원나라가 쇠퇴하고 명나라가 떠오르는 것을 본 정도전 등은 이성계를 등에 업고 친명 정책으로 돌아서버렸어요. 당시 고려 입장에서는 나라가 망했지만 사실 우리 민족 전체 입장에서는 원·명 교체기에 피해를 입지 않았습니다. 오히려 조선 초에 압록강, 두만강 유역의 영토를 넓혔어요. 물론 조선이 나중에 너무 친명 정책에 치우친 나머지 사대주의에 빠져 우리에게 심한 모화사상(慕華思想)을 심어놓은 것은 잘못됐죠. 그러나 그 당시의 정치적 판단은 역사적 전환기에 잘한 축에 들어요. 주변 강대국의 세력 변화를 이용해서 정권교체를 한 겁니다.

오연호 그러니 지금은 미국과 중국의 세력교체기를 잘 활용해야겠군요.

법륜 지금은 미·중 교체기이니 우리에게 기회가 생긴 거예요. 만약 미국이 일방적으로 지배하는 세계라면 우리가 미국에서 조금이라도 벗어난다는 것은 불가능하죠. 이런 교체기에는 남북이 서로 합의만 잘하면 외세가 간섭하기 꽤 어렵습니다. 미국은 지금 자기 문제도 감당하기 어려우니 자국의 사활이 걸린 일이 아니면 간섭하려고 하지 않죠. 이라크나 아프가니스탄에도 간섭했다가 엄청나게 곤욕을 치르고 있잖아요. 이라크 전쟁, 아프간 전쟁에서 승리는 했지만 미국 경제가 지금 엉망이 되어버렸잖아요. 우리가 통일하겠다고 해도 미국의 사활에 별 영향을 주는 건 아닙니다. 반미만 하지 않는다면 미국으로서는 손해날 일이 아니잖아요.

또 중국이 아직 북한에 완전히 개입해 있는 것도 아니죠. 아직은 북한 정부에 대한 중국의 영향력이 별로 없을 때니 북한이 스스로 선택을 해서 남한과 합치자고 해버리면 중국이 뭐라고 할 수 있겠습니까. 아직은 중국이 미국처럼 패권 행세를 하는 건 아니잖아요. 그렇기 때문에 우리가 지금 적극적으로 통일을 추진해야 합니다. 문제는 남북이 그만큼 통일을 원하느냐죠. 더 적극적으로 북한을 포용해서 통일을 원하도록 만들어야 합니다.

오연호 통일 과정에서 외세를 둘러싼 논쟁의 핵심에 주한미군이라는 존재가 있습니다. 통일 과정과 그 이후에 우리가 주한미군의 역할을 어떻게 규정하고 정리할 것인가도 상당히 중요한 문제입니다. 주한미군 문제를 어떻게 하는 것이 좋을까요?

스님께서는 중국이 부상하고 있기 때문에 일정한 시기까지는 우리가 미국과의 우호적인 관계를 지속적으로 유지해야 한다고 하셨습니다. 일부 진보진영에서는 예전처럼 당장 철수해야 한다고 하는가 하면, 또 한편에서는 지금은 철수를 이야기할 때가 아니며 통일 이후에도 주한미군을 활용해야 한다는 주장도 등장하고 있습니다.

주한미군 · 전작권 해법의 열쇠

법륜 저는 주한미군 문제를 이제 우리가 자신감을 갖고 대해야 한다고 봅니다. 또 너무 민감하게 반응하지 말고 담담하게 풀어야 합니다. 자신감을 갖고 대하라는 말은 미국이 하고 싶은 대로 하게 두자는 겁니다. 만약 미국이 자신의 필요에 의해서 철수하겠다고 하면 바짓가랑이 잡고 나가지 말라고 사정할 필요는 없다고 생각해요. 그동안 신세를 많이 져왔는데 미국이 경제적으로 어려워서 스스로 철수하겠다고 할 때 도와주지는 못할망정 좀 더 있어달라고 하는 건 우방국으로서의 기본적인 태도가 아니죠. 우리도 이제 이 정도의 국력을 키웠으니 자기 국토는 스스로 방어할 생각을 해야죠. 외국과의 어떤 군사적인 협력은 좋지만, 주한미군이 반드시 남한에 주둔해 있어야 한다는 생각에 너무 빠질 필요는 없어요. 그런 관점에서 미국이 철수하겠다고 할 때 안 된다고 할 필요는 없단 말이죠. 또 우리가 말린다고 해서 될 일도 아니고요.

반대로 미국이 계속 주한미군을 여기에 두겠다고 할 경우, 억지로 나가라고 할 필요도 없다고 봐요. 그 이유는 우선 미국이 나가지 않겠다고 하는데 내보낼 만큼 우리의 역량이 아직 충분치 않다는 거예요. 또 우리 국내에서의 여론이 하나로 모이기도 쉽지 않은 문제란 말이죠. 자칫하면 국론 분열만 가져옵니다.

또 다른 이유로 중국에 대한 견제 필요성도 있습니다. 장기적으로 보면 중국이 군사적으로 부상할 텐데 그런 상황에서 우리의 자주권을 보호해야 합니다. 그럴 때 미국과 동맹을 맺고 있으면 수월할 테니, 그것 때문에라도 나가지 않겠다는 미군을 굳이 내보낼 필요는 없다는 겁니다.

오연호 아주 간단하게 현실적으로 판단하니 명쾌하군요.

법륜 주한미군 문제는 심각하게 고민할 필요가 없어요. 오히려 미국의 선택에 따라 그대로 해주면 되는 겁니다. 그대로 남아 있겠다고 하면 예전에 우리가 도움을 많이 받았으니 있도록 도와주겠다고 하면 되고, 반대로 나가겠다고 하면 우리가 그동안 도움을 많이 입었으니 고맙다고 한 뒤 이제부터 우리 일은 우리가 알아서 하겠다고 하면 됩니다.

이런 식으로 우리는 미국에 대해 자신감을 가져야 합니다. 그래야 경제적 효과도 따라옵니다. 계속 주둔하겠다고 하면 자기들 필요에 의한 것이니 우리가 주한미군 주둔비를 지출할 필요가 없게 되고, 가겠다고 하면 자기들 필요에 의해 나가는 것을 우리가 놓아주는 셈이니 미국과 등 돌릴 일도 없게 됩니다. 경제적 · 군사적 우호관계가 안정적으로 계속되는 거죠. 그런데 그냥 나가라고 등 떠

민다면 미국이 불쾌해할 것이고, 그 때문에 우리는 경제적으로든 어떤 식으로든 화를 입게 될 겁니다. 또 가겠다는데 잡으면 주둔 경비를 우리가 물어야 하고 중국에 밉보일 우려도 있죠.

그러니 주한미군 문제는 크게 고민할 필요 없이 미국의 의도에 맞게 따라주는 것이 좋습니다. 자주권이 없어서 그러는 것이 아니라, 그것이 오히려 자주권을 훨씬 더 높여주는 태도가 되기 때문입니다. 이렇게 보면 문제가 쉽죠?

오연호 네. 아주 골치 아픈 문제로 여겼는데 스님처럼 생각하면 크게 고민할 필요가 없겠네요. 그런데 통일할 때까지 주한미군이 유지된다면 그 과정에서 북한과 중국이 주한미군 주둔을 문제 삼을 것 같습니다. 여기에는 어떻게 대응해야 할까요?

법륜 남북 간, 한미 간 합의를 통해 주한미군이 북한에 적대적이지 않고 동북아의 평화유지를 위해 주둔하도록 해야겠죠. 사실 주한미군 문제는 북한보다 중국이 더 민감하게 생각합니다. 하지만 중국이 문제를 제기하더라도 우리는 충분히 할 말이 있습니다. 북한에 적대적이지 않고 동아시아의 평화유지를 위해 힘쓰는 쪽에서 주한미군의 의미를 찾고, 또 각국이 자기방어를 위해 군사동맹을 맺을 자유가 있으니 그 논리대로라면 중국이 민감하게 생각한다 하더라도 그렇게 신경 쓸 일은 아닌 거죠.

오연호 그럼 통일 이후에는 주한미군을 어떻게 해야 할까요?

법륜 제 생각에 통일 이후에는 주한미군을 철수하는 쪽으로 가야 한다고 봅니다. 중국과의 관계를 생각해도 마찬가지예요. 또 우리가 당면한 안보 위험이 없어졌기 때문에 주한미군은 철수하는 대신 오히려 동북아 다자안보기구를 새롭게 만들어서 우리의 안보를 그곳에 의탁하는 편이 더 낫다고 봅니다.

왜냐하면 한미 두 나라가 어떤 특별한 군사동맹을 맺고 있다면 동북아 다자안보기구를 만드는 일이 어렵거든요. 유럽의 나토(NATO, 북대서양조약기구) 같은 것을 동북아에 만드는 거죠. 지금 북핵 해결을 위해 6자회담을 하는 국가들이 공동안보기구를 만들면 됩니다. 통일된 이후에는 어떤 특정 국가가 아닌 주변국들과 함께 우리의 안보를 해결하는 방식이 더 좋을 것 같습니다.

오연호 주한미군과 관련되어 있는 이슈 중 하나가 전시작전통제권 반환 문제입니다. 우리나라의 진보와 보수 간에 이 문제가 쟁점이 되었잖아요. 사실 한 나라의 자주권의 상징인 전시작전통제권이 6·25 이후 오랫동안 주한미군에게 있었다는 것 자체가 남한이 완전한 독립국이 아니었음을 보여주는 것이죠. 전시가 아닌 평시작전통제권도 1994년에야 겨우 되찾았잖아요. 아무튼 노무현 정부 때 한미 간에 합의를 해서 전시작전통제권을 2012년에 넘겨받기로 했는데 보수단체들이 거세게 반발했고, 결국 이명박 정부가 들어서면서 애초 계획을 틀었죠. 전시작전통제권 환수 시기를 계획보다 3년 뒤인 2015년으로 미룬 겁니다. 이런 논란과 번복에 대해서는 어떻게 보시나요?

법륜 노무현 정부 때 전시작전통제권을 돌려받기로 한 것은 한미 간의 합의사항이었잖아요. 한국의 국력이 어느 정도 신장되고 자주국방의 역량이 커지면서 합의를 하게 된 거죠. 그랬으면 넘겨받아야죠. 아까 주한미군 문제처럼 넘겨주겠다는데 억지로 받지 않겠다고 할 필요도 없고, 넘겨주지 않겠다는 것을 억지로 내놓으라고 빼앗을 필요도 없다는 겁니다.

사실 전시작전통제권을 넘겨주는 것은 미국의 기본적인 전략이에요. 우리도 그것을 넘겨받는 것이 지금의 국방력으로 볼 때 별문제가 없거든요. 그러니 합의된 대로 그냥 넘겨받으면 될 일이었죠. 그런데 이명박 정부가 억지로 3년을 연기시켰습니다. 이제 더 이상 연기하지 말고 상호 합의된 대로 인수하면 됩니다.

오연호 보수세력은 주한미군으로부터 전시작전통제권을 넘겨받는 것을 왜 부담스러워할까요? 그러고 보면 아직도 보수세력은 북한을 상당히 두려워하는 것 같습니다. 다른 말로 하면 자신감이 부족한 거겠죠.

스님께서 주한미군 문제는 자신감을 가지고 받아들여야 한다고 하셨습니다. 그보다 더 앞서 진보는 북한을 더 이상 부러워할 필요가 없고, 보수는 북한을 더 이상 두려워할 필요가 없다고 하셨습니다. 사실 독립되었다고 주장하는 나라에서 전시작전통제권을 남의 나라에 맡긴 것도 모자라, 되돌려주겠다는데도 제발 조금만 더 갖고 있어달라고 하는 것 자체가 세계 역사에서 찾아보기 힘든 슬픈 코미디 아닙니까. 보수는 정말 아직도 북한을 두려워하는 걸까요,

아니면 오랜 미국 사대주의에서 벗어나지 못하는 걸까요?

법륜 둘 다인데, 한마디로 자신이 없는 거죠. 대한민국에 대한 자신감이 부족한 겁니다. 이제는 자신감을 가져도 좋다고 생각해요. 물론 그 자신감이 교만으로 흐르면 안 되지만 더 이상 북한을 두려워하거나 미국 앞에 비굴하게 고개 숙일 필요가 없습니다. 경제력만 보더라도 세계 14위권이고 남북한 차이가 현격한데 아직도 미군이 없으면 안 된다고 주둔을 요구하는 것은 정말 부끄러운 일이라고 생각합니다. 어느 정도 자신감을 갖고 자주국방의 입장에 서야 합니다. 그런 면에서 전시작전통제권 환수는 한미 간에 상호 합의된 대로 진행하면 된다고 봅니다.

오연호 남한이 북한에 비해 경제력이 압도적으로 앞서 있음에도 불구하고 보수세력이 북한을 두려워하는 것은 군사력 부분에서 압도적으로 앞서 있지 못하다는 판단 때문인 것 같습니다. 남북 군사력 비교를 객관적으로 할 수 있는 자료가 제한되어 있긴 합니다만, 스님께서는 어떻게 보고 계십니까?

법륜 재래식 무기의 성능이나 물량 면으로는 남한이 압도적 우위에 있다고 봐야죠. 지금 북한에 비해 열세에 있는 부분이라면, 오히려 정신적인 문제라든가 작전 문제라고 봅니다.

베트남 전쟁 때 미군이 왜 이기지 못했습니까? 베트콩은 작은 소총이나 죽창만 들고 싸웠는데도 최신 무기를 갖고 싸운 미군이 이기지 못했잖아요. 그건 물량적인 문제가 아니죠. 미군이 군사력이 약해서 진 것이 아니잖아요. 그처럼 지금 한국이 북한보다 약간 열악한 점이 있다면 군사력 문제가 아니라 아직도 북한을 두려워하고 있는 게 문제라는 거죠.

이런 정신적인 문제나 사기 문제는 한국 사회를 지켜야겠다는 국민들의 의지가 강하면 극복됩니다. 그렇기 때문에 한국 사회를 조금 더 안정되고 민주화되고 불평등 구조가 없는 사회로 만들어야 하는 거죠.

그리고 또 하나는 비정규전, 게릴라전 등에 대한 두려움입니다. 이것은 미군의 항공모함이 있다고 해결될 문제가 아니기 때문에 다른 방식으로 보완을 해야죠. 비정규전 성격의 공격은 남북 간 화해와 협력을 통해 그 가능성 자체를 없애버려야 합니다. 만약 그런 공격을 해온다 해도 지금 우리 힘으로 충분히 방어가 가능하며, 조금 부족하다 싶은 정신력 부분은 한국 사회를 좀 더 건강하게 만들고 그 사회를 지키려는 의지를 강화하면 저절로 해결되는 문제입니다.

지금 한국 사회는 북한과 비교할 때 우위에 있긴 하지만, 그다지 좋은 사회는 아닙니다. 북한과만 비교하면 경제력, 군사력도 더 낫고, 민주주의적인 면이나 인권을 비교해도 더 낫죠. 여러모로 확실히 남한이 우위에 있지만 우리 사회가 이대로 다 좋다는 얘기는 아니잖아요. 우리에게 부족한 것은 통일 이전에 개선해야죠. 그래야 우리 사회에 대한 진정한 자신감을 갖게 되고 그것이 그 무엇과도 비교할 수 없는 강력한 국방력이 될 수 있는 겁니다.

오연호 그렇다면 어서 남한 사회도 개선을 해나가야겠군요. 사실 우리 사회는 미군정 이후 미국식 자본주의에 뿌리를 두고 있잖아요. 스님도 미국을 수차례 방문하셨죠? 최근에 계속되고 있는 '월가를 점령하라'는 시위에서 볼 수 있듯이 미국 안에서도 미국식 자본주의에 대한 근본적인 재검토가 필요하다는 목소리가 커지고 있습니다. 우리는 그동안 미국의 뒤를 졸졸 따라온 셈인데, 우리 사회를 개선하기 위해서는 미국의 어떤 점은 여전히 배워야 하며, 어떤 점은 배우지 말아야 할지 분명히 해야 합니다.

미국의 길은 우리와 다르다

법륜 일단 미국과 우리는 서로 다른 사회라는 것을 인식해야 합니다. 역사적으로 미국 사회는 이민자들로 구성됐죠. 인종이 다르고 민족이 다른 여러 낯선 사람들이 모여 사니까 기본적으로 법질서에 의해 유지됩니다. 반면에 우리는 5000년 이상 공동체를 이루며 살아온 단일 민족, 단일 문화의 사회잖아요. 이런 사회는 법질서보다는 오히려 공동체적 윤리나 도덕에 의해 유지되죠. 그러니까 형식을 넘어서는 그런 공동체 의식이 사회 저변에 흐르고 있다는 겁니다. 그 때문에 사회 자체의 구성이 다르고 문화도 다릅니다.

예를 들어 눈 오는 날, 눈 치우는 모습을 보면 서로 다릅니다. 미국 사람들은 자기 집 앞만 달랑 치웁니다. 만약 치우지 않아서 누군가가 미끄러지면 소송을 당하죠. 하지만 우리는 공동체사회라 다릅니다. 골목을 쓸 때 딱 내 집 앞만 쓸고 들어가진 않잖아요. 안 쓸었으면 안 쓸었지, 쓸면 골목 끝까지 다 쓸어버리는 사회죠.

오연호 그러고 보니 집 앞 눈 치우는 방식에서도 차이가 있군요.

법륜 우리는 오랫동안 서로 공동체를 이루며 살아왔기 때문에, 작은 도시에다 큰 할인마트를 만들어서 전통 시장이나 골목 상권을 무너뜨리는 방식은 국민 정서에 맞지 않는다는 거죠. 미국은 그렇게 해도 괜찮은 사회지만 우리는 그렇지 않아요.

양극화가 지나치게 심화되는 것도 우리 공동체 문화에 비추어보면 맞지 않는 겁니다. 미국은 이민사회니까 돈이 있으면 큰 집을 짓고, 돈이 없으면 작은 집을 짓는 것이 아주 자연스럽죠. 그러나 우리는 오랫동안 한동네에 같이 살아왔기 때문에 돈 좀 있다고 해서 너무 큰 집을 짓고 살면 이웃집에서 밉상으로 봐요. 남이야 어떻게 살든 무슨 간섭이냐고 할 수도 있지만, 오랜 기간 공동체를 이루며 살아온 문화이기 때문에 자기만 생각하고 살 수 없다는 거예요.

우리는 어떤 개발을 할 때 마을에 큰 경제적 이익이 생긴다고 해도 그곳에서 태어나고 자란 사람들은 환경을 크게 훼손하고 싶어하지 않습니다. 그런데 다른 곳에서 이주해 온 사람들은 돈만 더 준다면 어떤 개발을 하든 아무런 상관도 하지 않죠. 미국 사회가 나쁘다는 말이 아닙니다. 미국 사회와 우리 사회의 성립 배경이 다르기 때문에, 미국 것을 무조건 받아들이는 것은 우리에게 맞지 않는다는 거예요. 이런 차이가 있기 때문에 미국 것을 받아들일 때 조금 신중한 태도가 필요하죠.

그런데 우리가 너무 미국식으로 흘러가서 전통사회의 공동체 문화가 너무 많이 파괴되고 있어요. 이런 것은 전혀 바람직하지 않죠. 미국은 이민사회이므로 법질서 중심으로 굴러갑니다. 모든 것을 법으로 규제하고 법으로만 해결하려는 미국식 법치주의를 우리 사회에 그대로 도입하면, 걸핏하면 소송을 거는 등 오히려 부작용을 초래하게 되죠. 철저하게 법치주의 중심으로 간다고 꼭 좋은 게 아니라는 겁니다.

반면 미국에서 배워야 할 것들도 많습니다. 다양한 인종과 다양한 민족이 모여 사니까 미국 사회는 다양성을 존중해주고 있죠. 남녀차별, 계급차별, 인종차별 등이 많이 사라졌어요. 그런 점들은 우리가 배워야 합니다. 우리는 다양성을 존중하는 문화가 너무 부족해요.

오연호 앞에서 통일 이후의 한중일 경제공동체에 대한 비전을 말씀하셨는데, 그런 측면에서 본다면 우리 정부가 그동안 추진해온 FTA 문제는 어떤가요? 우리 사회에서 한미 FTA 추진을 놓고 상당한 갈등이 벌어졌잖아요. 정부 여당은 날치기로 통과시킨 한미 FTA를 예정대로 추진하겠다고 하고, 야당은 집권하면 재협상을 추진하겠다고 하고 있죠.

법륜 우선 우리나라는 현재 내수시장이 너무 작아서 다른 나라와 경제협력을 하지 않을 수 없습니다. 그래서 한미 FTA도 추진하기는 해야 하는데, 좀 더 신중하고 조심스럽게 접근해야겠죠. 가장 중요한 것은 먼 미래를 내다보고 해야 한다는 점입니다.

우선 이번 한미 FTA뿐 아니라 다른 비슷한 사안을 추진할 때도 단번에 모든 것을 규정하지 말고 단계적으로 추진해나가면 좋겠어요. 예를 들어 1차로 100가지 사항을 10년 동안 해보고 평가한 뒤, 2차로 다시 300가지를 10년 동안 해보는 식이죠. 지금은 그런 식이 아니니 나중에 어떤 부작용이 생길지 예측할 수 없는 겁니다. 그러니 지금 국민들 사이에서는 왠지 모를 불안감이 생겨나고 있죠. 지금 우리가 별문제 없다고 생각했던 것이 나중에 큰 문제가 될 수도 있고, 지금 문제가 된다고 난리를 피웠는데 막상 해보니 별문제가 없는 것일 수도 있잖아요.

둘째로 미국과 우리나라는 앞으로의 사회변화에서 차이가 있다는 점을 알고 추진해야 합니다. 미국은 앞으로 더 이상 변할 것이 별로 없는 일종의 완성된 사회잖아요? 그러나 우리는 처지가 다릅니다. 앞으로도 계속 변화해야 하죠. 그중에 우리가 핵심적으로 변화를 추진해야 할 것 하나가 통일이고, 또 하나가 복지사회입니다. 만약 한미 FTA를 지금 서둘러서 추진해버렸는데 그것이 통일과 복지사회로 가는 길을 방해하면 안 되겠죠. 한미 FTA 때문에 복지사회로 가는 길에 장애가 된다든지, 남한 한쪽만 생각할 때는 한미 FTA가 괜찮았는데, 통일을 눈앞에 두고 북한까지 넣어 고려해보니 문제가 된다든지 하면 곤란하잖아요. 그래서 FTA를 체결할 때 이런 것들까지 다 고려해야 합니다. 기존의 한미 FTA도 바꿀 수만 있다면 철저히 재점검을 한 뒤 복지사회와 통일국가 건설에 장애가 되지 않도록 해야겠죠.

셋째로 현재는 미국이 세계 최대 경제권이지만, 그 경제가 점점 쇠퇴하고 있기도 합니다. 이런 나라는 경제협력을 추진할 때 우선 자기 형편이 어렵기 때문에 이익에 더욱 민감해질 수밖에 없습니다. 그래서 갈수록 우리의 이익을 지키기가 어려워져요. 그러니 미래를 보고 더 신중히 협의를 해야 합니다.

중국으로 기울고 있는 북한

오연호 이제 또 하나의 외세인 중국 이야기를 좀 해보겠습니다. 조선시대까지는 우리 민족이 오랫동안 중국의 영향권 아래 살아오지 않았습니까. 반면 미국의 영향을 받은 세월은 해방 후 60여 년에 지나지 않습니다. 그런데 우리는 왜 상대적으로 짧은 이 기간에 미국에 급격히 경도됐고, 또 최근 중국이 급부상하고 있는데도 중국을 무시하는 경향이 여전할까요?

법륜 사람이 한 300년을 산다면 이러지 않을 겁니다. 자기가 사는 동안의 경험에만 의지하니까 이렇죠. 자기의 경험이 미국이 세계를 제패하던 기간의 것이어서 그런 사고가 형성된 겁니다. 우리가 명나라 때부터 지금까지 살아왔다면 그렇게 되지 않겠죠.

역사를 거슬러 올라가 살펴보면 지금만 이런 것이 아닙니다. 원나라에 경도돼 있다가 명나라의 성장을 못 보았고, 명나라에 경도돼 있다가 청나라의 성장을 못 보았고, 청나라에 경도돼 있다가 일본이 일어서는 것을 못 봤습니다. 일제강점기 때도 그랬습니다. 일제가 패망하기 직전인 1940년을 전후로 많은 애국지사들이 일본에 투항했잖아요. 5년 앞도 보지 못한 거죠.

그런데 이런 것뿐만 아니라 그 반대도 문제예요. 중국이 부상하는 게 조금 보인다고 해서 한편에는 중국을 너무 두려워하는 사람들도 있어요. 옛날의 병이 도지는 거죠. 사대주의의 상처가 덧나는 겁니다. 시대를 객관적으로 정확히 읽지 못하니 어떤 때는 두려워했다가 어떤 때는 얕봤다가 하는 것이 마구 뒤섞입니다.

그러니 역사 속에서, 현재와 과거와 미래를 보면서 판단을 해야 합니다. 대부분의 사람들은 지금 당장 하루하루만을 보고 살지 않습니까. 하지만 10년 20년 뒤를 생각해보면 세상의 변화가 충분히 읽히죠. 그런 것을 읽으라고 수학에서 미분도 하고 적분도 하는 겁니다.

제가 1970년대 후반에 잠시 학원에서 강의를 할 때 학부모 상담을 한 적이 있어요. 학부형들이 전망 있는 과를 선택해달라고 할 때 제가 맨 먼저 추천한 데가 중문과였어요. 그러면 저더러 그 과에 가면 대체 뭘 하느냐고 묻곤 했는데, 그때 그 학생들이 1990년대 한중수교 이후 중국 쪽 사업이 확장되면서 중국 지사장 같은 자리에서 일하고 있습니다. 앞으로도 중국은 계속 성장할 수밖에 없어요.

오연호 그렇다면 계속 성장하는 중국을 우리는 어떤 자세로 대하는 것이 좋을까요? 그리고 미국과의 관계는 어떻게 해야 할까요?

법륜 지금까지의 관성대로 중국을 만만히 보고 적대시하면 나중에 화를 입게 되죠. 중국과 협력이 제대로 이루어지지 않으면 경제적으로도 우리가 큰 타격을 받게 됩니다. 그러니 중국과는 협력을 확대하고 우호관계를 넓혀가야 합니다.

그런데 여기서 중요한 것은 중국이 부상하면 할수록 우리에게 미국과의 우호관계도 필요하다는 점입니다. 중국이 나중에 패권을 행사할 것에 대비해 미국과도 어느 정도 협력관계를 유지해두어야 합니다. 국제관계에서 자국의 이익을 위해서는 없던 우방도 만들어 끌어들이는 판인데 있는 우방을 쳐낼 필요가 없죠. 그렇다고 미국의 앞잡이가 되면 안 됩니다. 그러면 우리가 중국의 타깃이 될 테니까요. 요컨대 미국과의 관계에서도 지금의 좌파처럼 반미만 해서도, 이명박 정부처럼 친미만 해서도 안 됩니다.

오연호 김정일 국방위원장이 갑작스럽게 사망했습니다. 김정일 없는 시대에 북한 사회가 어떻게 변화할지가 지금 국제적 관심사입니다. 스님께서는 4~5년 안에 북한에 굉장히 중요한 변화가 일어날 거라고 하셨습니다. 김정일의 사망이 그 변화를 촉진할까요? 그 변화에 따라 혹시 중국의 한반도 장악력이 커지는 것은 아닐까요?

법륜 김정일 위원장의 사망이 변화를 촉진한다고 봅니다. 그러면서 북한이 더욱 중국 쪽으로 기울게 되겠죠. 김정일 위원장이 있을 때보다 지도부가 더 약해질 수밖에 없잖아요. 그러면 예전부터 가지고 있던 체제 유지에 대한 급박함이 더해지겠죠. 이 경우 선택은 두 가지입니다. 하나는 남북관계를 개선하고 나아가 그것을 기반으로 북미관계를 개선하여 체제나 경제적 생존권을 안전하게 보장받는 것이죠. 또 하나는 지금보다 더욱더 중국의 지원에 기대는 것이죠. 정치, 경제, 안보 등 모든 측면에서 중국의 지원을 더 많이 받는 겁니다. 지금 상황은 후자의 길로 가고 있어요. 우리가 변화를 주도할 준비가 안 돼 있으니까 북한이 중국 쪽으로 계속 기우는 겁니다. 기우는 정도가 갈수록 점점 더 커질 거예요.

오연호 걱정스러운 수준이군요.

법륜 참 안타까운 일입니다. 우리가 김정일 위원장의 사망 자체를 늦추거나 빠르게 할 수는 없지만, 우리의 준비 상태에 비해서는 김정일 사망이라는 변화가 다소 이르게 온 것 같아요. 이런 변화를 남북관계 진전에 적극적으로 활용할 준비를 해두었어야죠. 과거에 쌓여 있던 남북관계의 부정적인 요소들을 김정일의 사망과 동시에 무덤에 함께 묻어버리고 새로운 시대로 나아가는 정책을 취해야 합니다.

그동안 이명박 정부는 천안함사건이라든지 연평도사건 등 과거에 일어난 이런저런 사건들을 거론하며 북쪽에 계속 사과를 요구해 왔습니다. 하지만 사실상 북쪽의 사과는 얻기 어렵잖아요. 그렇다고 남한 정부 입장에서는 그냥 넘어가기도 그렇고 사과받기도 그렇고 애매모호한데, 김정일 위원장이 사망했으니 그냥 같이 묻어버리고 새로운 시대로 나아가는 획기적인 정책 변화를 취할 기회가 온 겁니다. 그런데 남한 정부의 준비가 안 돼 있죠. 이럴 때 우리가 준비돼 있다면 이 문제를 변화의 호기로 이용할 수 있는데…… 지금 준비가 제대로 돼 있지 않으니 이런 변화가 오히려 북한이 중국으로 기울도록 더 가속하는 계기가 되고 있지 않나 걱정입니다.

통일의 꽃을 피우려면

오연호 준비가 안 되어 있다는 것은 이명박 정부가 통일에 대한 확고한 입장과 철학을 갖고 있지 않다는 뜻도 되겠지만, 남한 사회 내에서 통일문제에 대한 사회적 대타협이 이루어지지 않았다는 뜻이기도 하겠죠.

법륜 맞습니다. 기회는 왔는데 준비가 부족하죠. 가령 국내 정치도 마찬가집니다. 지금 기존 정치세력에 국민들이 실망하고 있잖아요. 그러면 새로운 정치세력이 준비돼 있어야 혼란을 겪지 않고 세대교체가 잘될 겁니다. 하지만 오히려 기존 정치세력의 붕괴는 예상보다 빠르고 새로운 정치세력의 준비는 예상보다 더디니 지금 혼란이 오잖습니까?

다시 남북관계를 봅시다. 남쪽에서 충분히 준비가 돼 있다면 북쪽에서 일어나는 여러 가지 변화를 평화통일에 유리하도록 사용할 수 있지만, 그렇지 않으니 기회가 되기보다는 위기로 갈 가능성도 있습니다. 통일에서 점점 멀어지는 쪽으로 갈 수 있다는 말입니다.

오연호 그런데 북한이 중국으로 기우는 것을 꼭 그렇게 부정적으로만 볼 필요는 없다는 시각도 있습니다. 북한이 중국의 개혁개방 정책을 전폭 수용하면, 그러니까 북한 사회가 중국만큼 유연해지면 결국 통일에 유리한 환경이 만들어지지 않을까 기대도 할 수 있죠.

법륜 무엇을 목표로 하느냐에 따라 다르죠. 그저 북한의 문호가 개방되고 사회가 약간 안정된다는 측면에서는 나쁠 것도 없습니다. 중국과 북한의 관계가 전면적으로 긴밀해질수록, 다시 말해 안보적 · 경제적 · 정치적으로 긴밀해질수록 북한의 안전이 보장되니 그것을 기반으로 북한이 개방을 하는 것이 가능해지겠죠.

그러나 남북통일이라는 관점에서는 북한이 중국에 너무 기우는 것을 경계해야 합니다. 같은 개방이라도 남북관계와 북미관계의 개선을 통해 북한이 안전을 확보하고 그 기반에서 개방하는 것이라면 성격이 다르죠. 이럴 경우에는 남쪽으로 기울겠죠. 이런 조치가 전혀 돼 있지 않은 상태에서 지금 변화가 일어나고 있으니 통일을 목표로 하는 우리 입장에서는 경계해야 합니다. 물론 통일과 관계없이 북한 자체만 놓고 본다면 이것을 꼭 위기라고 할 수는 없죠.

오연호 지금까지 우리에게 외세란 무엇인가를 짚어봤습니다. 시대를 읽지 못하고 준비되어 있지 않으면 오랜만에 찾아온 기회도 위기가 될 수 있음을 배웠습니다. 미국-중국이라는 양대 외세의 세력교체기를 계기로 오랜만에 벌어진 틈새, 그 작은 틈새에서 통일의 꽃을 활짝 피워내려면 우리 모두 시대를 읽는 작업을 게을리 하지 말아야겠습니다.

9장
미래의 100년

미래의 100년을 준비하는 이 좋은 일이 노력 없이 너무 쉽게 이뤄져버리면 안 되잖아요. 형설의 공이 들어가야죠. 통일이 너무 쉽게 되면 100년을 가기는커녕 다시 10년 만에 무너질지도 모르잖아요. 버거운 과제인 만큼 사람도 많이 모아야 하고 연구도 많이 해야 하고 힘도 많이 모아야 하니 할 만한 일거리가 생겼다고 생각합시다. 통일이라는 엄청 재미있는 일을 때마침 우리가 만났다고 생각하면 힘이 돋고 기가 살 것 같아요.

오연호 스님은 언제 봐도 늘 밝고 맑은 표정으로 웃어주십니다. 그런 스님도 가끔 화를 내시나요?

법륜 그럼요, 화도 내고 짜증도 부립니다. 멀리서 보면 제가 화 같은 건 내지 않을 것 같죠? 가까이서 보면 누구나 다 골치 아픈 사람이에요. (웃음)

오연호 제가 왜 뜬금없이 화에 대해 여쭤보았냐면, 세상을 바꿔보고 싶어 뭔가를 열심히 하다가도 특히 화를 낼 때 제 자신이 참 형편없이 느껴져서입니다. 자기 마음속의 화 하나도 제대로 다스리지 못하면서 세상을 바꾸겠다고 하니 말이죠.

법륜 그럴 때가 있죠.

오연호 그런데 화를 내면서도 '아, 내가 지금 화내고 있구나. 화내면 나만 손해인데'라는 생각이 들 때가 많아요. 화를 내고 나면 심장도 벌렁벌렁 뛰니까 괜히 화내서 손해 봤다는 생각에 후회를 하게 됩니다. 스님은 화를 다스리거나 줄이기 위해 어떤 방법을 쓰십니까?

법륜 상대를 탓하기보다는 자기 마음을 보죠. 내게 화가 일어나고 있는 상황을 먼저 알아차려야 해요. 그러나 놓칠 때가 많죠. (웃음) 그래도 괜찮아요. 그럴 때는 그냥 생긴 대로 산다 생각하고 마음을 편하게 가지세요. 너무 억지로 고치려고 하면 그것 자체도 부담되잖아요.

오연호 뜻밖에 간단한 처방이군요. (웃음)

법륜 정토회가 문경에서 운영하는 '깨달음의 장'에 한번 다녀오는 것도 좋은 방법입니다. 거기에서 자기 내면을 꿰뚫어 보면 화의 절반은 없어집니다.

마음에도 습관이 있다

오연호 어떤 방법으로 수련을 하기에 그렇게 되나요?

법륜 자기 내면을 잘 들여다보면 마음의 작용이 자기도 모르게 습관적으로 일어난다는 것을 알 수 있어요. 인도어로 카르마(karma)라 하고, 불교에서는 업식(業識)이라고 합니다. 쉽게 말하면 습관이죠. 습관에는 행위의 습관뿐 아니라 사고의 습관도 있어요.

마음의 작용에도 습관이 있는데 그것을 무의식의 작용이라고 할 수 있죠. 이 무의식이 습관적으로 자동 반응하는 거예요. 그것이 어떻게 반응하는지를 정확하게 꿰뚫어 보면, 화내는 버릇을 고치고 못 고치고를 떠나서 화의 원인을 상대에게 전가하지는 않게 되죠. 그래서 자기 문제임을 알고 접근하면 원래 성격 가운데 절반

정도는 고쳐집니다.

오연호 마음의 습관을 다스리는 거군요.

법륜 네, 근본적으로 자기 점검을 한번 하는 거죠. 두 번째 방법은 그런 원리에 따라서 화를 내는 상황이 벌어질 때 재빨리 자각을 하는 것입니다. 화가 일어날 때 '너 때문에 화난다'고 하면서 상대방 탓을 하면 화가 점점 크게 올라오잖아요. 그런데 '내가 또 습관적으로 화를 내고 있구나'라고 자기 쪽으로 원인을 돌리면 가라앉아요. 화내는 시간이 확 줄어들죠. 화를 내느냐 안 내느냐가 핵심이 아니라 화가 일어나는 것을 자각하는 것이 중요합니다. 화내는 것 자체만 문제를 삼으니 참는 쪽으로 처방이 내려지고, 그러다 보면 병이 나고 자꾸 마음이 무거워지죠. 참는 것보다 더 중요한 것이 화가 일어나는 원리를 자각하는 겁니다.

저도 원래 저의 습관, 카르마, 업식이 있으니까 화가 때때로 일어날 때가 있습니다. 그러나 예전에 비하면 그 횟수가 줄어들고 강도도 많이 약해지고 지속 시간도 훨씬 줄었습니다.

오연호 스님도 정토회와 평화재단을 이끌면서 다른 사람들과 함께 일을 해야 하니, 조직 내에서 서로 지적을 하거나 야단치실 때도 있겠죠?

법륜 네, 있죠.

오연호 화를 줄이는 것도 어렵지만, 남을 효과적으로 비판하는 일도 참 어려운 문제입니다. 조직의 발전을 위해서는 비판을 하긴 해야 하는데, 하는 사람이나 당하는 사람이나 서로 마음의 상처가 될 가능성이 늘 있잖아요. 세상을 바꾸고 싶어서 함께 일하는 사람들 사이에서도 그런 이유 때문에 서로 얼굴도 보지 않는 경우가 생기더군요.

법륜 우선 우리가 사회의 변화를 위해 어떤 일을 함께 할 때, 왜 그 일을 하는가에 대한 근본적인 질문이 필요합니다. 그것이 정치운동이든 통일운동이든 언론운동이든 모두가 행복해지기 위해 하는 것이죠.

오연호 네. 어떤 일을 함께할 때 내가, 우리가 과연 행복해질 수 있을까를 늘 생각하죠.

법륜 그래서 사회를 바꿀 때 법률이나 제도만 바뀌어서는 안 되고, 물질적인 것만 풍족해서도 안 되며, 결국 정신적인 것이 제일 큰 문제입니다. 즉 더 나은 사회를 만들어가는 과정에서, 일을 열심히 하는 것도 중요하지만 그 일을 함께하는 사람들의 마음이 모두 행복해야 한다는 겁니다. 그래야 그 일을 오래 지속할 수 있죠.

그래서 저는 우리 자신의 마음에 대한 수행이 단순히 종교적인 영역의 문제만은 아니라고 봅니다. 수행은 우리가 새로운 사회, 행복한 사회를 만들어가는 데 가장 중요한 요소라고 생각합니다.

오연호 수행이 중요한 요소라고 할 수 있는 이유는, 그것이 제대로 안 되면 개인도 불행해질뿐더러 그 사람이 추구하는 사회변화를 위한 사업도 잘 안 되기 때문이겠죠.

법륜 그렇습니다. 수행이 되어 있지 않으면 자기 생각이 잘못됐는데도 자꾸 세상에 책임을 전가하게 됩니다. 그런 상태에서 세상을 바꾸는 일을 하면 주관주의에 빠지게 되죠. 그리고 결국 대중성도 없어집니다. 그래서 우리는 자신의 고정관념을 내려놓는 연습을 꾸준히 해야 합니다.

보통 사회운동가들을 심리학적으로 분석해보면, 어릴 때 성장 과정이나 내면에 어떤 피해의식과 열등의식이 많아요. 그 이유 때문만은 아니겠지만 그것이 일정한 영향을 미쳐서 사회문제에 굉장히 민감하게 반응하거든요. 좋게 말하면 사회의식이 있는 거고, 나쁘게 말하면 너무 사회를 부정적으로 본다는 거예요. 그러면 대중으로부터 공감을 얻지 못하니 대중성이 없어지죠. 그래서 자신의 고정관념을 깨뜨리는 의식의 확장이 필요합니다. 그러면 내가 아닌 다른 상대를 인정하게 됩니다. 그 사람 입장에서는 그럴 수도 있겠다는 이해를 하게 되죠.

오연호 중요한 지적이네요. 대중성이 없는 경우를 보면, 대부분 자기가 뜨겁다고 해서 남도 당연히 뜨거워야 한다는 생각 때문에 그렇더군요.

법륜 먼저 나 자신이 준비되어 있어야 합니다. 즉 개인 수행이 먼저 이뤄져야 남을 효과적으로 비판할 수 있습니다. 수행이 되어 있지 않으면 말로는 상대방을 위해서 비판한다고 하면서도 자기 성질대로 지적을 하게 되죠. 자신이 준비되어 있지 않으면 지적을 하지 않는 게 낫다고 봅니다. 아무리 좋은 의도라도 결과가 나쁘게 나온다면 안 하는 것만 못하니까요.

오연호 내가 준비되어 있지 않으면 남을 지적하지 말라는 거군요.

법륜 어느 조직이든 더 잘해보자고 상호 비판을 하는 것인데, 나중에 실천이 잘되지 않는 이유도 거기에 있습니다. 의논을 하면서 마음에 상처를 입으면 의식은 동의하지만 마음은 거부반응을 일으키기 때문이죠. 그러면 나중에 실천이 따르지 않게 됩니다.

예를 들어 선거를 앞두고 후보 단일화를 하는 과정에서 경쟁하는 후보들끼리 마음으로 흔쾌히 동의하지 않고 단순히 명분이나 힘에 몰려서 결론이 나면 어떻게 될까요? 탈락한 쪽이 마음이 내키지 않으니까 나중에는 협력을 하지 않죠.

제가 몸담고 있는 정토회에는 모든 회원들이 사회적 실천 활동보다 개인 수행을 더 중요하게 여깁니다. 그렇게 개인 수행을 열심히 하고, 1년에 한두 번씩 날을 잡아서 서로의 수행을 점검하고 비판하는 시간을 가져요. 하지만 그래도 상처 입는 사람이 생깁니다.

나 자신부터 바꾸는 연습

오연호 스님께서는 일찍부터 사회운동을 하는 사람들도 개인 수행이 먼저 이뤄져야 한다고 말씀해오셨죠. 이 때문에 사회운동권에서는 스님이 너무 품성론에 치우쳐 있다는 지적도 나왔습니다.

법륜 1987년 민주화 이후에 사회운동권을 돌아보게 됐죠. 그러면서 목표 의식을 분명히 하지 않으면 안 되겠다고 생각한 겁니다. 역사를 쭉 살펴보면 정신적으로 무장한 쪽이 늘 승리합니다. 기존 사회의 관리들이 부패 · 부정을 저지르고 술 마시며 기생집에서 놀 때, 혁명세력은 소수이지만 완전히 몰두해 와신상담하면서 역사를 바꿔내잖아요.

그런데 과연 우리 사회를 바꿔보겠다고 하는 사람들이 그런 정신 무장이 돼 있을까요? 예를 들어 고시 공부하는 사람과 사회변혁을 꿈꾸는 사람을 비교해봅시다. 고시 공부하는 사람은 우리 사회를 보수적으로 유지시키는 중요한 세력인데, 밤늦게까지 정말 열심히 책을 보고 공부하잖아요. 그에 비해 당시 제가 만난 일부 사회운동권 사람들은, 결의는 대단한데 저녁에 늦게까지 술 마시다가 매일 아침 회의에 늦게 오더라고요.

오연호 사실 말이나 글은 과격한데, 실천은 룸펜처럼 하는 사람들이 있죠.

법륜 그런 안이한 자세로는 사회를 근본적으로 변화시키기 어렵다고 생각한 거죠. 대중이 볼 때 한 인간으로서 누가 더 성실한가도 중요하거든요. 사회운동 하는 사람 중 일부는 약간 룸펜 기질이 있어요. 자기 삶을 자기가 책임지지 못하는 경우가 있죠. 그래서는 기본적으로 기득권세력과 경쟁을 할 수가 없어요. 그런 문화로는 설령 혁명이 성공한다 해도 새로운 사회를 창조해내지 못합니다. 새로운 나라 건설은 이런 품성을 가지고는 안 됩니다. 운동가는 우선 자기 생활에 대한 도덕적 컨트롤이 기성의 권력자들보다 훨씬 더 강해야 합니다. 그리고 개인 생활을 대중 앞에서 검증받을 경우 권력자보다 대중들로부터 훨씬 많은 지지를 받는 사람이어야 합니다.

그런데 역사를 눈여겨보면 늘 관군보다 반란군이 더 나쁜 행동을 일삼잖아요. 그러면 민심을 잃죠. 그런데 모택동 군대는 달랐습니다. 규율이 굉장히 엄격해서 민심을 얻었죠. 관군들은 민간의 식량도 뺏고 그랬는데 모택동 군대는 그러지 않았거든요. 역사 속에서 이런 것들은 배워야 합니다.

결국 새로운 사회를 향한 운동은 자기 자신의 삶에서부터 출발하는 거예요. 그래서 세상과 남들만 나쁘다고 할 게 아니라 자기 혁신을 계속하는 것이 새로운 운동이 되어야 한다고 생각했습니다. 그러면서 수행을 중요시하는 관점을 갖게 됐고요. 수행을 단순히 운동가의 품성을 잘 가꾸기 위한 도구로 보는 것이 아니라, 운동의 중요한 내용으로 승격시킨 겁니다. 그 때문에 사회운동을 포기하고 종교로 돌아갔다는 비판을 많이 받았죠.

오연호 스님은 청춘콘서트를 열기도 하고, 연속 100회 강의도 하면서 여러 사람에게 가르침을 주고 계십니다. 최근에는 언론 보도에서 '안철수의 멘토'라는 표현도 나왔습니다. 이렇게 많은 사람들의 멘토 역할을 하고 계십니다만, 스님 자신이 괴로울 때는 어떻게 하십니까?

법륜 괴로운 일은 그리 많지 않지만, 만일 그럴 때는 스스로를 되돌아보는 시간을 갖습니다. 아직 저희 스승님도 살아 계시고요. 사회적인 문제는 경험 많은 어른들께 문의하고 도반들과 의논해서 결정을 하죠. 되도록 의논을 많이 하는 편입니다.

오연호 그렇다면 스님 생활을 그만둬야겠다는 생각을 하신 적도 있나요?

법륜 광주항쟁이 일어난 1980년 전후에 불교에 대한 실망이 컸어요. 불교가 너무 사회문제에 대응을 하지 못하니까 불교계뿐만 아니라 경전 자체에 대해서도 불만이 생기더라고요. 《금강경》을 읽어보면 이것도 아니고 저것도 아니고 아닌 것도 아니라는 식으로 되어 있잖아요. (웃음) 그런 점에서 약간 회의가 든 적이 있었어요. 그래서 늦었지만 미국으로 건너가 원래의 꿈인 과학자가 돼볼까 하는 생각을 한 적이 한 번 있었죠. 그래서 미국에 가서 한 6개월 생활해보기도 했죠. 그러다 광주항쟁의 참혹한 영상을 보고 다시 돌아왔어요. 그리고 불경을 다시 보면서 부처님이 어떻게 역사 속에서 실존 인물로 살았는지에 대한 공부를 했어요. 그때 역사 속의 실존 인물로서의 부처님이 사회 현실에 아주 구체적으로 대응하셨다는 것을 알게 되었죠. 그랬더니 경전에 대한 해석도 다르게 다가왔어요. 다시 제 눈이 뜨이면서 불교 안에서 새로운 힘을 얻었다고나 할까요? 무척 좋은 계기가 됐죠. 스스로 회의가 들어 많은 고뇌를 하며 찾다 보니 붓다를 재발견할 수 있었죠.

"탑 앞의 소나무가 되어라"

오연호 그런 깊은 고뇌를 하셨으니 한 단계 더 업그레이드되었겠네요. 스님께서 정토회를 만든 때가 1988년이니, 그런 고뇌 뒤에 작품이 나온 거로군요.

법륜 그런 셈이죠. 정토회를 만들기 전에 제가 존경하는 서암홍근 큰스님을 찾아가서 한국 불교의 문제점을 비판했습니다. 그분이 한두 시간 정도 제 불만과 불평을 들으시고는 이렇게 말씀하셨어요. "여보게, 어떤 한 사람이 논두렁에 앉아서 마음을 청정히 하면 그 사람이 바로 중이네, 그곳이 바로 절이야. 이것이 불교라네."

아주 짧은 말씀이었지만 제게는 엄청나게 큰 충격이었어요. 저는 머리 깎고 승복 입은 사람이 스님이고, 산속에 있는 기와집이 절이고, 이런 제도가 불교라고 생각했는데, 그분은 마음이 청정한 자가 스님이라고 했단 말이에요. 모양과 형식에 상관없이 마음이 청정한 사람이 스님이고, 그 사람이 머물러 있는 곳이 비록 논두렁이라 하더라도 그곳이 절이다, 그리고 이것이 불교다…….

그 말씀을 듣고 저를 되돌아봤죠. '불교가 아닌 것을 불교라고 생각하고 그것을 고치려고 하는 것이 얼마나 어리석은가. 또한 불교가 아닌 것을 가지고 자꾸 시비하지 말고 불교를 바로 행하는 것이 중요하다. 이제 남 얘기 할 필요 없이 나부터 시작하자.' 이런 생각들이 1988년 정토회를 만들게 된 하나의 계기가 됐죠.

오연호 스님 말씀을 들으니 저도 제 자신을 되돌아보게 되는군요.

법륜 저의 스승인 불심도문 스님도 그즈음 일맥상통한 가르침을 주셨어요. 제가 스승을 찾아가서 기성 불교에 대한 불평을 많이 했을 때 이런 말씀을 하셨어요. "탑 앞의 소나무가 되어라." 이 말뜻은 소나무가 어릴 때는 탑의 그림자 때문에 못살겠다고 불평을 하는데, 소나무가 크면 오히려 탑을 가린다는 것이죠.

이것을 요즘 식으로 말하면 기존에 있는 것을 비판하기보다는 새로운 것을 일으켜서 새 모델을 만들고 다른 것들이 따라 배우도록 하면 기존 문제가 저절로 해결된다는 얘기죠. 정토회를 만든 것도 그런 이유에서입니다. 조계종이나 기성 종단을 비판할 게 아니라 우리가 새로운 모델을 만들어서 기성 불교가 따라 배울 수 있도록 만들면 된다는 것이죠.

오연호 전적으로 공감합니다. 중요한 말씀이네요. 저도 최고의 언론운동은 새 매체를 만드는 것이라고 생각했거든요. 제가 2000년에 '모든 시민은 기자다' 라는 모토를 내세워 〈오마이뉴스〉를 만든 이유도 조중동이 시민의 목소리를 담아내지 않는다고 욕만 할 것이 아니라 아예 시민이 기자로 참여하는 미디어를 만들어보려고 한 것이거든요.

법륜 새로운 정치세력을 만드는 것도 그런 방식으로 하면 되지 않을까요? 기성 정치세력을 비판해봐야 서로 싸우기만 하니 어떤 새로운 모델, 참신한 사람들이 올바른 방향과 방식으로 국가와 민족을 위해 나아가면 국민의 지지가 따라붙게 되고, 그러면 다른 사람들도 따라 배우겠죠. 우리가 처음 시작했던 청춘콘서트도 많은 사람들이 따라 배웠잖아요. 그 자리에서 바로 묻고 답하는 즉문즉설도 앞으로 많은 사람들이 따라 배울 것이라고 생각해요. 따라 배우도록 하면 사회적인 갈등을 조금 덜 만들고도 앞으로 나아갈 수 있다는 거죠.

지금은 시대가 바뀌었잖아요. 옛날 독립운동 할 때는 총 들고 했고, 민주화투쟁 할 때는 돌 들고 했는데, 지금은 총이나 돌을 집어 들 시기가 아니죠. 우리가 항상 새로운 것을 먼저 창조해서 만들어 나가면, 그것이 사회적인 영향을 주고 그다음에 사회발전이 이뤄지는 거죠.

오연호 그렇군요. 스님은 늘 새로운 것을 만들어가지만, 관성적으로 해온 것을 중단하고 새 길을 찾는다는 것이 결코 쉬운 일이 아닙니다. 1987년 민주화운동 이후 동지들과 2년여 동안 새 길을 찾다가 바로 이것이라는 생각이 들었을 때 어떤 방법으로 실천을 해나갔나요?

법륜 우선 그전에 하던 활동을 한동안 모두 중단했습니다. 하던 일을 다 그만두고 1989년 문경에 있는 봉암사로 들어갔어요. 거기에서 머슴살이를 3개월 했습니다. 일절 사회활동을 끊고 가르치는 일도 하지 않고, 절에서 나무하고 불 때고 밥하는 부목(負木) 일을 한 거죠.

그 후 애초에 잡은 방향대로 하나씩 실천을 해나갔습니다. 우선 수행이 가장 중요하다고 여겼으니 수행할 장소를 마련했죠. 부목살이 하면서 인연이 닿아 문경에 수련장 터를 잡았는데, 그곳이 지금의 문경 정토수련원입니다.

1991년에는 스승님의 권유로 다시 머리를 깎고 승려로 돌아왔습니다. 그리고 인도에 성지순례를 갔다가 구걸하는 아이들을 보고 구호사업을 시작했죠. 그리고 통일문제를 어디서부터 풀어볼까 고민하다가 1993년 역사기행으로 통일운동을 시작했어요. 그 기행을 하는 중에 북한 주민들이 굶어 죽고 있다는 소식을 듣고 1996년 북한 동포 돕기를 시작한 거고요. 무엇을 할 것인가에 대해 큰 방향과 기본 골격을 잡아둔 상태에서 하나하나 실천을 했더니 좀 더 손에 잡히는 실천거리들이 생겨난 거죠. 세세한 일들을 처음부터 다 계획한 것은 아니었습니다.

오연호 길이 길을 만든 거로군요.

법륜 북한 돕기를 아무리 해도 굶어 죽는 문제가 해결되지 않으니 제도적 · 구조적으로 바꿔야겠다고 생각해서 평화재단을 설립하게 된 겁니다. 북한은 주민의 굶주림보다는 자기 체제 유지에 급급할 뿐이었어요. 그래서 북한의 안보문제를 해결해보려고 한반도 평화체제 구축에 관심을 갖고 북미관계 개선에 노력을 보탰죠. 2005년 6자회담에서 9 · 19공동성명이 나오면서 물꼬가 트였구나 싶었는데, 계속 남북관계도 북미관계도 틀어지니까 결국 통일만이 모든 문제의 해결책이라는 것을 절감하게 됐어요.

평화재단도 처음에는 주로 대북정책을 입안했는데, 아무리 좋은 정책을 만들어도 그것을 추진할 사람이 없으면 소용이 없으니 다시 평화교육원을 만들었죠. 그러다가 엘리트만 키울 것이 아니라 대중으로 확산시켜야겠다는 생각으로 청년 대중운동을 시작한 거고요. 그래서 청년리더십아카데미도 만들고 청춘콘서트도 하게 되었죠. 또 왜 청년만 대상으로 하느냐는 중년층의 요청이 있어서 '희망 세상 만들기' 100강을 하게 됐죠. 그러자 왜 도시에서만 하고 시골에선 안 하느냐고들 해서 전국 시 · 군 · 구 300강을 시작하게 된 겁니다. 이런 실천 속에서 그다음 단계가 계속 나온 거죠.

처음부터 제가 큰 그림을 그리긴 했지만, 늘 출발은 나는 승려니까 조금만 시작해주면 된다는 식으로 했어요. 다른 사람들이 할 수 있도록 조금만 도와주려고 하다가 결국 여기까지 끌려오게 된 거예요.

투표만 잘해도 통일은 온다

오연호 그런데 2011년 가을 이른바 '안철수 현상'이 일기 시작하면서부터 법륜이라는 이름이 신문의 종교면이 아닌 정치면에 적지 않게 등장했습니다. 이것도 왠지 방금 말씀하신 것처럼 조금만 도와주려다가 끌려온 듯하네요. (웃음) 스님, 그렇다면 정치란 무엇인가요? 그리고 스님은 왜 정치에 관심을 갖고 계신 건가요?

법륜 정치란 인간이 살아가는 데 필요한 어떤 제도적 · 구조적인 바탕을 마련해주는 일이죠. 인간은 각자의 마음가짐만 제대로 가져도 어느 정도는 자유롭고 행복해질 수 있습니다. 그러나 제도적인 토대를 조금 개선해주면 개인의 삶이 훨씬 더 행복해질 수 있죠. 정치는 이런 삶의 바탕을 만들어주는 것이기 때문에 사심보다는 공심이 더 많이 있어야 합니다. 사심이 있으면 제도를 왜곡시킬 소지가 있거든요.

정치가 현상적으로 나타나는 것이 국가정책이고, 국가정책을 만드는 사람이 결국 정치인들이며, 정치인들을 선택하는 것은 바로 국민입니다. 그래서 처음에는 정치인을 개별적으로 설득하는 데 많은 시간을 들였죠. 하지만 한계를 느끼면서 국민을 각성시켜 정치권력을 제대로 선택하도록 해주는 일을 하게 된 거죠. 지금 나라가 처한 위기가 이렇고, 이런 문제를 해결해야 하니 여러분들이 올바르게 알고 이런 문제들을 해결할 사람, 통찰력과 집행력이 있는 사람을 선출하라는 국민운동을 하고 있는 겁니다. 그렇지만 저는 스님이니 정치 이야기만 할 수 없잖아요. 그래서 강연하러 가면 95퍼센트는 사람이 살아가는 삶의 이야기에 대한 상담을 해주고 5퍼센트쯤은 이런 통일 이야기를 섞어 해주니 매우 비효율적이죠. (웃음)

오연호 스님은 선거의 해인 올 2012년에 특히 대중강의를 많이 하고 계십니다. 청년들을 대상으로 한 것도 있지만, 강의장에 40, 50대들도 많이 보입니다.

법륜 청년들도 중요하지만 40, 50대도 중요하죠. 특히 이 세대의 여성들이 중요해요. 이 사람들은 그동안 상대적으로 정치에 관심이 깊지 않았습니다. 이들의 생각이 바뀌면 정치도 바뀌고 그러면 통일도 앞당길 수 있습니다.

통일을 할 마음이 아예 없다면 몰라도 통일을 하려거든 결국 한국이 중심에 설 수밖에 없어요. 그러려면 정부가 중심이 되어 통일정책을 올바로 펴야 합니다. 그런데 올바른 통일정책만 내놓는다고 일이 잘 풀리는 건 아니죠. 바른 정책을 집행할 책임의식이 있는 정부가 구성돼야 합니다. 통일을 원하는 우리는 그런 정부를 구성할 만한 세력을 지원해줄 수밖에 없죠.

물론 새로운 정치세력이 통일정책만 가지고 있어도 안 되겠죠. 국민이 현재 겪고 있는 현실적 문제, 가령 양극화나 비정규직 같은 문제를 해결할 능력이 있어야죠. 국내 문제와 통일문제를 함께 풀 이런 정부는 결국 국민이 투표로 만드는 겁니다. 그동안 정치에 비교적 관심이 없었던 청년들과 40, 50대 여성들이 움직인다면 우리 정치에 큰 변화가 오겠죠. 그래서 제가 이들에게 특별히 관심을 갖게 된 겁니다.

우리 속담에 민심이 천심이란 말이 있잖아요. 사람의 마음이 하늘의 뜻이라는 거죠. 그래서 전국 방방곡곡 다니면서 각 고을의 사람들을 만나 그들의 아픔을 듣고 공감하며 풀어주는 것이 하늘을 움직일 수 있는 길이라 생각해서 기도하는 마음으로 전국 강연을 다니고 있어요. 민심이 움직이면 기적이 투표로 나타나겠죠. 2012년부터는 민족의 번영을 위해서 꼭 평화와 통일의 기초를 닦아야 합니다.

오연호 요즘은 그간 정치에 관심이 없었던 일반 대중이 다양한 방법으로 정치에 관심을 갖게 되는 현상이 나타나고 있습니다. 기존 포털사이트에서 수동적으로 뉴스를 접하던 대중이 트위터와 페이스북 같은 소셜 네트워크 서비스(SNS)를 능동적으로 이용하고, 기존 지상파 방송이나 조중동 종편을 보기보다는 대안언론 역할을 하는 〈뉴스타파〉, 〈나꼼수(나는 꼼수다)〉, 〈이털남(이슈 털어주는 남자)〉 같은 팟캐스트를 스마트폰으로 들으면서 정치의식을 키우고 있습니다. 특히 2011년에는 '나꼼수 현상'이 크게 일어났죠. 이 팟캐스트의 핵심 테마는 이른바 'MB 각하'에 대한 아주 직설적이고 시원한 비판이었습니다.

법륜 그렇게 불만을 기초로 폭발적인 에너지를 만들어내는 것도 의미가 있어요. 어떤 문제를 분명히 보지 못하던 진보나 중도에게 실상을 적나라하게 보여주면서 정치의식을 한 단계 높이는 역할을 하죠. 그러나 그것만으로는 영역을 확장하는 데 한계가 있어요. 영역을 확장하려면 중도와 보수를 설득해야 하는데, 그런 방식으로는 설득이 잘 안 됩니다. 이들을 설득하려면 시원한 비판보다는 합리적인 대안이 더욱 필요합니다. 파괴도 필요하지만 그 이후에 건설까지 해야 하니 창조적이고 합리적인 대안을 만들어내야죠.

오연호 그래서인지 스님은 그동안 대담을 하면서 '통합의 리더십'이 필요하다고 강조하셨습니다. 지금 2012년 선거의 해를 지나고 있기 때문에 국민들이 국가 리더십 문제에 관심이 많습니다. 스님이 통합의 리더십을 강조하신 것은 지금 시대가 그것을 원하고 있다는 판단을 전제로 한 것이겠죠. 여기서 제가 던지려는 질문은 "시대를 어떻게 읽을 것인가"입니다. 어떻게 해야 우리가 시대를 제대로 읽고서 그 시대에 맞는 리더십을 가늠할 수 있을까요?

법륜 이것 역시 역사에서 배워야 합니다. 역사를 보면 그 당시 사람들이 왜 그때의 핵심 과제에 그렇게 대응했나를 알 수 있습니다. 조선시대 사람들은 왜 청나라의 등장에 제대로 대응하지 못했나요? 명나라에 의지해 200년 동안이나 안주하다 보니까 청나라의 발흥을 아무도 상상하지 못한 것이죠. 마찬가지로 지금의 상황에서도 우리가 현실에 안주하게 되면 문제가 제대로 안 보이죠. 시대를 읽으려면 기득권에, 현실에 안주하지 말아야 합니다. 역사 속에서 기득권세력은 늘 시대의 변화를 읽어내지 못합니다.

오연호 시대를 읽으려면 기득권에 안주하지 말라는 것이 핵심이군요.

법륜 리더십도 마찬가지입니다. 우리도 한번 잘살아보자고 외쳤던 산업화 시대에는 성장의 리더십이 필요했습니다. 그러나 이들은 성장에는 눈을 떴지만 그 기득권에 갇혀 있다가 민주화라는 다가오는 새 시대를 읽지 못했어요. 성장의 리더십이 민주화 리더십으로 안 바뀐 거죠. 그런데 이 민주화 리더십은 곧 투쟁의 리더십이지 않습니까. 이 투쟁의 리더십 또한 자기 생각에만 너무 굳게 갇혀 있으면 다가오는 새 시대를 읽는 데 둔해집니다. 그래서 지금 새롭게 필요한 복지사회의 리더십인 통합의 리더십으로 나아가지 못하고 있는 거예요. 투쟁의 리더십이 통합의 리더십으로 발전하지 못하고 있는 거죠.

오연호 정리하면 성장의 리더십, 투쟁의 리더십, 통합의 리더십 순으로 진전이 되는군요.

법륜 이 각각의 리더십은 시대마다 나름의 소명이 있습니다. 우리 사회가 산업화를 필요로 할 때에는 건설이나 성장의 리더십이 필요했어요. 그다음 배가 어느 정도 부르니까 정치적 자유를 누리고 싶고, 그래서 독재정권과 싸워야 하는 민주화 시대에는 투쟁의 리더십이 각광을 받았죠. 지금은 그 단계를 넘어 복지사회가 우리의 과제예요. 복지사회에는 통합의 리더십이 더 필요하죠. 이것은 성장의 리더십이나 투쟁의 리더십이 아니라 전혀 새로운 리더십, 산업화세력이나 민주화세력이 아닌 새로운 집단으로부터 나올 수밖에 없는 리더십입니다.

오연호 왜 그렇죠? 민주화 시대를 이끈 투쟁의 리더십을 갖고 있는 사람도 노력하면 통합의 리더십을 가질 수 있지 않나요?

서로 다른 상대를 포용하는 힘

법륜 물론 그전의 리더십들이 환골탈태하면 되지만 실제로는 그러기가 어렵습니다. 한 개인은 가능하나 집단적으로는 안 됩니다. 왜냐하면 카르마, 즉 업(業)을 갖고 있기 때문입니다. 그런 흐름이 이미 쌓여 있어서 새 흐름을 만들어내기가 힘들죠. 그래서 새로운 리더십이 형성돼야 한다는 겁니다.

사회의 본질을 꿰뚫어 봐야 그에 맞는 리더십을 형성할 수 있습니다. 사회적 통찰력을 가지고 새 시대에 필요한 새 리더십을 구성해야 하는데, 그러지 못하면 오랫동안 시행착오를 엄청나게 겪으면서 에너지를 많이 소실합니다. 시대를 읽는다는 것은 그 시행착오를 줄이면서 새로운 리더십을 만들어가는 것입니다.

오연호 시대를 읽는다는 것의 정의가 명확히 다가오네요. 시행착오를 줄이면서 새로운 리더십을 만들어가는 것이다!

법륜 제가 볼 때 대중은 새로운 리더십을 지지할 준비가 되어 있습니다. 통합의 리더십을 이미 원하고 있다는 말입니다. 대중은 이미 여기까지 와버렸어요. 지금은 성장 리더십도 투쟁 리더십도 아니고 그것을 넘어서는 통합 리더십을 필요로 하고 있어요.

지금은 민주화를 주장하는 전투적인 투쟁가를 지지하는 것도, 아파트나 공장을 건설하는 개발 리더를 지지하는 것도 아닙니다. 아이 키우는 문제 같은 생활에 밀착된 구체적인 사안들을 해결해주어야 사람들이 관심을 갖지 않습니까?

오연호 저도 민주화 리더십에 뿌리를 두고 있는 한 사람으로서 저 자신을 되돌아보게 됩니다. 그러나 우리가 통합의 리더십으로 가고 있다 할지라도 여전히 민주화 리더십은 나름의 역할이 있지 않을까요?

법륜 그렇습니다. 우리 사회는 아직도 성장이 필요하고 민주화도 더 진척되어야 합니다. 그래서 성장 리더십을 지지하는 계층도 일부 있고 투쟁 리더십을 지지하는 계층도 일부 있어요. 그래서 보수당, 진보당이 아직도 지지를 받고 있죠. 그러나 이들이 새 시대를 주도할 수는 없다는 겁니다. 역사적으로 보면 저항만 해서는 새로운 시대를 건설하지 못해요.

선거를 통해 집권한다는 것은 새로운 세상을 건설하는 일이에요. 그러려면 국민 다수의 지지를 받아야 하죠. 성장의 리더십, 투쟁의 리더십까지도 포용해서 새로운 사회를 건설해야 합니다. 국민 다수의 지지를 받으려면 새롭고 신뢰할 만하고 안정적이어야 해요. 저 사람들에게 맡기면 잘할 것이라는 소리를 들어야죠. 거기에서 통합의 리더십이 나올 수 있어요.

시대를 이런 식으로 읽고 대응해야 하는데 기성 정치권은 이걸 못 읽는 거예요. 제가 2, 3년 전부터 여당 야당 국회의원들에게 시대가 이제 바뀔 거라고 얘기해도 별 반응들이 없더군요. 성장의 리더십, 민주화 리더십에 물들어 있는 사람들에게는 시대의 변화가 보이지 않는 거예요. 그런데 가령 안철수 교수처럼 기존 세력에 속해 있지 않은 사람들과 얘기해보면 금방 대화가 통합니다. 기성 정치권 사람들은 정치를 전문으로 하는데도 이 정치적 변화를 이해하지 못하는 거죠.

오연호 통합의 리더십을 말씀하시니 '국민통합'이라는 정치적 수사가 생각납니다. 진보건 보수건 정치인들이 그간 이 단어를 참 많이 사용했습니다. 노무현 대통령도 임기 후반부에 이런 명분을 언급하면서 한나라당에 대연정을 제안했지만 실패했습니다. 스님께서는 진보와 보수를 아우를 수 있는 통합의 리더십을 중시하시지만, 노 대통령의 대연정 실패에서도 보이듯 현실적으로 우리나라에서 진보와 보수가 대타협을 하는 것은 사실상 불가능해 보입니다. 진보가 중간 세력까지 최대한 확장하든지 아니면 보수가 그리하는 것이 현실적으로 통합이라는 이름으로 해낼 수 있는 최대의 포용이 아닐까요?

법륜 통일을 힘 있게 추진하려면 보수든 진보든 상대 세력을 포용할 수밖에 없습니다. 그런데 상대방을 포용하려면 집권 초기에 곧바로 대연정을 해야 합니다. 만약 역사의식이 있는 사람이라면 집권하자마자 통일문제 또는 대연정을 두고서 야당과 대타협을 해야겠죠. 노무현 대통령처럼 집권 후반부에 제안하면 안 됩니다. 이미 그때는 야당이 다음번에는 자기들이 집권할 거라고 생각하는데 무엇 때문에 대연정에 끼겠어요. 제가 보기에 노 대통령은 그때 애국적으로 그런 생각을 한 것이지만 시기를 놓쳤다는 거죠.

오연호 통합의 리더십 하면 또 생각나는 것이 있는데, 그동안 스님과 대화를 나누면서 매우 인상적이었던 것 중 하나가 역사와 시대에 대한 포용입니다. 우리가 통일을 위해 지금 북한에 대한 포용정책을 고민하고 있는 것처럼 과거의 역사와 시대도 포용하자는 것이죠.

저는 스님 말씀을 들으면서 노무현 대통령이 서거 직전에 남긴 글 가운데 "부족한 그대로 동지가 됩시다"라는 대목이 생각났습니다. 이 말을 스님의 말씀으로 이어가면 지금 동시대에 함께 살아가고 있는 사람들뿐 아니라 역사 속의 사람들도 '부족한 그대로' 애정을 갖고 대해야 한다는 뜻으로 들립니다. 왜 그런 자세가 중요한가요?

법륜 우리가 우리 역사를 전부 나쁘다고 해버리면 미래의 희망이 없겠죠. 계백 장군과 김유신 장군을 한번 봅시다. 우리가 계백 장군더러 백제에 충성한 것을 잘못했다고 말하라고 하면 안 되겠죠? 그 사람이 백제에 충성한 것은 그대로 받아들이고, 김유신이 신라에 충성한 것, 연개소문이 고구려에 충성한 것도 그대로 받아들이는 식으로 역사 속에서 포용해가는 수밖에 없습니다. 신라 사람의 입장에서는 계백을 절대로 인정하지 않으려 하고, 백제 사람의 입장에서는 김유신을 인정하지 않으려 하면 어떻게 될까요.

통일의 시대를 내다볼 때도 마찬가지입니다. 통일이 되면 북한의 혁명열사릉도 나름대로 인정할 수밖에 없지 않을까요? 이런 얘기를 하면 우파들은 온통 입에 거품을 물지도 모르지만 그렇게 해야 이 문제가 해결될 것 아니겠어요. 신라가 통일했다고 해서 계백 장군의 능을 없애지는 않았잖아요. 자기 시대에 충성한 사람들이니 수용할 수밖에 없었던 겁니다. 과거를 상처로 만드는 것이 아니라 미래의 자산으로 만들어가는 거죠. 우리는 이런 관점에서 역사를 봐야 합니다. 바로 그런 점에서도 우리 시대에 필요한 것은 통합의 리더십입니다.

왜 통합의 리더십인가

오연호 국내의 좌우 세력을 껴안는 것은 물론 통일도 추진해야 하니 통합의 리더십이 더욱 필요하다는 말씀이군요.

법륜 지금 국내의 여러 가지 어려운 문제를 해결하고 남북 간의 수많은 장벽을 극복하여 통일을 이루기 위해서도 통합의 리더십이 필요합니다.

국내 문제에서는 왜 통합의 리더십이 필요할까요. 우리도 한번 잘살아보자고 할 때에는 성장의 리더십이 필요했습니다. 이런 산업화 시대에는 강하게 밀고 나가는 불도저가 필요합니다. 한마디로 불도저 리더십이죠. 박정희, 박태준, 정주영 같은 리더십이 성장을 이끌어왔잖아요. 정강이 걷어차며 군대처럼 줄 세운 뒤 밀어붙인 거죠. 박정희는 군인 출신으로 정치를 하고, 박태준은 군인 출신으로 경제인이 되고, 정주영은 초등학교만 나와서 경제인이 됐지만, 이들의 리더십 자체는 다 똑같아요. 안 되는 것을 되게끔 밀어붙이는 리더십으로 산업화를 이뤄낸 거죠. 그래서 이 사람들의 자부심이 굉장한 겁니다.

오연호 정말 그분들의 자부심은 대단하죠. 그래서 자기들의 역할을 제대로 평가해주지 않는 후대에게 무척 섭섭해하는 것 같습니다.

법륜 그렇습니다. 그런데 이들의 자식 세대인 20, 30년 뒤의 세대는 배고픈 시절이 아니라 먹고살 만할 때 태어났죠. 어느덧 사정이 바뀌었는데도 계속 독재를 하니까 저항하게 된 겁니다. 사람이 밥만 먹고 살 수는 없다, 조금 더 자유롭게 살아야겠다면서 민주화를 요구했죠. 민주화 시대에는 투쟁의 리더십이잖아요. 강고한 독재와 권위주의에 대항하려면 용기가 없어서는 안 됩니다. 싸워야 하고 죽음도 두려워해서는 안 되죠. 그러니까 투쟁가를 소리 높여 부르고, 분신도 하며, 감옥 가는 것도 두려워하지 않았잖아요. 그래서 우리가 그 사람들을 대단하다고 인정해줬죠. 왜냐하면 보통 사람들은 용기가 없어서 못 싸울 때 대신 나서 싸웠으니까요.

오연호 사실 그 세대에게는 용기와 결단 자체가 가장 큰 콘텐츠였으니 비판을 넘어 대안을 제시하는 콘텐츠는 검증을 느슨하게 한 측면도 있었죠.

법륜 그럼 그다음 세대는 어떤가요? 이제 먹고살 만해진 데다가 민주화도 이루어진 사회에서 이 민주화를 이룬 세대의 자녀들은 무엇을 생각합니까? 이들이 지금의 20대, 30대가 됐죠. 이 젊은이들은 목숨 바쳐 민주화하자는 생각이 전혀 없어요. 대부분의 관심사가 취직을 어떻게 할지, 아기를 낳으면 어떻게 키울지, 집은 어떻게 장만할지, 늙으면 어떻게 살아갈지, 병들면 어떻게 할지 같은 것입니다. 대학교에 가도 취직에들 관심이 있지, 나라의 통일과 서민을 위해서 싸우자든가 하는 사람들은 소수뿐이죠.

그렇다면 새로운 세대는 무엇을 원할까요? 첫째 세대는 경제 발전을, 둘째 세대는 민주화를 원했는데, 지금 셋째 세대는 행복을 원합니다.

오연호 그렇군요.

법륜 내가 우선 행복했으면 좋겠다는 거죠. 그러면 행복을 담보해주는 사회는 어떤 사회일까요? 굳이 표현하자면 일자리, 보금자리, 결혼, 육아, 자녀교육, 노후보장 등에 대한 요구가 어느 정도 잘

충족된 사회를 복지사회라고 할 수 있죠. 지금까지는 배고픈 사람에게 밥 주는 것을 복지라고 했지만, 앞으로는 사람들의 행복을 배려하고 그런 요구를 수용하는 사회가 복지사회입니다.

오연호 개인의 행복과 복지사회와 통합의 리더십은 이렇게 연결되는군요.

법륜 그렇습니다. 복지사회에서 사람들의 요구는 매우 다양합니다. 민주화 시대에는 국민들의 요구가 독재 타도, 직선제 개헌으로 통합되었는데, 복지사회에서는 요구가 저마다 다양하고 분산돼 있어요. 예전에는 자동차가 그저 있기만 해도 됐는데 이제는 무슨 자동차인지 몇 년산인지를 따지는 시대죠. 주문생산에서처럼 각각의 요구가 다양해졌으니 이 다양한 요구를 대변하는 당이 필요한데 그러려면 다당제가 돼야 합니다. 한 당으로 다 수용이 되지 않습니다. 아니면 한 당 안에 다양한 정파가 있어야 하는 거죠.

다양한 요구가 밑에서부터 올라온다면 결국 어떤 하나가 이기고 지는 게 문제가 아니라 다양한 의견을 조율하는 것이 매우 중요하게 됩니다. 이런 조율의 역할을 하는 것이 바로 통합의 리더십이에요. 다시 말해 복지사회의 리더십은 통합의 리더십입니다. 남북문제를 떠나 우리 사회만 보더라도 통합의 리더십이 필요합니다.

오연호 저도 동의합니다. 어떤 하나가 이기는 것보다는 다양한 의견을 조율하는 것이 매우 중요한 시대가 되었다는 점에요.

법륜 통합의 리더십은 제로섬 게임이 아닙니다. 내 것을 내세우되 상대편 것도 어느 정도 인정하면서 조율해나가는 것이죠. 꼭 반반 섞자는 게 아닙니다. 불교의 화쟁사상(和諍思想)처럼 이것이다 저것이다 싸울 때 이것도 아니고 저것도 아닌 제3의 것으로 모두 포용해줘야 한다는 겁니다.

제가 말하는 중도는 이것과 저것의 중간이 아닙니다. 이것만도 아니고 저것만도 아닌 한 차원 위에서 이것저것 다 포용하는 것입니다. 원래 이것이 불교에서 말하는 중도예요.

그런데 현재의 중도는 이것과 저것의 중간에 낀 사람, 그러니까 회색분자로 보이죠. 진정한 중도는 이런 회색을 의미하는 것이 아니라 한 차원 높은 통합의 리더십을 말합니다. 이렇게 보면 통합의 리더십은 단순히 민주화세력과 산업화세력을 통합하는 것이 아닙니다. 두 세력의 요구까지 포함한 전혀 달라진 새로운 요구에 부응하는 것이죠.

새로운 100년을 열어라

오연호 2011년 가을부터 '안철수 현상'이 우리 정치권에 등장했습니다. 물론 안철수 개인이 갖는 매력도 있겠지만, 스님께서 말씀하신 화쟁사상을 적용해보면 안철수 현상은 기존의 민주당과 한나라당 혹은 진보와 보수 같은 틀이 아니라 통합의 리더십이라 할 수 있는 새로운 무언가에 대한 염원이 반영된 것이라 보시는 거네요.

법륜 네, 저는 안철수 개인보다는 시대적 요구라고 봐요. 그 요구에 맞는 이미지가 안철수라는 말이죠. 복지사회 시대에 요구되는 통합의 리더십, 그 이미지에 가장 부합하는 사람이라는 겁니다. 그렇다고 해서 이런 흐름을 안철수 개인이 일으킨 것은 아닙니다. 그렇다면 언론들이 쓴 것처럼 '청춘콘서트'가 일으켰을까요? 그렇지 않죠. 제가 늘 얘기하지만 이미 봄이 와서 얼음이 녹고 있는 상태였어요. 거기에 우리가 청춘콘서트라는 돌멩이를 하나 딱 집어 던지니 얼음 한 군데가 깨진 거예요. 그러니까 옆에 있는 것들도 전부 무너진 거죠. 돌멩이 하나 던진 게 엄청난 일을 일으킨 것 같지만 그건 계기를 마련한 것일 뿐 판 자체는 이미 그렇게 구성돼 있었다는 겁니다.

오연호 그 판을 만든 것이 민심인가요?

법륜 네, 민심이죠. 시대의 변화, 시대적 요구예요.

오연호 안철수 현상이라는 판을 만든 것은 안철수라는 상징적인 인물이 20퍼센트, 통합의 리더십을 원하는 민심의 요구가 80퍼센트 정도라고 봐야겠네요. 그렇다면 만약 안철수 씨가 정치를 하지 않는다고 해도 민심과 시대의 요구는 또다시 그런 사람을 만들어낼 수도 있겠네요.

법륜 그렇습니다. 안철수 씨가 앞으로 정치를 본격적으로 하기로 하면 그를 중심으로 시대의 요구가 움직이겠지만, 그러지 않는다면 민심이 다른 대안을 만들어내겠죠. 참신하고 좋은 이미지만 갖고는 안 되니 조금 더 현실적인 사람을 찾아야겠다는 쪽으로 민심이 돌아갈 수도 있는 거죠.

오연호 조금 더 현실적인 사람이라면, 정치를 마다하지 않는 권력 의지를 갖고 있는 사람을 말하나요? 그렇다면 현 정치권에서는 누가 그런 사람일까요?

법륜 누구일 것 같아요? (웃음) 민심이 찾아낼 겁니다.

오연호 새로운 선택을 잘하려면 시대를 잘 읽어야죠. 살다 보면 새로운 선택을 해야 할 때가 오잖아요. 그럴 때마다 드는 의문은 내가 과연 나를 잘 알고 있는가입니다. 자신이 누구인지를 제대로 모르기 때문에 선택하기가 쉽지 않았던 것 같습니다. 우리도 모두 예외 없이 그런 상황에 처하게 됩니다. 저 사람과 결혼을 해야 할지, 다니는 직장을 때려치울지 등을 고민할 때 아침저녁으로 생각이 바뀌어 망설일 때가 많습니다. 그럴 땐 어떻게 해야 할까요?

법륜 망설일 때는 어느 쪽을 선택해도 별 차이가 없습니다. 양쪽의 비중이 비슷하기 때문에 망설이는 것이거든요. 더 고민한다고 해서 더 나은 선택을 할 가능성이 없죠. 사실 망설이는 행동은 결과가 나빠졌을 때 책임을 지지 않으려는 데서 나오는 겁니다. 그럴 때는 아무 선택이나 해도 괜찮은데, 다만 그 선택에 대한 책임을 져야죠.

조금이라도 더 나은 선택을 하고 싶다면, 자신과 반대되는 사람의 의견을 들어보는 게 좋아요. 가까이 있는 사람의 얘기를 들으면 어차피 나와 같은 생각이어서 결론이 나오지 않아요. 적이라고도 할 수 있는 반대쪽 사람의 얘기를 들어보면 자신을 조금 더 객관적으로 볼 수 있죠.

또 한 가지 방법은 자기 내면을 다시 한 번 들여다보는 겁니다. 그러면 자기가 무엇 때문에 망설이는지 알게 됩니다. 스스로 자기 안을 들여다보면 비교적 정확한 진단이 나오죠. 뭔가를 하고 싶을 때 그것이 과연 자기가 원하는 목표인지, 아니면 목표는 따로 있는데 자기도 모르는 다른 계산을 하고 있는 것은 아닌지 등을 정확하게 파악하면 망설일 때 대응하기가 조금 쉽습니다.

오연호 스님, 이제 지난 3개월여에 걸친 대담을 마무리할 시간이 되었습니다. 그동안 30시간 정도 대담을 했네요. 귀중한 시간 내주셔서 감사합니다.

법륜 오히려 제가 감사하죠.

오연호 솔직히 고백합니다, 스님.

법륜 무엇을요?

오연호 제가 스무 살 때, 그러니까 약 30년 전에 '역사와 민족'이라는 단어 때문에 가슴이 뛴 이후 참으로 오랜만에 스님과 대담을 하면서 다시 가슴이 뛰었습니다.

제가 1983년에 대학에 들어갔는데 신입생의 눈에 이런 플래카드가 들어왔습니다. "역사와 민족이 여러분을 기다립니다." 문과대 학생회에서 붙인 것으로 기억합니다. 저한텐 그 문구가 좀 충격이었죠. '지리산 근처 시골에서 나무하다가 온 촌놈을 웬 역사와 민족이 기다리고 있다는 건가? 도대체 역사와 민족이 뭐지?'라는 생각에 잠겼습니다. 그러면서 한국 근현대사를 공부하기 시작했습니다. 그 때문에 소설가의 꿈을 접고 묻혀 있는 사실을 기록하는 사람이 돼야겠다고 생각했죠.

법륜 그래서 기자가 되었군요.

오연호 네, 그래서 제가 요즘 대학에 강연하러 가면 이렇게 이야기합니다. "플래카드 함부로 걸지 마라. 한 사람의 인생을 바꿔놓을 수 있다." (웃음)

아무튼 지금까지의 대담 속에서 스님께서 줄곧 강조하신 것이 바로 '역사의식'입니다. 시대를 제대로 읽어야 한다는 뜻이죠. 이 대담을 접하게 될 젊은 사람들이나 일반인들은 사실 이것을 제대로 생각하지 못하고 살았으니, 지금부터라도 역사의식을 가져야겠다고 생각하는 분들이 있을 것 같습니다. 이분들이 어디에서부터 시작하면 좋을까요?

법륜 역사기행이 가장 좋을 것 같아요. 현장에 가면 책 읽는 것보다 실감이 더 나거든요. 역사를 제대로 보면 오늘 우리가 무엇을 어떻게 할 것인가에 대한 간접적인 답을 얻을 수 있습니다.

오연호 역사의식을 쌓아가면서 적절한 실천도 함께 따라야 할 텐데요. 이 책을 읽은 독자들도 그렇다면 무엇을 실천할까, 당장 매일매일 무엇을 할 수 있을까에 대해 고민할 것 같습니다. 아주 초보적인 수준에서 할 수 있는 초급 실천이 있을 테고 중급, 고급 실천도 있겠죠? (웃음)

법륜 초급으로는 우선 북한의 어린이들, 굶주리는 사람, 병든 사람을 위해서 자기 수입의 일부를 내놓는 것을 생각할 수 있죠. 여기엔 학생들부터 누구나 다 자기 형편대로 참여하면 됩니다. 매주 금요일 점심 한 끼를 굶고 그 밥값을 기부한다든지 하면 되죠. 말로 백번 하는 것보다 행동으로 한 번 옮기는 게 좋습니다.

중급으로는 선거에서 통일정책과 평화정책을 제대로 입안하고 실천할 의지를 가진 정당과 그 후보에게 투표하는 것이 있겠죠. 이것은 아주 중요한 실천 방법입니다. 그래야 실질적 · 구조적으로 통일을 추진할 수가 있기 때문이죠. 선거를 할 때 개인적인 이해관계만 보지 말고 평화와 통일문제, 민족적 문제도 함께 보고 제대로 투표하자는 거죠.

고급으로는 통일세력, 통일일꾼을 만드는 활동이 있습니다. 평화와 통일을 이루고 통일 이후의 조국을 건설할 청사진과 설계도를 그려낼 통일세력을 만들자는 거죠. 예를 들어 젊은이들은 통일청년단 같은 단체를 만들어서 통일을 오게 할 뿐만 아니라 통일코리아를 어떻게 건설할 것인가를 연구하자는 거죠.

다시 정리하면, 가장 소극적으로는 우선 나 개인이 할 수 있는 일부터 먼저 하고, 두 번째로는 선거에서 통일을 앞당길 수 있는 정치세력을 선출하며, 세 번째로는 정당, 정권 교체와 관계없이 통일을 준비하고 통일코리아를 건설하는 세력을 형성하자는 것입니다.

오연호 여기까지 법륜 스님의 말씀을 함께 따라온 독자들은 통일이 참 절실하고 우리 민족의 미래 비전이 거기 있다고 생각하면서도, 또 한편으론 통일이 그렇게 간단하지만은 않겠다는 생각을 동시에 가졌을 것 같습니다. 이 책을 덮으면서 가슴은 뛰지만 어깨는 결코 가볍지만은 않을 젊은이들에게 응원 한 말씀 해주시죠.

법륜 선배들도 못했는데 우리가 해내면 재미있잖아요. 요즘 젊은이들이 일제강점기에 살았다면 독립운동을 한번 해봤을 것이고, 1960년대에 살았다면 박태준 같은 건설의 리더십을 발휘했을 것이며, 1980년대에 살았다면 민주투사라도 되었을 텐데 이 모든 것이 다 지나가버렸죠.

하지만 마침 우리 앞에 그보다 더 큰 과제가 놓여 있습니다. 앞의 것들은 다 20년, 30년짜리 역사적 과제인데 이건 100년짜리잖아요. 통일은 독립, 성장, 민주화를 완성해주는 통합적인 우리 민족의 100년 과제입니다. 과거의 100년을 청산하고 미래의 100년을 준비하는 이 좋은 일이 노력 없이 너무 쉽게 이뤄져버리면 안 되잖아요. 형설의 공이 들어가야죠. 통일이 너무 쉽게 되면 100년을 가기는커녕 다시 10년 만에 무너질지도 모르잖아요. 버거운 과제인 만큼 사람도 많이 모아야 하고 연구도 많이 해야 하고 힘도 많이 모아야 하니 할 만한 일거리가 생겼다고 생각합시다.

이렇게 과제가 꽤 커야 일할 맛이 나지 않을까요? 이 정도면 인생을 한번 바쳐도 좋겠다는 생각이 들지 않을까요? 나중에 아이들한테도, 아빠로서 돈은 많이 못 벌어줬어도, 엄마로서 유학은 못 보내줬어도 내가 이런 일에 참여했다고 이야기할 때 자랑스럽지 않겠습니까? 통일이라는 엄청 재미있는 일을 때마침 우리가 잘 만났다고 생각하면 힘이 돋고 기가 살 것 같아요. 우리 함께 해봅시다.

:: 오연호의 이야기

함께 꿈꾸는 새로운 100년

"다음은 누구인가요?"

2010년 11월 《진보집권플랜: 오연호가 묻고 조국이 답하다》를 선보이자 적지 않은 독자들이 제게 이렇게 물었습니다. 어떤 독자들은 직접 '오연호가 묻다' 시리즈의 다음 대담자로 이런저런 분을 추천해주기도 했습니다.

저는 우선 법륜 스님과 새로운 100년을 이야기하고 싶었습니다. 그래서 2011년 여름에 스님께 대담을 제안했고, 그해 가을에서 겨울 사이 약 3개월에 걸쳐 30여 시간의 대담이 이뤄졌습니다. 스님이 '안철수의 정치적 멘토'라는 이름으로 언론에 한창 오르내릴 때였습니다. 서초동 평화재단 사무실에서 한 주에 한 번꼴로, 한 번에 세 시간씩 인터뷰가 진행되었습니다.

제가 법륜 스님과 대담을 하고 싶었던 까닭은 정치를 말하되 인생을, 도전을 말하되 행복을 함께 찾고자 했기 때문입니다. 남한의 '진보집권'을 넘어 남과 북을 포함한 우리 민족의 미래를, 2012년을 넘어 새로운 100년을 이야기하고 싶었기 때문입니다. 《진보집권플랜》이 2012년을 겨냥해 우리 앞의 벽을 넘어서기 위한 디딤돌을 쌓은 것이었다면, 이 책 《새로운 100년》은 그 벽을 지나서 그 너머에 있는 새로운 대지를 어떻게 가꿀 것인가에 대한 이야기입니다.

법륜 스님은 그 벽 앞에 선 우리에게 근본적인 질문을 던집니다. 우선 일상생활에 바쁜 우리에게 묻습니다. 당신은 무엇을 위해 그리 바쁘게 삽니까? 그리고 2012년 선거의 해에 집권을 위해 분주히 뛰는 사람들에게 또 묻습니다. 당신은 무엇을 위해 집권하려고 합니까?

만남과 대화를 거듭할수록 법륜 스님은 참으로 불가사의한 인물이었습니다. 3개월 가까이 인터뷰를 했지만 여전히 이해되지 않는 면이 참 많습니다. 우선, 어쩜 그리 체력이 넘칠까요? 법륜 스님은 우리에게 왜 그리 바쁘게 사느냐고 질문하지만, 제가 볼 때 스님이야말로 지구상에서 가장 바쁘게 사는 분이 아닐까 합니다. 하루 수면시간이 두세 시간에 불과하니까요. 정토회와 평화재단을 운영하면서도 1년에 300회의 대중강연을 합니다. 그 와중에 미국, 중국, 유럽 등 여러 나라를 동에 번쩍 서에 번쩍 오갑니다. 그러면서도 얼굴은 늘 맑고 밝습니다. 그 에너지는 과연 어디서 나오는 걸까요?

법륜 스님은 한 번에 세 시간씩 계속되는 인터뷰 내내 단 한 번도 피곤한 기색을 내비치지 않았습니다. 어떤 질문을 받아도, 어느 대목에서도 막힘이 없었습니다. 중학교 때 아인슈타인을 꿈꾸고 청년 시절에 유명 수학강사로 이름을 날렸다는 것도 새로웠지만, 종교·과학·정치·역사·세계를 넘나드는 그의 통섭과 통찰은 저를 깜짝깜짝 놀라게 했습니다. 때로는 인터뷰가 아니라 스님이 저를 앞에 두고 30여 분간 혼자서 강의하는 모양이 되기도 했습니다. 그러나 전혀 지루하지 않았습니다. 특히 우리 민족의 시원과 고구려·발해사, 근현대사에 대한 스님의 강의는 어떤 역사학자의 강의보다도 새로웠습니다. 스님의 열변을 듣노라면 40대 후반의 제가 어느새 청년이 되어 있었습니다. 가슴이 뛰었습니다.

그럴 때마다 저 혼자 듣는 것이 아까웠습니다. 고등학생, 대학생인 우리 아들딸이 함께 들으면 좋겠다는 생각을 여러 번 했습니다. 녹화해둔 대담을 다 풀어보니 200자 원고지로 3000매가 넘었습니다. 이 책은 그 가운데 핵심적인 내용을 1100매가량으로 정리한 것입니다. 드디어 저 혼자 듣기 아까운 강의를 여러분과 함께 나누게 되었습니다.

인터뷰를 해가면서 법륜 스님을 지치지 않게 하는 근원이 무엇일까 찾아봤는데, 그중 하나는 늘 미래를 생각한다는 점이 아닐까 싶습니다. 그래서 보통 사람들이 잊고 살거나 먼 훗날에나 올 수 있다고 생각하는 남북통일을 위해 오늘도 그는 쉼 없이 뜁니다. 남북통일이 과거청산적이 아니라 미래지향적인 것이어야 한다고 이야기하는 그에게는 역사에 대한 낙관이 있습니다. 그 낙관은 일을 즐겁게 만듭니다. 법륜 스님은 통일을 늙은 부모를 어떻게 봉양할 것인가의 문제가 아니라 어린 자식을 어떻게 키울 것인가의 문제로 바라봐야 한다고 말합니다. 통일을 부담이 아닌, 어린 자식의 성장을 지켜보는 것 같은 즐거운 흥분으로 받아들이기 때문에 가능한 것이겠죠.

법륜 스님의 힘은 미래를 설계하는 데 그치지 않고 실천한다는 점에 있습니다. 우리 보통 사람들은 분단된 나라에 살고 있지만, 그는 남과 북 두 나라에 살고 있습니다. 매일매일 북한 주민들의 삶을 세심히 살펴보고 굶주린 북한 동포를 도우며 통일방안을 연구하는 일을 줄기차게 합니다. 통일을 함께 추진할 '통일의병'을 모으고 있습니다.

법륜 스님은 늘 대중과 함께합니다. 혼자서 실천하는 것이 아니라 대중의 눈높이에 맞춰 대중과 함께 실천합니다. 강연장에 모인 청중을 즉문즉설로 사로잡는 스님은 가히 대중소통의 달인으로 불릴 만합니다. 정토회와 평화재단을 대중이 함께 숨 쉬는 조직으로 운영하고 있는 탁월한 조직가이자 지도자이기도 합니다.

그래서 대담을 진행하는 내내 이런 생각이 떠나지 않았습니다. 만약 법륜 스님이 승려의 신분이 아니라면? 법륜 스님처럼 역사의식과 민족의식이 투철하면서도 지구촌의 문제들을 직시하고 새로운 100년을 설계할 큰 시야를 가진 정치인이 지금 이 땅에 있는가? 승려만 아니라면 통일시대를 설계하고 개척하는 대통령에 도전해 봄 직하다는 생각도 들었습니다. 더욱이 이 책에서 자세히 밝혔듯이 법륜 스님의 영혼엔 동학혁명과 항일독립운동의 피가 진하게 섞여 있으니까요. 과거의 100년을 청산하고 새로운 100년을 만들어 갈 역사적 법통을 그만큼 상징적으로 담지하고 있는 인물도 드물 것입니다.

하지만 그는 승려입니다. 그가 전하는 큰 이야기를 남과 북의 정치인들과 시민들이 잘 소화해서 오늘을 살아가는 우리 모두의 집단지성으로 새로운 100년을 가꾸어가야겠죠. 그래서 2012년 말에 남한 땅에서 우리가 만들어낼 정권이 중요합니다. 이 정권이 남과 북을 아우르면서 새로운 100년을 추진할 것인가, 아니면 과거의 틀에 머무를 것인가에 따라 우리 민족의 운명이 달라질 것이기 때문입니다.

법륜 스님과 대담을 하면서 무엇보다 인상 깊었던 점이 그의 맑고 따뜻함입니다. 이것은 또 어디서 올까 생각해봤습니다. 제가 얻은 답은 그가 '껴안는' 사람이라는 것입니다. 그는 시대와 역사를 이야기하면서 '부족한 그대로 껴안기'를 기꺼이 말했습니다. 신라는 왜 그런 선택을 했을까, 북한은 왜 그런 선택을 했을까 하는 문제의 분석은 날카롭고 준엄하게 하면서도 그 시대에 그 사람들이 왜 결국 그런 선택을 할 수밖에 없었는지를 이해하고 그 부족함도 우리의 유산으로 껴안자고 했습니다. 그래야 함께 미래를 개척할 수 있다는 것이죠.

인터뷰를 하면서 푸근함을 느꼈던 또 하나의 이유는 법륜 스님이 사회변화뿐만 아니라 마음의 수행도 함께 이야기하는 분이기 때문입니다. 법륜 스님은 사회변혁에 동참하는 행동이 나의 행복으로 연결되어야 한다고 말합니다. 그래서 일과 수행의 일치를 강조합니다.

돌이켜보니 법륜 스님과 마주 앉아 인터뷰를 하면서 제가 던졌던 질문들에는 이 두 가지가 섞여 있었습니다. '스님, 우리 사회와 우리 민족이 어디로 가야 하나요? 스님, 인생이란 무엇이고 나는 어떻게 살아야 하나요?' 시대와 역사를 어떻게 읽을 것인가부터 내 인생의 행복방정식까지도 함께 상담하고 싶은 분, 그 법륜 스님과 함께 동시대를 살면서 인터뷰를 한다는 것이, 새로운 100년을 함께 꿈꾼다는 것이 참 행복했습니다. 이 책을 읽은 독자 여러분과도 그 행복을 나누었으면 합니다.

2012년 봄

오연호

새로운 100년

오연호가 묻고 법륜 스님이 답하다

1판 1쇄 펴낸날 | 2012년 5월 7일
1판 8쇄 펴낸날 | 2012년 10월 26일

지은이 | 법륜 · 오연호
펴낸이 | 오연호
편집주간 | 이한기
책임편집 | 서정은
편집 | 차경희
마케팅 | 정현민
교정 | 김인숙 · 김성천
녹취 | 최유정
사진 | 권우성
디자인 | 여상우
용지 | 타라유통
인쇄 | 천일문화사

펴낸곳 | 오마이북
등록 | 제313-2010-94호 2010년 3월 29일
주소 | 서울시 마포구 상암동 1605 누리꿈스퀘어 비즈니스타워 18층 (121-270)
전화 | 02-733-5505 팩스 | 02-733-5077
www.ohmynews.com book@ohmynews.com

ISBN 978-89-964305-9-9 03300

오마이북은 오마이뉴스에서 만드는 책입니다.